of   17.75

D0358146

1934

DU MÊME AUTEUR
CHEZ LE MÊME ÉDITEUR

LE CONFORMISTE, 1952.

LA BELLE ROMAINE, 1953.

LA PROVINCIALE ET AUTRES RÉCITS, 1954.

LE MÉPRIS, 1955.

LA CIOCIARA, 1957.

UN MOIS EN U.R.S.S., 1958.

L'ENNUI, 1961.

AUTRES NOUVELLES ROMAINES, 1961.

AGOSTINO, 1962.

L'INDE COMME JE L'AI VUE, 1963.

L'AUTOMATE, 1964.

L'HOMME, 1965.

L'ATTENTION, 1966.

UNE CHOSE EST UNE CHOSE, 1968.

LA RÉVOLUTION CULTURELLE DE MAO, 1968.

LE MONDE EST CE QU'IL EST, 1969.

LE PARADIS, 1971.

MOI ET LUI, 1971.

UNE AUTRE VIE, 1974.

À QUELLE TRIBU APPARTIENS-TU, 1974.

DESIDERIA, 1979.

BOF !, 1982.

ALBERTO MORAVIA

1934

roman

TRADUIT DE L'ITALIEN
PAR
SIMONE DE VERGENNES

FLAMMARION

TITRE ORIGINAL :
1934

ÉDITEUR ORIGINAL :
Valentino BOMPIANI

© Valentino Bompiani C.S.p.A., 1982
Pour la traduction française
© Flammarion, 1983
Printed in France
ISBN 2-08-064525-0

I

« Peut-on vivre dans le désespoir sans désirer la mort ? » J'imaginais, par jeu, lire cette phrase, cette question, écrite sur une banderole qu'une immense chauve-souris, aux ailes déployées, semblable à celle qu'on voit dans la gravure de Dürer *Melencolia*, tenait entre ses ongles, au-dessus de la mer, tandis que notre *vaporetto* s'approchait à toute vitesse de l'île de Capri. Peut-être que c'était l'atmosphère d'un orage imminent qui me suggérait l'analogie avec l'œuvre du peintre allemand. Comme dans la gravure, un arc-en-ciel arrondissait ses pâles couleurs sur fond de ciel noir et la grande falaise rouge de l'île tombait à pic sur une mer calme et sombre, mais qui, ici ou là, scintillait de reflets aveuglants comme une plaque de plomb égratignée par la pointe d'un couteau. Dans ce paysage qu'on aurait dit dans l'attente d'une catastrophe, la banderole portant la question à propos du désespoir était bien à sa place ; comme était bien à sa place la chauve-souris, oiseau pseudo-crépusculaire au vol lugubre, au cri perçant. La question me tourmentait depuis quelque temps : incapable de lui trouver une réponse satisfaisante, je l'avais constamment devant les yeux et jusque dans mes rêves.

Pendant un moment j'ai contemplé ce paysage « à travers l'idée » de Dürer. Et puis j'ai baissé les yeux ; c'est alors que j'ai vu, assise sur le pont, juste devant moi, une femme qui faisait doucement, mais fermement, non de la tête, comme pour dire : « Non, ne te fais aucune illusion, ce n'est pas possible, vraiment pas possible. » Du reste mon illusion était confirmée par l'expression de ses yeux qui ne signifiait pas n'importe quoi mais une volonté précise de communiquer avec moi. Le désespoir était si lisible dans le regard trouble et malheureux de ses grandes prunelles vertes que le rapprochement avec le geste de dénégation était inévitable. Oui, cette femme était désespérée et elle voulait me le faire savoir. Par son geste, elle semblait me dire : « Nous avons les mêmes sentiments mais moi j'en ai une idée différente de la tienne. » C'est ce que j'ai pensé tout d'abord en voyant la femme répondre avec tant de précision à une question que je ne lui avais pas adressée. Mais ensuite, je me suis dit que cette expression désespérée pouvait être due à la myopie ; quant au signe de tête, peut-être n'était-il que le muet et gentil reproche de n'avoir pas fait attention à elle avant ce dernier instant, de l'avoir ignorée durant tout le parcours Naples-Capri.

J'ai voulu l'observer, toujours avec curiosité mais de façon plus détachée, plus objective. Elle paraissait avoir à peine dépassé l'âge de l'adolescence mais avec pourtant quelque chose d'une vraie femme, que confirmait l'anneau de mariage qu'elle portait à l'index de sa longue et très maigre main gauche. Elle tenait très droites ses larges épaules osseuses ; les pointes de ses seins se dressaient horizontalement ; comme si elle avait honte du volume de son bassin elle serrait ses cuisses l'une contre l'autre. Son visage, lui, ne donnait pas la moindre impression de maturité ; supporté par un cou blanc et nerveux, c'était celui d'une enfant, avec de très grands yeux, un très petit nez, une bouche aux lèvres très charnues. L'épaisse chevelure rousse mal peignée qui recouvrait son front donnait à l'ensemble on ne sait quoi de félin. Elle m'a regardé avec une insistance gênante, nettement inspirée par une volonté, je dirais, butée ; jusqu'au moment où elle s'est tournée vers l'homme assis à côté d'elle pour lui murmurer quelque chose à l'oreille. L'homme à son tour m'a regardé en acquiesçant de la tête. Je me suis alors senti autorisé à examiner l'homme. Il aurait très bien pu être le père de la femme ; mais la main qui pressait amoureusement celle de sa compagne faisait tout à fait comprendre qu'il ne l'était pas. Habillé, ou plutôt accoutré d'une sorte d'uniforme colonial kaki trop étroit et tout froissé, ce bonhomme gras et robuste avait une petite tête chauve, des joues bouffies et flasques entre lesquelles on découvrait un petit nez, une petite bouche, un menton fuyant ; une cicatrice oblique barrait le côté droit de son visage ; derrière des lunettes on devinait deux yeux bleus et mornes au regard immobile.

Après avoir susurré dans l'oreille de l'homme, mais sans cesser de me regarder du coin de l'œil pour bien montrer qu'elle parlait de moi, la femme a repris sa position première ; elle a recommencé à me fixer avec la même insistance mais cette fois sans le moindre hochement de tête. Maintenant, je me reprochais de ne pas m'être aperçu de sa présence dès le départ de Naples ; c'est pourquoi je décidai de rattraper le temps perdu en établissant au plus tôt avec elle des rapports uniquement basés sur des regards. Que je développerais ; que je développerais d'une autre façon dès notre arrivée dans l'île. Des rapports ? Mais lesquels ? Je comprenais que c'était elle qui en avait déjà créé, disons, les prémisses en donnant à ses yeux lorsqu'elle me regardait une expression désespérée ; la même expression qu'elle avait lue dans mes yeux à moi — alors que je ne pensais pas qu'on m'observait — pendant que je m'étais abandonné à mes rêveries. La question : « Peut-on vivre dans le désespoir sans désirer la mort ? » lisible sur mon visage lui avait peut-être fait espérer établir une sorte de complicité entre nous deux. À présent, il ne me restait plus qu'à passer à quelque chose de plus précis, de plus réfléchi mais toujours à l'aide des regards.

C'est ainsi qu'a commencé ce dialogue uniquement fait de regards ; il a duré jusqu'à l'entrée du bateau dans le port de Capri. Moi, je la regardais et elle, me regardait. Surpris, je découvrais quelque chose que j'avais toujours su mais jamais vécu. Et cette chose était qu'avec nos yeux nous pouvons non seulement communiquer mais aussi parler d'une manière particulière et distincte. Presque avec stupeur, je m'apercevais que j'étais en train de dire que j'étais angoissé, malheureux, désespéré ; qu'elle, mystérieusement, me ressemblait puisqu'elle était, comme moi, angoissée, malheureuse, désespérée ; et que cette ressemblance était déjà le début de ce qu'il allait falloir appeler amour ; et que pour cette raison j'espérais ardemment que nous nous reverrions à Capri ; que dans ce but, je la priais de me faire savoir où elle habitait dans l'île, ou, au moins, de me permettre de m'approcher d'elle pour lui dire quelques mots ; et ainsi de suite, ainsi de suite...

Toutes ces choses que j'aurais pu dire en parlant, en alternant, selon l'accueil qu'on me ferait, diplomatie ou sincérité, je me rendais compte que je pouvais les exprimer par mes regards toujours avec passion, sans réticence, sans retenue, avec force. Et je ne pouvais m'empêcher de penser que ce qu'il y avait de passionné dans notre dialogue nous enfermait dans l'atmosphère exclusive et hors du temps dans laquelle baignent deux chanteurs éperdument engagés dans un duo d'amour ; nous devenions semblables, jusque dans l'invraisemblance ridicule des opéras, à ces personnages qui, sur la scène, s'exaltent réciproquement tandis que l'orchestre les accompagne, les stimule, commande musicalement leurs gestes devant un public admiratif qui retient son souffle. Je sentais pourtant que cette comparaison ironique n'était pas tout à fait juste. Nous n'étions pas des chanteurs d'opéra mais deux personnes qui, jusqu'à maintenant, ne s'étaient pas aperçues de leur existence. Que nous n'étions pas sur une scène de théâtre mais dans la réalité de la vie, sur le pont d'un *vaporetto* faisant le service entre Naples et Capri. J'aurais voulu interrompre ce dialogue et porter mes regards ailleurs. Quelque chose m'en empêchait : la sensation précise que ma rencontre avec la femme à l'air désespéré n'était ni accidentelle ni éphémère ; il était même probable que je l'avais attendue et recherchée toute ma vie ; et qu'aujourd'hui je ne devais pas laisser échapper une occasion si longtemps rêvée. Oui, toute ma vie j'avais attendu ce regard désespéré mais, dans son désespoir animé d'une lucide obstination. J'éprouvais, en la voyant fixer son regard sur moi, l'étrange, la bouleversante sensation d'avoir déjà vécu ce moment, sinon réellement, tout au moins en désirant sa réalisation, comme si cette femme et moi nous étions rencontrés en rêve, comme si nous nous étions donné rendez-vous et que nous éprouvions aujourd'hui en nous rencontrant exactement les sentiments que nous avions prévu d'éprouver.

Au milieu de ces réflexions, je voyais venir le moment où notre bateau allait entrer dans le port de Capri. L'orage qui paraissait imminent semblait s'être évanoui, les épais nuages noirs s'étaient condensés en un seul qui avait pris la forme d'un long cigare fuselé. La montagne de Capri, avec ses rocs rouges recouverts de verdure, se dressait dans un ciel tout bleu. Je me suis dit que je n'avais plus une minute à perdre pour arranger une prochaine et vraie rencontre. La sirène du *vaporetto* hurlait — deux brèves et une longue — pour annoncer son arrivée.

Le couple, la femme et l'homme qui étaient assis devant moi, s'est levé. Moi j'ai chargé mon regard d'une intensité impérative et interrogative ; d'un signe de tête, j'ai indiqué à la femme l'île où nous allions débarquer comme pour lui dire : « Tâche de me faire savoir dans quel hôtel vous allez vous installer à Capri. » J'avais l'impression d'agir pratiquement comme un fou. Mais il me fallait à tout prix la revoir. J'ai vite compris qu'elle s'était aperçue de mon geste et de mon regard mais, bizarrement, au lieu d'y répondre, elle a murmuré quelque chose à l'intention de son mari. La réaction de celui-ci a été rapide et imprévue. Il s'est penché vers moi qui étais encore assis à ma place, pour me demander en allemand : « Vous parlez sans doute allemand, monsieur ? » Étonné mais ravi, j'ai répondu : « Je parle et je comprends l'allemand. J'ai eu mes diplômes à l'université de Munich et j'ai été reçu en présentant une thèse sur Kleist. »

« Très bien. Alors si vous comprenez l'allemand, sachez que nous descendons à la pension Damecuta, à Anacapri. »

Vaguement embarrassé par ce mari insolite mais tout de même tenté d'accepter une situation à la fois commode et mystérieuse, j'ai répondu tout de suite : « J'étais en train de me demander où je descendrais. Je n'ai pas retenu de chambre : pension Damecuta, à Anacapri, parfait. Permettez-moi de me présenter : Lucio... »

Sans me laisser achever ma phrase, il s'est mis à crier l'air furieux : « Non, ne vous présentez pas, c'est inutile, je vous ai donné notre adresse mais ne croyez pas que j'aie envie de vous revoir. Je veux que vous cessiez ce ridicule échange de regards avec ma femme. Et à partir d'aujourd'hui, je vous prie de vous tenir aussi loin que possible de nous. Compris ? »

J'ai encaissé cette agression... verbale avec un certain étonnement mais surtout un grand malaise. J'ai regardé du côté de la femme en espérant presque qu'elle était prête à me défendre. Mais ses yeux se sont détournés de moi et elle a eu un léger haussement d'épaules signifiant à peu près : « Tu l'as bien cherché ! » Un sentiment fait de rage et de honte s'est subitement emparé de moi et je les ai mieux observés pendant qu'ils se mettaient dans la file derrière les autres passagers. Ils étaient simplement deux étrangers semblables aux autres. Comment avais-je pu croire avoir déjà eu avec cette adolescente aux larges et maigres épaules, à la belle chevelure rousse, une relation amoureuse fondamentale et importante dans ma vie passée et future ? Mais, ô surprise ! la voilà qui se retourne pour me jeter un coup d'œil visiblement complice et suppliant. Voulait-elle me dire de ne pas prendre au sérieux la colère de son époux ? Ou de ne pas l'abandonner ? Peut-être ?

On lance la passerelle sur le quai. Les passagers commencent à descendre. J'ai vu mes deux Allemands disparaître dans la foule, mais sans anxiété, sans regret, plutôt même avec un certain plaisir. J'avais reçu d'elle un regard suppliant ; je connaissais le nom de son hôtel ; pour l'instant, cela me suffisait. De toute façon je sentais le besoin de réfléchir calmement à ce qui venait de m'arriver.

J'ai vainement tenté de le faire dans la *carrozza* qui m'emportait vers Anacapri. Sur la route qui montait très dur, nous allions au pas : d'un côté j'avais la mer qui, maintenant que l'orage s'était éloigné, était redevenue d'un bleu lumineux ; de l'autre, la paroi rocheuse du mont Solaro. Alors, mais pourquoi ? au lieu de réfléchir comme j'en avais l'intention sur ma rencontre avec la femme du *vaporetto*, j'ai commencé à échafauder toutes sortes d'idées mais avec une sensation bizarre de quasi-volupté, sur la signification du paysage. J'étais sûr qu'il en avait une et que, justement, elle me concernait particulièrement. Finalement j'ai cru avoir compris. Le panorama se divisait en deux éléments distincts et opposés, l'un, vertical et menaçant représenté par la montagne au-dessus de ma tête ; l'autre, horizontal et rassurant représenté par l'étendue calme et comme souriante de la mer. Or, ce qui était ici le plus intéressant tenait au fait que, à mon avis, les deux éléments étaient aussi trompeurs l'un que l'autre. Il était plus qu'improbable que la montagne, qui représentait le désespoir, ne vînt à tomber sur ma tête, tandis que la mer et sa sérénité, qui représentait mon amour, pourrait facilement, au cours d'une tempête, m'engloutir sous ses flots.

Je rapporte ces sottises qui passaient par ma tête pour donner une idée du bonheur qui venait brusquement de m'envahir. En réalité,

10

j'étais heureux comme on peut l'être à vingt-sept ans avec pas mal d'années de désespoir sur les épaules et l'espoir d'un grand amour (ce serait un grand amour, j'en étais absolument sûr). Pour la première fois, désespoir et espoir se mélangeaient comme deux fleuves sortant de deux sources différentes, la première d'eau légère, la seconde plus lourde que la première. J'étais ivre de joie et pourtant plus désespéré que jamais. Le problème qui me tourmentait depuis un certain temps était de savoir s'il serait un jour possible de rendre, disons « stable » le désespoir ou, si vous voulez, de le transformer en condition normale de la vie ; de ne plus arriver jamais à déboucher sur le logique et inévitable suicide qui, du coup, se trouverait vaincu. De nouveau, comme dans mes plus mauvais jours, je me sentais prêt à me tuer ; mais cette fois non par un manque d'espoir mais à cause d'un espoir trop grand qui ne savait que faire de l'amère sagesse d'un désespoir, comme je l'ai dit, « stabilisé ».

Brusquement le cours de mes pensées fut interrompu par des bruits de voix et de roues : une *carrozza* était derrière nous, son cheval plus rapide que le nôtre était sur le point de nous dépasser. J'ai vu que celui qui encourageait son cheval dans cette course exténuante en montée n'était pas un voiturier habituel : c'était un garçon jeune, mince, frisé, qui avait l'air de s'amuser beaucoup. Une femme, qui était à côté de ce garçon, lui avait arraché sa casquette pour la mettre sur ses beaux cheveux roux mal peignés. Dans cette femme, mais avant tout parce que j'ai tout de suite reconnu le mari affalé sur les coussins du siège arrière de la *carrozza,* son air complice et boudeur, j'ai facilement identifié la petite Allemande du *vaporetto*. Elle étirait devant elle ses longs bras maigres pour agiter les rênes : avec des cris gutturaux, elle excitait le cheval ; sous la visière de sa casquette, elle avait un visage gai et animé. Leur *carrozza* a rattrapé la nôtre et pendant quelques secondes nous allâmes de pair. Alors j'ai vu la femme se saisir au vol de mon regard, enlever sa casquette et la remettre sur la tête du jeune homme, puis se retourner pour dire quelque chose à son mari et, des yeux, lui indiquer ma présence. Le mari a fait le geste ennuyé de quelqu'un qui hausse légèrement les épaules en disant : « qu'est-ce que tu veux que cela me fasse ? » Puis la *carrozza* des Allemands, poussée par le conducteur brusquement animé d'esprit de compétition, s'est lancée dans une course folle et nous a dépassés comme une flèche avant de disparaître derrière un petit bois de chênesverts.

Après cette disparition, mon voiturier, un homme corpulent proche de la cinquantaine, s'est tourné vers moi. Il parlait vite et d'un air sentencieux : « Ils font les cochers comme ils conduisent les tramways. »

Pour ne pas laisser tomber la conversation, j'ai répondu : « Peut-être que votre cheval est vieux. Celui de votre collègue m'a paru beaucoup plus jeune. »

Vexé, il a protesté : « Vieux mon cheval ? Il n'a que deux ans. Je le connais et je sais ce qu'il peut faire et ce qu'il ne peut pas faire. Mais celui-là, ce cheval, l'autre là, je le connais pas. Mais il y avait cette femme... alors naturellement... à cet âge-là, comment on fait pour refuser quelque chose à une femme ? »

Je lui ai répondu mais, comme ça, pour parler : « Il y a des hommes qui ne savent pas refuser.

« Alors c'est qu'ils ne sentent rien. » Il a hésité puis il a ajouté en modifiant légèrement un proverbe bien connu mais un peu vulgaire : « Vous ne savez pas qu'un cheveu de femme a plus de force pour tirer que cent paires de bœufs ? »

J'ai laissé tomber. Nous avons continué en silence. Lui à pied, les brides en main, un cigare entre les dents, il contemplait le paysage. En haut de la pente, il est remonté sur son siège avec une agilité surprenante et m'a annoncé sur un ton rancunier : « Voilà ! et maintenant je vous le fais voir si mon cheval est vieux ! » Il a fait claquer son fouet et le cheval est parti au trot. Avait-il fouetté trop fort ? Le cheval était-il vraiment jeune et fougueux ? Il est passé du trot au galop, du galop à une course désordonnée. Le voiturier a d'abord continué à exciter l'animal avec fouet et cris. Lorsqu'il s'est aperçu qu'il n'était plus maître de la situation, il a cherché à retenir sa bête en tirant sur les rênes. Trop tard. En se démenant des quatre jambes lancées dans une course effrénée, le cheval fou s'est jeté dans le petit chemin qui mène à Anacapri. Nous étions ballotés dans tous les sens. La voiture risquait à chaque instant de se fracasser contre les arbres qui bordent la route. Le voiturier criait des choses que je n'arrivais pas à comprendre, sans doute dans le dialecte de Capri, en tirant sur sa bride de toute la force de ses bras. En catastrophe, il a parcouru encore quelques mètres puis il s'est lancé droit sur une femme qui marchait sur le côté de la route en nous tournant le dos. J'ai eu le temps de remarquer qu'elle portait un corsage blanc et une jupe verte. Sur ses épaules, de beaux cheveux soignés, bruns, frisés, légers, se soulevaient à chaque pas qu'elle faisait. Je me suis dit tout de suite : « Tiens, une femme jeune, belle peut-être... », avant qu'il n'arrivât ce que je craignais : la *carrozza* venait d'éviter de justesse la femme qui avait eu le temps de faire un saut de côté. Le voiturier a arrêté son cheval. La femme s'est retournée pour injurier le voiturier. Sa violence m'a étonné, mais peut-être davantage son visage qui n'était ni jeune ni beau comme me l'avait fait tout d'abord croire cette magnifique chevelure légère et ondulée. C'était un visage de femme mûre, de type vaguement mongol : petits yeux tirés vers les tempes, nez camus, bouche saillante quoique sans lèvres. Une figure de petit sapajou mais, pour comble de disgrâce, enfarinée de poudre bon marché et trop blanche. Un rouge violent dessinait ses lèvres inexistantes. En les voyant on pensait à une blessure récente et encore sanguinolente.

La femme s'est précipitée sur l'homme, mon voiturier, son sac à bout de bras pour l'en frapper en même temps qu'elle l'injuriait en italien de l'île mais avec un fort accent étranger. Lui se tenait le plus en arrière possible, se protégeant d'un bras pour éviter les coups. Il restait, malgré tout, calme comme quelqu'un qui se retrouve dans une situation qu'il connaît bien et qui sait quelle contenance prendre. En voyant qu'elle ne se calmait pas, il s'est décidé à lui parler sur un ton conciliant, un peu ironique, en l'appelant « Sonia » et en la tutoyant.

Je n'ai pas compris ce qu'ils disaient — lui aussi parlait le dialecte de l'île. Mais la femme ne s'est pas calmée pour autant ; elle est même passée aux coups et aux mots grossiers, cette fois en italien : « *Figlio di puttana, carogna, cornuto, assassino !* » Sa voix s'était enrouée en criant. Il me semblait qu'elle exprimait moins un excès de colère momentanée qu'une ancienne et misérable hargne.

Finalement, à une réflexion du voiturier débonnaire et goguenard : « Arrête ! si tu continues comme ça, tu vas devenir laide ! », elle a répondu en hurlant : *« Vecchio stronzo ! »* et sans que personne puisse s'y attendre, elle lui a tiré la langue.

Je ne sais pourquoi, mais j'ai été vraiment troublé par l'apparition de cette langue écarlate, pointue, luisante de salive, qui jaillissait tout entière de sa bouche. Stupéfait j'ai pensé : « Extérieurement, c'est une vieille femme, une vieille guenon, mais à l'intérieur c'est une adolescente et sa langue n'a que dix-huit ans. » Un instant seulement. Puis elle s'est tournée vers moi : « Et toi, qui es-tu ? » — « Je m'appelle Lucio... » — « Ah oui ! Lucio ! Je t'ai vu sourire, petit *bellimbusto* de quatre sous ! Allez, porte-toi bien et rentre chez toi. » Une seconde fois elle a tiré cette langue indécente à force de jeunesse. Puis, brusquement, de la même façon qu'elle s'était déchaînée, sa fureur s'est apaisée ; elle nous a tourné le dos, elle a secoué le sac qu'elle portait en bandoulière et elle s'est remise en marche sans se retourner. Quelques instants, avant qu'elle ne disparaisse dans un petit chemin, je l'ai suivie des yeux.

Nous avons repris notre route, mais cette fois presque au pas. J'en ai profité pour demander à mon voiturier qui était cette femme ; il m'a répondu que c'était une Russe, la secrétaire de M. Shapiro. Et qui était ce M. Shapiro ? M. Shapiro était un Anglais qui avait fondé un musée de peinture, ici, à Anacapri. Sonia était la secrétaire de M. Shapiro mais aussi la directrice du musée. Et où Sonia vivait-elle ? Elle vivait chez Shapiro lorsqu'il séjournait à Capri. Pourquoi ? M. Shapiro ne vivait-il pas toujours à Anacapri ? Non, il n'y venait qu'en hiver. Le reste de l'année, il s'installait à Londres ou sur la Riviera. Je ne savais plus que demander, mais le voiturier assis sur son siège s'est tourné vers moi en veine de confidences, et lorsque je lui ai demandé : « Comment se fait-il que cette Russe parle si bien l'italien ? » il s'est mis à rire et m'a répondu qu'en fait, Sonia pouvait se dire Caprese ; tout le monde la connaissait ; beaucoup d'hommes la connaissaient mieux que d'autres et que lui-même était de ceux-là.

Il faisait certainement allusion à ses anciennes amours avec Sonia, vulgairement, content de lui, sans aucune gêne. Après un bref silence il a ajouté : « Ici dans le pays, on l'appelle la guenon, mais elle trouve toujours quelqu'un à qui plaire. »

Je me suis remis à regarder la route. Le voiturier m'a tourné le dos, il a rallumé le cigare qui s'était éteint entre ses dents. Il a fait claquer son fouet. Le cheval s'est remis à trotter.

Nous avons traversé la place de l'église ; nous avons parcouru encore un bon bout de chemin ; puis nous nous sommes arrêtés. Mon voiturier a sauté à bas de son siège ; il a chargé ma valise sur son épaule, il m'a invité à le suivre. Nous sommes dans un grand terrain asymétrique, avec des gradins qui descendent vers le village ; le terrain est entouré de maisons modestes, différentes les unes des autres ; toutes sont blanches et propres, sans fenêtre, dans le style arabe. Au milieu de cette, disons, place, là où on aurait pu s'attendre à voir une fontaine ou un monument, il n'y a qu'un gros olivier au tronc tordu et noueux qui ajoute à l'aspect étrange et transitoire du lieu.

Mon voiturier qui me précédait, ma valise sur l'épaule, s'est dirigé vers le seul bâtiment qui n'était pas dans le style du pays : une maison du XIXᵉ siècle à la façade rouge pompéïen, avec trois étages de fenêtres régulières comme on en voit à Naples et dans ses environs. C'était la pension Damecuta, dont l'existence m'avait été révélée par le fâcheux mari de l'Allemande aux cheveux roux.

L'entrée de la pension n'était pas sur la place mais dans une ruelle latérale. Un portail s'ouvrait sur un jardin abandonné plein de soleil mais insoupçonnable au milieu de toutes ces masures. Nous avons fait quelques mètres entre deux haies de lauriers-roses et nous avons débouché sur un terre-plein, devant la façade principale. La pension tournait le dos au village et regardait la campagne. On voyait très bien les pentes du mont Solaro couvertes d'oliviers, et, plus bas, à l'horizon, au-delà des champs, les reflets scintillants du soleil sur la mer tranquille. Une ancienne marquise, fer et vitres, protégeait la porte principale de la pension de famille. À notre apparition, un vieux chien couvert d'un épais poil blanc s'est lentement levé pour nous laisser passer. Nous sommes entrés et nous nous sommes dirigés vers une sorte de bureau où se tenait un vieux monsieur vêtu de gris, doté d'une longue barbe qui cachait son gilet. Le bonhomme m'a regardé par-dessus ses lunettes, de bas en haut. Je l'ai salué et je lui ai dit que je désirais une chambre.

Il m'a longuement fixé avec perplexité, puis il m'a demandé si j'avais réservé et j'ai répondu non. Il a soupiré, il a examiné longuement un registre, il s'est caressé la barbe, il a de nouveau soupiré, et à la fin, d'un air décidé, il a dit : « Je regrette mais nous n'avons plus de chambre libre. »

Je me suis étonné moi-même de la violence de mon désespoir en apprenant que je ne pourrais pas habiter dans le même hôtel que le couple allemand. Désespoir momentané qui venait confirmer cruellement mon désespoir, disons, permanent. Ainsi, pour une banale question de logement, je ne pourrais plus revoir mon adolescente aux cheveux roux. Ainsi, simplement parce que ces gens avaient réservé une chambre et moi pas, le plus grand amour de ma vie allait s'envoler ! Mes yeux se sont remplis de larmes, j'ai balbutié : « Mais alors pour moi c'est horrible, c'est la fin. » Je ne savais plus ce que je disais ; mais je sentais que ces mots excessifs et confus exprimaient exactement ce qu'en ce moment précis étaient l'excès et la confusion de mon âme. J'ai vu le vieux monsieur me regarder avec étonnement par-dessus ses lunettes et j'ai ajouté, très nerveux : « Voilà ce qu'il se passe, monsieur, je suis écrivain. Je suis en train d'écrire un roman ; j'avais beaucoup compté sur cette pension ; l'endroit me semblait parfaitement adapté pour y passer un mois de travail, sur mon livre. »

J'ai pensé que je venais d'être très astucieux : dans ma phrase j'avais substitué amour et littérature, je m'étais fait connaître ; j'avais parlé de mon intention de passer un mois ici.

Je n'ai pas compris lequel de ces trois arguments avait le plus intéressé le propriétaire de la pension ; mais, manifestement, il avait changé vis-à-vis de moi. Il s'est caressé la barbe et il a dit : « Ah, si vous restez un mois je peux vous donner provisoirement une chambre à deux lits, et vous faire passer dans une chambre à un lit dès que j'en aurai une de libre. »

Puisque à présent j'étais lancé sur le sentier de l'émotivité incontrôlée, je ne pouvais plus m'arrêter : « Je ne sais comment vous remercier, signor... ?

« Galamini.

« Je ne sais comment vous remercier, signor Galamini. Vous n'avez pas idée, ou plutôt, oui, vous avez sûrement une idée de l'importance, pour un écrivain, de trouver un lieu où il puisse

16

travailler. C'est une chose essentielle, décisive. Une fenêtre située d'une certaine façon, une certaine lumière, un certain silence, et voilà le roman en bon chemin ou sur le mauvais ! » Le signor Galamini observait cette faconde exagérée avec une patience imperturbable. À la fin, il a dit : « Ici, à la pension, nous avons eu plus d'un écrivain. Autrefois, c'est-à-dire du temps de mon père, Ibsen a habité ici. Nous avons même son portrait. Il est là. Regardez. » Il m'a indiqué une grande photographie dans un cadre ovale accrochée à l'architrave de la voûte sous laquelle on passait pour aller du hall d'entrée à la salle à manger. Avec la volubilité qui avait pour origine la joie d'avoir obtenu ce que je désirais, j'ai continué : « Oh, Ibsen ! Mais je le connais très bien, Ibsen : que faisait-il, Ibsen, à Anacapri ? Je veux dire, comment passait-il ses journées ? »

Le signor Galamini a haussé les épaules : « Je ne sais pas parce que mon père ne m'en a jamais parlé ; probablement qu'il faisait comme tout le monde : il se promenait.

« Mais vous, vous ne l'avez jamais vu ?

« Je ne crois pas. Du reste, à l'époque j'habitais Naples. C'était mon père qui s'occupait de la pension.

« Ah, signor Galamini, je sens que dans votre pension j'écrirai un roman digne de... de Ibsen ! »

Le signor Galamini a soupiré puis il a repris son registre ; sans doute pour me signifier que cette conversation devenue trop expansive ou trop personnelle était terminée.

Il a dit : « Alors je vous donne la chambre douze. Une chambre à deux lits avec deux fenêtres sur le jardin et vue sur la mer.

« Merci merci merci. Ah, signor Galamini, vous m'avez rendu la vie.

« Voici la clé. Carmelo, accompagnez le signor à la chambre douze. Ah ! un moment... Votre carte d'identité, s'il vous plaît. »

Je lui ai présenté ma carte d'identité et lui, pour la prendre, il m'a tendu une petite main couverte de ces taches brunes de la vieillesse. Ma gratitude était si forte que je crois avoir eu la tentation de baiser cette main. Le signor Galamini a dû s'en apercevoir : il a froncé les sourcils en me regardant avec stupéfaction. J'ai repris très vite : « À propos, savez-vous si un couple d'Allemands, mari et femme, les

Müller, ne sont pas arrivés ici il y a très peu de temps ; elle, très jeune, avec des cheveux roux, lui, la quarantaine, gras, grand, lourd ? »

C'était, disons, une astuce : en inventant le nom archiconnu de Müller, j'obligeais le signor Galamini à me corriger et à me révéler le vrai nom de ces Allemands. À mon grand étonnement, Galamini, après avoir consulté un moment son registre, m'a dit : « Oui, ils sont arrivés il y a à peu près une demi-heure. Ils sont au numéro huit.

« Mais ils s'appellent vraiment Müller ?

« Sur mon registre je vois écrit Müller. Rien d'autre. »

J'ai alors ressenti un bonheur démesuré, aussi bien parce que je savais « son » nom, que pour l'avoir deviné. Il me semblait que c'était un signe favorable, heureux, miraculeux.

En Allemagne, Müller est un nom aussi répandu que Rossi en Italie ; mais ceci ne gâchait pas mon impression d'avoir été aussi chanceux qu'un joueur qui gagne une grosse somme dès sa première mise. Du reste, ma chance ne consistait pas tant dans le fait d'avoir deviné le nom de ces Allemands que d'avoir eu l'idée de me servir de ce nom banal pour apprendre le nom peu banal qu'au début je leur avais attribué. Je ne pouvais pas décemment demander au signor Galamini le prénom de la femme. J'ai pris sa plume, j'ai rapidement rempli l'imprimé, je le lui ai rendu et il l'a mis dans un casier avec ma carte d'identité.

Puis, derrière le *cameriere* qui portait ma valise, je me suis dirigé du côté de l'escalier.

II

Dans ma chambre j'ai tout de suite posé ma valise sur un des deux lits, je l'ai ouverte et j'ai commencé à répartir mes affaires dans les tiroirs de la commode et dans l'armoire.

Cette chambre était très grande et assez sombre avec plafond voûté décoré de peintures *grottesche,* et les deux fenêtres sur le jardin que le signor Galamini m'avait orgueilleusement signalées. Les meubles d'un XIXe siècle provincial étaient en bois plutôt foncé. Comme il s'agissait d'une chambre pour deux personnes, tout était en double : deux lits, deux commodes, deux armoires, deux tables de chevet, deux paravents qui cachaient deux trépieds avec brocs et cuvettes.

En rangeant mes affaires je pensais déjà à ce qu'il me convenait de faire pour approcher Mme Müller. Je savais, pour en avoir été informé incidemment (ou peut-être pas incidemment, le propriétaire ayant sans doute deviné le pourquoi de mon angoisse) par le signor Galamini, que le couple occupait la chambre numéro huit. Et puisque j'étais au douze, je pouvais espérer que nous nous trouvions au même étage. En jetant un coup d'œil sur les numéros des portes des chambres j'avais remarqué que les toilettes se trouvaient à droite de ma porte, au fond du couloir ; par conséquent, Mme Müller devait forcément passer devant ma porte pour se rendre aux toilettes. Diverses perspectives s'ouvraient devant moi : un, rester aux aguets derrière ma porte et dès qu'elle passerait, l'attraper par le bras et l'attirer dans ma chambre ; deux, ouvrir ma porte, l'appeler, me faire reconnaître, fixer un rendez-vous pour le lendemain ; trois, me contenter de la regarder par l'entrebâillement de la porte sans rien dire, en lui laissant l'initiative. Ces projets, en apparence si simples, me troublaient beaucoup. J'allais et venais de ma valise aux tiroirs comme dans un rêve, presque sans me rendre compte de ce que je faisais.

Après avoir vidé ma valise, j'ai déposé sur un vieux bureau en noyer, style notaire de province, vermoulu et taché d'encre, mes papiers et mes livres. D'abord mon dictionnaire allemand ; puis la serviette contenant mon manuscrit presque complet du *Michael Kohlhaas* de Henrich von Kleist que je traduisais en ce moment ; enfin une chemise, hélas assez plate, dans laquelle se trouvaient réunies les vingt premières pages du roman dont je venais de parler avec un si grand enthousiasme au signor Galamini. Les livres, une douzaine en tout, que je comptais lire durant mon séjour à Anacapri, je les ai alignés sur une petite étagère près de la porte.

Je dois dire qu'en posant sur le secrétaire la chemise de mon roman, je n'ai pas pu m'empêcher de me sentir en faute. Je n'avais pas beaucoup avancé et il ne s'agissait pas d'un roman quelconque dont on pouvait renvoyer la rédaction aussi loin qu'on le désirait ; mais d'un roman spécial, lié aux problèmes de ma vie actuelle et, dans les conditions présentes, absolument nécessaire. Il ne serait peut-être pas mauvais de mieux expliquer ce que je viens de dire.

Comme je l'ai déjà indiqué, depuis quelques années j'étais obsédé par l'idée de « stabiliser » mon désespoir. Je souffrais d'une forme d'angoisse qui, justement, consistait à ne rien espérer ni du futur immédiat ni d'un plus lointain futur ; ma pensée caressait fréquemment la solution du suicide, soit comme libération de l'angoisse, soit comme aboutissement logique et inévitable au manque d'espoir. Mais, malheureusement, ou heureusement, nous ne sommes pas totalement des hommes ; ou plutôt nous le sommes seulement pour une part minime, disons deux pour cent ; pour les quatre-vingt-dix-huit pour cent restant, nous sommes des animaux. Par conséquent, à la solution du suicide si rationnelle et si humaine, s'opposait un côté animal et irrationnel, pas assez fort pour abolir le désespoir mais suffisant pour empêcher ce que, dans les faits-divers des journaux, on appelle communément « gestes insensés ».

En moi c'était une alternance continue entre les deux pour cent d'humanité et les quatre-vingt-dix-huit pour cent d'animalité. C'est pourquoi tantôt il me semblait que le suicide était comme un fruit mûr au bout d'une branche et qu'il suffisait de lever le bras pour le cueillir, tantôt, au contraire, comme aujourd'hui par exemple, après notre rencontre sur le *vaporetto,* il m'arrivait de tendre par n'importe quel moyen à la satisfaction de mes désirs.

Cette alternance contradictoire entre le désespoir et le désir m'humiliait. Pourquoi ? J'étais désespéré, plus que désespéré ; et pourtant voilà que je m'embarquais les yeux fermés dans l'amour passion propre à mon âge !

Finalement l'idée m'est venue que, immobilité pour immobilité, et contradiction pour contradiction, « stabiliser » consciemment et volontairement le désespoir était mieux que tout. Qu'est-ce que j'entendais exactement par « stabiliser » ? D'une certaine façon, en imaginant ma vie comme un État, il fallait institutionnaliser le désespoir ou, si vous voulez, le reconnaître officiellement comme une loi dudit état ; et ceci grâce à une prise de conscience qui me permettrait de créer un équilibre infrangible entre désespoir et désir.

Mais comment arriver à cette prise de conscience ? Ici intervenait le roman que j'avais l'intention d'écrire. Dans la mesure où j'avancerais dans ma rédaction, ma vie intérieure s'éloignerait de l'idée du suicide tout en restant fixée sur celle du désespoir. Et ceci parce que je raconterais dans mon roman l'histoire d'un homme qui finit par se tuer ; en d'autres termes, je transférerais sur la page blanche ce qui, dans la vie, restait à l'état d'intention. De sorte qu'en exerçant mon métier d'écrivain, j'obtiendrais que le désespoir, désormais « stabilisé », devienne donc sans effet, ce que je croyais fermement qu'il devrait être de nos jours : la condition normale de l'existence.

Tout ceci bien que senti comme nécessaire, comme même indispensable pour continuer à vivre, n'était qu'un schéma, quelque chose qui ressemblait à un squelette qu'on devrait recouvrir de peau ou, si vous préférez, à un thème narratif dont il faut faire un roman bien construit avec des situations, des personnages, des ambiances, etc.

Les difficultés ont alors commencé. Je me suis aperçu que pour inventer un personnage sur lequel pesait l'obsession du suicide, la motivation générique : être désespéré ne suffisait pas ; il fallait que je trouve pourquoi il l'était. Après de longues méditations j'ai fini par découvrir ce motif dans une irréductible aversion pour le régime fasciste qui en ce mois de juin 1934 entrait dans sa septième année. C'était certainement un motif plausible de désespoir pour un personnage de roman ; quant à ce qui me regardait personnellement, je savais bien que tout en éprouvant la même aversion, je ne me serais certainement jamais suicidé à cause du régime politique dominant alors en Italie.

À la réflexion, il m'apparaissait que le suicide, du moins dans mon cas, était une tentation pour ainsi dire « pré-politique » à laquelle la politique aurait pu, au maximum, fournir une justification supplémentaire. En réalité (c'était ce que je pensais) je ne me serais jamais senti moins désespéré si le fascisme avait été balayé ou si tout le régime social avait été changé. Mon personnage, lui, devait avoir un motif précis, concret et surtout unique de se suicider. Si ses motifs étaient vagues, abstraits et surtout nombreux, je soupçonnais qu'il finirait par ne pas se suicider en m'empêchant de « stabiliser » le désespoir, en m'obligeant à faire directement dans la vie ce que je n'avais pas pu faire indirectement dans mon roman. Mon personnage devait se tuer pour me permettre de ne pas me tuer ; et il devait se tuer poussé par un désespoir causé par un motif politique précis dans le but de me permettre de continuer à vivre dans mon désespoir sans motif.

En agitant ces idées, j'avais fini par m'installer et je suis allé à la fenêtre pour me pencher sur le jardin maintenant plongé dans l'ombre du crépuscule. J'ai ressenti un soulagement en voyant la masse découpée et noire des arbres qui se profilaient sur le ciel vert où brillait comme un diamant sur le front pâle d'une femme une seule merveilleuse étoile.

Devant la porte principale de la pension, éclairée par deux lanternes en forme de globe, le vieux chien aux longs poils blancs s'était tranquillement enroulé sur lui-même ; là-bas, loin, au-delà des champs, la mer n'était qu'une ligne bleu foncé que plus tard la pleine lune éclairerait en blanc. Tout était calme, sérénité, habitudes. Peut-être serait-ce vrai, comme je l'avais raconté au signor Galamini, que j'écrirais ici le roman dans lequel je me déchargerais sur mon héros de mon désespoir et de sa tentation normale du suicide ? Peut-être qu'ici je me sauverais de moi-même, grâce à l'écriture. Peut-être tout cela n'était-il qu'un jeu ? Qui a dit que dans la vie le jeu compterait moins que les choses dites sérieuses ?

D'autre part, ce ciel si poétique, cette étoile si brillante, ces arbres si mystérieux devaient leur beauté au fait d'être contemplés à travers la lunette d'une irrémédiable et définitive mélancolie. Mon désespoir allait me faire aimer la réalité après me l'avoir rendue insupportable pendant si longtemps.

Cependant, cet état d'enthousiasme littéraire ne me faisait pas oublier Mme Müller ; au contraire, je la voyais au centre d'un grand amour, le plus grand de ma vie, se tenant à mes côté dans ma lutte contre l'autodestruction. Ce qui revient à dire, en termes plus simples, que tout en écrivant mon roman, je trouverais dans mes rapports avec elle la confirmation que, après tout, la vie valait la peine d'être vécue. Je ne pouvais cependant pas me dissimuler que le rôle de mécanisme équilibreur que j'assignais à Mme Müller n'était pas tout à fait en accord avec le genre de complicité romantique et fatal qu'il m'avait semblé deviner dans son comportement vis-à-vis de moi durant notre bref et silencieux colloque sur le bateau, mais ma foi, tant pis. Moi je sentais le besoin de faire entrer dans ma vie cette femme mystérieuse dont je ne savais rien sinon qu'elle était venue de nulle part, exprès pour moi.

Tout d'un coup le bruit d'un gong de cuivre qu'un domestique promenait au long des couloirs de la pension en le frappant à intervalles réguliers, m'a rappelé à la réalité, c'est-à-dire au fait profondément troublant que dans quelques minutes j'allais revoir Mme Müller à la salle à manger où très probablement elle descendrait pour le dîner avec son mari. À cette idée, mon cerveau a presque cessé de fonctionner, mon cœur a battu plus vite ; mon souffle s'est haché. Brusquement saisi d'une subite, abominable anxiété je suis allé m'asseoir sur mon lit. Je me disais qu'il me fallait attendre que le *cameriere* ait terminé sa promenade dans les couloirs. J'ai attendu cinq, dix minutes, jusqu'à ce que tous les pensionnaires soient descendus, je ne voulais pas être le premier à franchir la porte de la salle à manger. J'avais calculé de mesurer mon temps d'attente sur la durée d'une cigarette. Je l'ai allumée et j'ai commencé à fumer scrupuleusement mais sans plaisir ; je me suis aperçu tout de suite que lorsqu'on est pressé il y a plusieurs façons d'abréger la durée du tabac : aspirer longuement, aspirer souvent, faire tomber continuellement la cendre, etc. etc. Effectivement, les cinq minutes prévues n'étaient même pas passées que ma cigarette était devenue un mégot que j'écrasais dans un cendrier. Alors j'ai posé une main sur mon genou et j'ai attendu encore trois minutes, les yeux fixés sur mon bracelet-montre, puis je me suis levé pour aller ouvrir la porte ; j'avais à peine passé le seuil que je revenais en arrière : je voulais prendre un livre pour lire à table, pour me donner une contenance ou pour me servir de lui pour transmettre un message à Mme Müller ; je ne savais pas encore quel livre choisir. Parmi ceux que j'avais alignés sur l'étagère, il y avait *Ainsi parlait Zarathoustra*. J'ai hésité entre Nietzsche, et Kleist que je traduisais. Je me suis décidé pour le premier, c'était archiconnu ; même quelqu'un d'inculte, comme devait l'être probablement Mme Müller, ne pouvait l'ignorer. D'autre part, le livre de Nietzsche, avec ses petits versets, se prêtait mieux que le roman de Kleist à un échange de messages amoureux. J'ai donc pris *Zarathoustra* et je suis sorti de ma chambre.

J'ai descendu lentement marche après marche, une main sur la rampe, mon livre dans l'autre, le grand et bel escalier de la pension. Des clients me précédaient, me suivaient, presque tous des gens d'un certain âge, généralement des couples, mari et femme, manifestement étrangers et presque sûrement, pour la plupart, des Allemands. J'ai cherché les Müller mais je ne les ai pas vus, alors je me suis arrêté, je me suis baissé en faisant semblant de refaire le nœud de mon lacet de soulier et en me baissant j'ai regardé derrière moi ; ils étaient exactement dans mon dos, lui, en costume bleu foncé, col cassé lui serrant le cou ; elle dans une robe de soie verte avec de petites fanfreluches sur les épaules qui faisaient ressortir la maigreur osseuse et la minceur de ses bras nus. Lui, cachait son regard immobile et terne derrière les verres de ses lunettes ; elle, à peine m'étais-je baissé et retourné qu'elle a instantanément planté son regard dans le mien. C'était le même regard qu'elle avait eu à

24

bord du *vaporetto* : triste, désespéré, mais aussi insistant, volontaire, presque insolent. Dans mon émoi, j'ai défait le nœud que je venais de refaire ; et puis je me suis relevé, j'ai esquissé un salut auquel l'homme n'a pas répondu tandis qu'elle l'accueillait avec un battement complice de paupières. Ils m'ont dépassé ; avec une chaussure lacée et l'autre non, je les ai suivis à deux marches de distance.

Tout en continuant à descendre lentement, main toujours sur la rampe, mes yeux se sont posés sur sa nuque à elle, diaphane, délicate sous des mèches de cheveux roux et je me suis dit que cette nuque avait sans aucun doute la même lumineuse blancheur que l'aine et le haut des cuisses des femmes rousses ; les mèches qui s'échappaient de son chignon à moitié défait me faisaient irrésistiblement penser à des poils de pubis emmêlés et rebelles. Après la nuque mon regard s'est arrêté sur les épaules larges, très masculines, mais d'une minceur très féminine, je veux dire sans jeu de muscles apparents, recouvertes d'une peau fine, souple comme une voile de bateau un jour de calme ; puis sur les flancs larges mais osseux et, de nouveau, j'ai été frappé par le manque d'aisance qu'elle avait dans ses mouvements ; une gêne qui s'apparentait à de la gaucherie comme si l'adolescente qu'elle était hier encore ne s'était pas habituée à se sentir transformée en femme au point même que sa façon de marcher m'a fait tellement sentir son intolérance pour ce qui était féminin que j'ai eu brusquement l'impression que son corps n'était pas vêtu mais médiocrement recouvert ; j'en étais en quelque sorte justifié de me permettre d'imaginer ce que je ne voyais pas de ce que je voyais, de pâles petites fesses maigrichonnes et pendant dans le vide entre ses cuisses les longs et mols poils de son sexe.

Elle avait dû s'apercevoir de mon regard indiscret parce que brusquement, comme à tâtons, elle s'est mise à rajuster sa ceinture au-dessus de ses reins. Alors mon regard, se repentant peut-être de sa hardiesse, est descendu jusqu'à ses chevilles : elles étaient fines et ses bas, trop larges ou mal tirés, faisaient des plis. Autour de sa cheville droite, elle portait une chaînette en or assez large qui retombait sur son long pied maigre.

Ces observations, ou plutôt ces impressions, m'ont aidé à

descendre l'escalier comme en rêve. Et me voilà toujours rêvant, avançant lentement derrière la file des pensionnaires qui pénétraient dans la salle à manger. Beaucoup de tables me semblaient déjà occupées ; je me suis arrêté au milieu de la salle et des yeux j'ai cherché un *cameriere* pouvant m'indiquer la place qu'on m'avait destinée. Il est venu : c'était un homme d'âge moyen, maigre, avec d'abondants cheveux noirs et crêpés, des yeux bleus magnétiques et un grand nez aquilin ; il m'a vite poussé vers une table près de la porte, mais j'avais déjà vu que les Müller étaient assis très loin de la place qu'on m'avait assignée ; j'avais immédiatement remarqué que près de leur table à eux il y en avait une encore inoccupée. J'ai calmé le *cameriere* en l'informant que je préférais être dans le coin près de la fenêtre. Le *cameriere* était pressé : il s'est contenté de me précéder pour retirer un petit carton posé sur la table portant le mot « Réservé ».

On m'a tout de suite servi le premier plat. Alors, soit pour me donner une contenance, soit parce que, mais je l'ai déjà dit, je voulais y trouver un message pour Mme Müller, j'ai mis le Nietzsche en évidence à côté de mon assiette à soupe, et tout en mangeant distraitement je me suis mis à le feuilleter ; je pensais à une phrase, à un vers. Mais je me suis vite aperçu qu'il ne serait pas facile d'extraire du poème du « super-homme » quelques passages pouvant servir à mon très humain et très humble but d'établir des relations entre moi et la femme que j'aimais. Les chapitres succédaient aux chapitres ; je les survolais comme un oiseau survole une région inhospitalière en cherchant vainement un terrain pour se poser. Finalement mes yeux se sont arrêtés sur un poème qui, lors d'une première lecture, m'avait particulièrement frappé.

> « *Que dit la nuit profonde !*
> *Je dormais, je dormais —,*
> *Et d'un songe profond je me suis réveillé ! —*
> *Le monde est profond*
> *Et plus impénétrable que le jour.*
> *Profonde est sa douleur —,*
> *Le plaisir — plus intense encore que la souffrance :*
> *La douleur dit : Disparais ! —*

Mais tout plaisir veut éternité —
— la profonde, l'insondable éternité — ! »

J'ai reposé ma cuillère dans mon assiette, j'ai repris le livre et lentement j'ai relu le poème. Bien que n'étant pas sûr que Mme Müller connût Nietzsche et encore moins qu'elle fût capable de comprendre et d'apprécier ces vers, il m'a semblé que la dernière phrase : « Mais tout plaisir veut éternité, — la profonde, l'insondable éternité — ! » devait convenir sinon à ses sentiments dont je ne savais rien, mais sûrement aux miens dont j'étais très conscient. Qu'était exactement ce plaisir qui voulait éternité, sinon le plaisir d'aimer sans renoncer au désespoir qui a, justement, conscience du rien sans fin qu'est l'éternité ? Du reste, c'était ce désespoir, ou le sens de l'éternité, qui me faisait aimer Mme Müller : sans le désespoir je ne me serais peut-être pas aperçu de son existence.

J'ai levé les yeux de dessus mon livre pour regarder la femme qui était en face de moi, tandis que le mari se présentait de profil. Immobile dans une attitude d'intense attention, les coudes sur la table, les mains croisées, le menton dans ses mains, elle me regardait. Son assiette encore pleine du premier plat alors que son mari avait déjà entièrement dévoré sa part m'a fait comprendre qu'elle devait me regarder pratiquement depuis le moment où je m'étais assis ; sur son visage il y avait la même expression curieusement contradictoire où la tristesse s'associait à la détermination et l'intensité au calcul ; étrangement elle semblait vouloir me faire partager, presque de force, sa propre désolation. Son mari lui a dit quelques mots à voix basse ; je n'en ai pas saisi le sens mais j'ai remarqué le ton vibrant ; sans le regarder, elle lui a répondu par un monosyllabe, probablement un *ja*, ou un *nein*. C'est à ce moment que j'ai été frappé du fait que le mari, qui s'était certainement aperçu de l'attitude de sa femme à mon égard, ne protestait pas, ne cherchait pas à la faire se désister. Pourquoi M. Müller qui, à bord, avait bien montré qu'il était jaloux, pourquoi la laissait-il faire maintenant en ne s'opposant à rien ? D'autre part, pourquoi son épouse n'avait-elle aucun scrupule à me regarder d'une façon aussi insistante en présence de son mari ?

Maintenant j'ai envie de décrire une fois encore les regards de

Mme Müller, mais en me référant particulièrement à l'œuvre d'art dont j'ai parlé au début de ces souvenirs que je suis en train d'écrire : la gravure de Dürer intitulée *Melencolia*. Je sais bien que rappeler quelque chose d'aussi connu pourrait être considéré comme une banalité ; mais tant pis. Il y a des circonstances où avoir le courage de braver la banalité est un signe de sincérité et d'authenticité.

Donc, tandis que Mme Müller me regardait avec son insistante et singulière autorité, ses yeux avaient la même expression triste et malheureuse que le personnage de la gravure de Dürer. Mais surtout on aurait dit que cette expression était due à des effets de lumière et d'ombre analogues à ceux inventés par Dürer. Comme on s'en souvient certainement, l'expression triste, méditative, caractéristique de ce qu'on nomme communément « humeur noire », est obtenue chez Dürer par des contrastes d'ombre et de lumière, de blanc et de noir savamment étudiés. Le visage est comme voilé par un brouillard nocturne épais et grisâtre ; les orbites des yeux sont entièrement cernées de noir ; les pupilles sont encore plus noires, mais la sclérotique, au contraire, est franchement blanche. Du contraste entre le noir des orbites, le noir-noir des pupilles et la blancheur des sclérotiques, le tout soumis au gris du visage, dérive la singulière tristesse du regard, celle de quelqu'un qui se sent enfermé dans une situation qui ne changera pas, sans issue, dont il est vain d'espérer pouvoir s'évader un jour.

Maintenant, comme je l'ai dit, en partie à cause de l'éclairage assez faible de ce coin de salle, en partie à cause de l'ombre que faisait sur eux la frange de cheveux roux, les grands yeux verts de Mme Müller avaient la même expression que ceux de l'allégorie de Dürer. Une différence pourtant : le personnage de la gravure regarde en haut vers le ciel, comme s'il l'interrogeait ; Mme Müller, elle, regardait horizontalement, directement vers moi. Cependant Mme Müller et le personnage de Dürer exprimaient par leurs regards ce que le maître allemand appelait *Melencolia* et auquel moi, plus radicalement et dans un esprit plus moderne, je donnais le nom de désespoir.

Mais quel désespoir ? Je pensais que c'était celui qui dicte un renoncement définitif à ce qui a constitué jusqu'ici votre raison de vivre. Chez Dürer le renoncement concernait la connaissance, le savoir, ainsi qu'en témoigne le nombre d'instruments scientifiques éparpillés sur le sol. Chez Mme Müller, au contraire, il me semblait qu'il concernait l'amour, et particulièrement l'amour entre elle et moi, comme si elle avait voulu me dire en me regardant : « Je t'aime et je sais que tu m'aimes, mais entre nous il n'y aura jamais rien d'autre que des regards, entre nous de vrais et complets rapports amoureux sont impossibles. »

Pourquoi ai-je interprété ainsi l'expression des yeux de cette femme ? C'était surtout parce que je n'aurais pas pu expliquer autrement le caractère, disons autoritaire de son comportement. Dans l'intérêt qu'elle me témoignait il y avait quelque chose d'un peu pédantesque, comme si elle avait décidé de bien m'enfoncer dans la tête que oui, bien sûr, elle m'aimait, mais qu'en même temps, je ne devais pas m'illusionner : me regarder sans parler, sans jamais communiquer différemment était tout ce qu'elle pouvait faire pour moi. Rien de plus.

Finalement le mari a remarqué notre manège, je l'ai vu se pencher vers elle pour lui parler mais elle, imperturbable, continuait à me fixer. Je ne pouvais pas distinguer les mots ; ils parlaient vite et pas assez fort mais l'attitude de l'homme était celle de quelqu'un qui morigène, peut-être pas méchamment, mais certainement pas sans motif. C'était clair : le mari n'approuvait pas la conduite de son épouse. Je me suis encore demandé pourquoi il l'avait si longtemps tolérée. Cette dispute inégale, l'un parlant, l'autre faisant semblant de ne rien entendre, s'est brusquement conclue par l'arrivée de la femme de chambre présentant le second plat. Le mari a interrompu son discours pour se servir abondamment mais sans quitter son air furieux. Son épouse a refusé d'en faire autant et d'un seul coup, comme si elle était subitement prise d'une grande fatigue, elle s'est laissée tomber sur le côté, la tête appuyée sur son bras replié, comme quelqu'un qui désire dormir et être laissé en paix. Mimique éloquente. S'adressait-elle à son mari ou à moi ? M. Müller, cette fois-ci sans protester, s'est contenté de jeter un mauvais regard à sa compagne. Puis il s'est remis à manger, voracement, scrupuleusement, furieusement. Alors, en voyant que de temps en temps elle fermait les yeux comme si elle dormait puis les rouvrait pour me jeter un coup d'œil, peut-être pour vérifier si je faisais toujours attention à elle ou pour me dire que son sommeil simulé était destiné à moi mais pas à son mari, je me suis souvenu des vers de Nietzsche sur lesquels je m'étais arrêté tout à l'heure et j'ai été surpris de la coïncidence entre ce qu'ils disaient et ce que, elle, certainement inconsciemment, voulait me faire comprendre par gestes. C'était pour elle que Nietzsche avait écrit : « Je dormais, je dormais —, Et d'un songe profond je me suis réveillé ! » C'était aussi pour elle que moi, bien que ne sachant rien des problèmes qui l'angoissaient, j'avais apporté mon livre à table, dans l'intention d'en extraire un message d'amour. J'ai repris mon livre, je l'ai de nouveau ouvert, j'ai relu attentivement le poème. Et puis j'ai regardé la tête de Mme Müller, sa chevelure rousse enfouie dans le creux de son bras, au milieu des fourchettes, des couteaux, des assiettes, des verres. Je me suis dit que ces vers se prêtaient merveilleusement au message que j'avais l'intention de lui envoyer.

Oui, mais le problème était de le lui donner, ou, au moins, de faire qu'elle pût le remarquer. J'ai sorti mon stylo de ma poche, j'ai souligné les vers, ensuite j'ai appuyé mon livre ouvert contre mon verre, comme si je voulais le lire en mangeant. Je pensais ainsi attirer son attention dès qu'elle relèverait la tête. Après je trouverais, d'accord avec elle, un mode quelconque de le lui faire parvenir.

Mais voilà qu'apparaissent à la porte de la cuisine trois jeunes filles portant les plateaux du dessert. Le mari a dit quelque chose à son épouse, peut-être quelque chose de bêtement gentil comme : « Tu ne veux pas de ce gâteau... D'habitude tu l'aimes beaucoup ? » et elle, comme quelqu'un qui sort d'un lourd sommeil, elle a soulevé à demi la tête pour nous montrer un visage légèrement ahuri. Tout de suite, du doigt je lui ai signalé mon livre ; je l'ai vue saisir mon geste au vol, et puis, lentement mais clairement, des yeux, elle a consenti à tout. Alors j'ai repris mon stylo pour écrire rapidement en marge du poème : « Fais-moi vite savoir où et quand nous pouvons nous rencontrer. » J'avais à peine refermé mon livre que le mari s'est tourné vers moi.

En allemand et avec une étrange mais déconcertante courtoisie, il m'a demandé : « Excusez-moi, monsieur, mais pouvez-vous me dire

30

si le nom de Nietzsche s'écrit avec un e final ou avec un ie final ? »

Puis, à l'improviste, pendant quelques secondes, stupidement, j'ai pensé qu'il me posait cette question comme une sorte de prétexte pour entrer en relation — on fait souvent cela dans les pensions de famille — mais presque tout de suite j'ai compris que c'était une manière sarcastique « de me remettre à ma place », un peu dans le genre de ce qu'il avait fait sur le pont du bateau en me donnant leur adresse à Anacapri. Je suis resté une seconde muet, tandis qu'elle me regardait sans paraître nullement gênée. Enfin j'ai répondu avec assurance : « Moi, bien sûr, je l'écris avec un *e* à la fin. » Aussitôt il a repris : « J'ai cru comprendre que vous vouliez prêter, ou peut-être offrir, ce livre à ma femme ? Est-ce que je me trompe ?

« Je suis en train de le lire, mais s'il intéresse Madame, je le lui offrirai très volontiers. »

Il s'est levé de sa table, il m'a tendu la main : « Donnez, je le lui offrirai moi-même. » J'ai pris mon livre et je le lui ai donné. Il est revenu à sa place et il a remis le livre à sa femme ; puis il s'est tourné vers moi en disant : « Voilà qui est fait, ma femme vous remercie. N'est-ce pas que tu remercies Monsieur ? »

Elle a un peu haussé les épaules ; sans parler, en baissant ses paupières, elle a feuilleté le livre ; elle a trouvé la page dont j'avais replié un coin et elle s'est mise à lire avec attention. Tout ceci se passait sous les yeux du mari qui bizarrement n'a même pas cherché à lire mon message d'amour ni à empêcher sa femme de le lire. Mme Müller a terminé sa lecture puis elle a plongé le livre dans un grand sac qui pendait, accroché derrière sa chaise, et elle a repris son air contemplatif, les yeux fixés sur moi. Le mari a commencé à attaquer son gâteau à grands coups de fourchette, hargneusement.

J'ai pris un morceau de gâteau sur le plateau que la serveuse me présentait et je me suis mis à le déguster avec la solennelle et hypocrite lenteur du gourmand. Elle, elle ne mangeait rien. Son assiette était vide. Le mari a fini son gâteau, s'est versé un demi-verre de vin qu'il a avalé d'un trait : ensuite il a pris sa serviette, l'a roulée, et l'a introduite dans un anneau fait exprès. À mon tour j'ai commencé à me préparer pour m'en aller. J'ai bu le vin

31

qui restait dans mon verre, j'ai plié ma serviette en quatre. Puis brusquement le couple s'est levé de table.

Je suis resté assis et je les ai regardés sans timidité et sans discrétion ; je voulais montrer que je n'avais pas été « remis à ma place » par la « leçon » que M. Müller avait voulu me donner. Mme Müller est passée la première. Elle m'a salué d'un petit signe de tête et elle s'est arrêtée un peu plus loin pour attendre son mari. Celui-ci, après avoir fait un pas en avant, s'est retourné vers moi, il a battu des talons et s'est figé dans la position du garde-à-vous mais en levant le bras droit, pas à l'italienne à la verticale, mais à l'horizontale et à l'allemande. J'ai saisi tout de suite l'intention qui se cachait derrière ce geste. Après sa stupide question sur l'orthographe du nom de Nietzsche, il continuait son offensive destinée à mettre une certaine distance entre lui-même et sa femme et à démentir, jusqu'au moindre soupçon, une quelconque complicité. Je devais comprendre qu'il était un vrai mari, qu'il avait peut-être quelque raison de tolérer le comportement de sa femme, mais sans l'approuver. Cette fois, la « leçon » passait du plan culturel au plan politique. C'était une espèce de défi ; il voulait me mettre à l'épreuve, être sûr que j'étais fasciste. Je me suis dit tout de suite que ce défi, dans la situation actuelle de l'Italie et de l'Allemagne, avec Hitler et Mussolini au pouvoir, leurs opposants persécutés ou assassinés, avait un caractère d'intimidation mais aussi de grand danger. Si je ne répondais pas à son salut, c'était que j'étais antifasciste et alors…

Il fallait me décider. Lui, il était debout devant moi le bras tendu ; et moi, en une seconde, avec la rapidité propre à tout ce qui est mental et qu'on accomplit par nécessité, j'ai débattu avec moi-même le pour et le contre : accepter ou ne pas accepter le défi. Je pouvais donc : un, ignorer le salut fasciste en faisant semblant de ne voir ni lui ni son geste ; deux, répondre par un signe de tête poli mais en restant assis ; trois, saluer de façon ambiguë ; quatre, me lever et faire le salut fasciste dans toutes les règles. Je le redis, mais j'ai pensé tout ceci en moins d'une seconde. Et tandis que j'hésitais encore, mes yeux se sont portés au-dessus du bras tendu de M. Müller et j'ai vu le regard affirmatif de sa femme qui m'indiquait que je devais, oui, que je devais, rendre le salut. Était-ce un ordre ou une prière ? Je n'aurais su le dire ; en tout cas, en ce moment, c'était un acte de complicité d'un niveau beaucoup plus important, beaucoup plus profond que celui de l'opportunité politique. Mais ce qui m'a poussé à agir d'une façon absolument contraire à mes convictions, c'était l'idée qu'elle me demandait de le faire « par amour pour elle ». En quelque sorte, avec ce geste affirmatif, elle voulait sans doute me dire : « Oui, pour un instant seulement, pour me faire plaisir, sois fasciste. »

Je me suis mis debout lentement ; lentement j'ai levé le bras pour le salut. Je l'ai fait à l'italienne, le bras levé verticalement. En même temps j'ai regardé de son côté dans l'espoir de recevoir une récompense pour cette trahison de mes convictions ; alors avec une joie infinie, je l'ai vue rapprocher ses lèvres l'une de l'autre, mimant un baiser et faisant « oui » de la tête et des yeux comme pour me dire « à plus tard ». Tout s'est passé en un instant. Puis très vite elle a traversé la salle à manger et son mari l'a suivie.

Il a fallu me rasseoir. Le baiser qu'elle m'avait envoyé tout à l'heure, cachée derrière son mari, me suffisait pour le moment. Plutôt que de la suivre je voulais réfléchir à ce baiser et sur le geste de connivence qui l'avait accompagné. Que voulait dire ce geste ? Certainement que nous nous rencontrerions bientôt seul à seule. Mais où ? En continuant à réfléchir, il m'a paru que pour elle, l'unique moyen de me voir sans alarmer son mari était, comme je l'avais combiné, de sortir de sa chambre en disant qu'elle se rendait au bout du couloir et de se glisser dans l'entrebâillement de ma porte. J'avais imaginé ce scénario comme quelque chose qui pourrait arriver, mais pas tout de suite ; l'aventure prenait corps plus vite que prévu. Peut-être que cette nuit, peut-être que dans quelques heures... Dès que j'ai pensé que la visite de Mme Müller pouvait être si prochaine, j'ai eu peur de ne pas être dans ma chambre lorsqu'elle viendrait m'y retrouver et, ayant oublié que j'avais commandé un café, je me suis levé si brusquement que je me suis heurté à la jeune fille qui arrivait avec sa tasse et son plateau. Le café s'est renversé sur ma chemise ; je me suis excusé auprès de la jeune fille, confuse et presque terrifiée par la violence avec laquelle j'assumais l'incident. Je suis sorti en hâte de la salle à manger.

La supposition d'une Mme Müller arrivant *subito* dans ma

chambre s'est révélée moins sotte que je ne le pensais. Dès que je me suis retrouvé chez moi je me suis précipité sur un tiroir pour y prendre une chemise propre. J'avais ôté la sale et enfilé la propre, et commençais à boutonner mes boutons devant la glace quand on a frappé à la porte. J'ai crié : « Entrez » tout en essayant de me boutonner et d'enfouir les pans de ma chemise dans mon pantalon. Impossible de me montrer dans une tenue incorrecte. Dans mon énervement j'ai introduit le premier bouton dans la deuxième boutonnière, le deuxième dans la troisième, et ainsi de suite. Je perdais un temps fou... Plus personne ne frappait ; personne n'ouvrait, personne n'entrait. Alors, les pans de ma chemise flottant sur mes jambes de pantalon, je suis allé ouvrir.

Il n'y avait personne mais la forme de son corps demeurait. J'ai baissé la tête pour voir, posé par terre, un livre. C'était précisément le livre de Nietzsche que M. Müller m'avait obligé d'offrir à sa femme.

J'ai ramassé le livre qui était par terre, j'ai jeté un coup d'œil à droite et à gauche et je suis rentré dans ma chambre. Qui avait bien pu déposer ce livre ? Elle, certainement : une femme de chambre aurait attendu. Elle, et peut-être même avec le consentement de son mari, en présence de son jaloux de mari, son complice de mari. Je suis allé m'asseoir à mon secrétaire. J'ai allumé la lampe, j'ai ouvert le livre à la page où j'avais souligné deux vers et j'ai vu que les vers « mais tout plaisir veut éternité — la profonde, l'insondable éternité » avaient été soulignés une seconde fois mais avec la différence que moi, j'avais employé mon stylo à encre bleue et Mme Müller, elle, un crayon rouge. En outre, toujours au crayon rouge, trois immenses points d'exclamation avaient été ajoutés à la fin du dernier vers. Mon livre en main, je suis alors allé m'asseoir sur le bord de mon lit.

Donc, non seulement elle confirmait sa propre complicité, mais avec les traits rouges tracés sous mes traits bleus il semblait qu'elle voulait me laisser entendre que cette complicité se transformerait bientôt en quelque chose de plus intime. Je le sais, quelqu'un doit être en train de sourire ; mais le fait que les traits rouges tracés par elle se trouvaient sous les traits bleus tracés par moi me suggérait, analogiquement, une totale soumission de son corps au mien quand nous ferions l'amour (oui, il n'y avait aucun doute, ce n'était plus qu'une question d'heures ou, au maximum, d'un jour ou deux) et que nos corps se superposeraient comme les traits soulignant les vers de Nietzsche.

J'ai remonté mes jambes jusque sur mon lit et je me suis allongé les deux mains croisées sous ma nuque, les yeux levés vers le plafond. Que signifiait pour cette fille mal mariée le mot « éternité » ? Tant qu'il s'agissait d'interpréter le mot « plaisir » il n'y avait pas de problème. Plaisir pouvait être n'importe quoi faisant plaisir, du dialogue muet des yeux à l'étreinte qu'il m'avait semblé voir esquissée dans le double trait soulignant les vers de Nietzsche ; mais « éternité » ? « éternité » ? Pour Mme Müller ce mot pouvait avoir un sens très vague et probablement banal, analogue à celui des cartes postales illustrées, genre bêtement sentimental, qui sur un fond de paysage en trichromie proclament la promesse d'un « éternel » amour. Mais si je me trompais, si cette Mme Müller, contre toute probabilité, était une lectrice intelligente de Nietzsche ? Alors quel sens avaient les traits rouges et les trois points d'exclamation placés sous le mot « éternité » ? Ces questions bourdonnaient dans ma tête sans trouver de réponse et, probablement, sans même en attendre une : j'étais heureux. Le bonheur embrumait mon esprit comme un alcool fort auquel on n'est pas habitué. Une torpeur voluptueuse m'envahissait doucement ; j'allais, répétant de façon de plus en plus vague, ma question sur l'« éternité » nietzschéenne ; finalement je me suis endormi. J'ai dormi d'un sommeil profond, exactement comme celui dont parlait Nietzsche dans son poème : sans rêve et pendant un temps, m'a-t-il semblé, très bref. Lorsque je me suis réveillé en sursaut j'ai regardé ma montre et j'ai vu qu'il était presque minuit : j'avais dormi trois heures. J'ai mis les pieds par terre, les pans de ma chemise dans mon pantalon et je suis sorti dans le couloir.

Personne dans les escaliers, personne sur les paliers, personne dans l'entrée encore éclairée. Le signor Galamini, debout derrière sa table, lisait son journal. Presque sans y penser je me suis approché de lui : « Pardon, est-ce que par hasard vous sauriez si M. et Mme Müller sont sortis ? »

Je m'attendais à une réponse évasive. À ma grande surprise, il a levé les yeux de son journal et après m'avoir considéré un moment, il a dit : « Ils sont sortis après le dîner, ils ne sont pas encore rentrés.

« Ils sont peut-être allés faire une promenade. »

Le signor Galamini n'a rien répondu mais il a esquissé le geste de reprendre sa lecture. J'ai continué tout de suite : « Votre père ne vous a jamais dit où allait Ibsen lorsqu'il se promenait dans Anacapri ? »

Il m'a regardé, il a pris son temps avant de me répondre : « Oui, nous le savons. Il allait dans un lieu précis.

« Lequel ?

« À la Migliara.

« Qu'est-ce que c'est que la Migliara ?

« C'est un belvédère au-dessus de la mer d'où l'on a une vue splendide.

« Oui, et que faisait Ibsen à la Migliara ?

« Il s'asseyait sur un banc en face du panorama et il restait là des heures et des heures à regarder la mer.

« Des heures ?

« Oui, des heures, quelquefois tout un après-midi. »

Puis ce fut le silence. Doucement, prudemment, le signor Galamini jetait les yeux du côté de son journal. J'ai dit d'un seul coup, pris d'une idée plutôt extravagante : « Savez-vous, signor Galamini, que Nietzsche dit dans un de ses poèmes que tout plaisir veut éternité ? Je suis convaincu qu'il faisait allusion à la contemplation de la mer. C'est un très grand plaisir de regarder la mer. Et la mer donne un sentiment d'éternité. »

Le signor Galamini ne s'est pas étonné de mon brusque et, pour lui, inexplicable, passage d'Ibsen à Nietzsche. Il m'a répondu poliment en se lissant la barbe : « De Nietzsche aussi nous avons la photographie. Elle est au salon. Ce pourrait bien être comme vous dites. D'autant plus que la Migliara est un lieu très particulier.

« Pourquoi ?

« Il y a quelques années, un suicide a impressionné beaucoup de gens. Une très jeune fille d'Anacapri s'est suicidée en se précipitant du haut de la Migliara dans la mer. Elle avait grimpé sur un rocher qui surplombe le vide et, debout sur ce rocher, elle a noué ses tresses sur ses yeux pour ne pas voir, et elle s'est jetée.

« Pour quelle raison s'est-elle suicidée ?

« Par amour, bien sûr. »

Je l'ai rapidement salué et je suis remonté dans ma chambre.

III

En fait, il n'est rien arrivé. Deux jours ont passé et Mme Müller n'est pas venue me retrouver dans ma chambre ; elle ne m'a fait parvenir aucun message ; elle n'a même pas cherché à me parler. Mais, inexplicablement, et toujours durant les repas, elle a continué à me regarder de ses yeux désespérés, insistants et impérieux. De son côté, le mari a continué à se comporter de la façon que j'ai déjà dite, entre une complicité de mauvais aloi et une indignation mal dissimulée.

Naturellement, durant ces deux jours, tout en faisant tout ce qu'on fait dans une station balnéaire, j'ai cherché à m'expliquer le mystère de ces deux attitudes parallèles mais différentes. Je me rendais compte qu'elle, « faisait tout exprès », tandis que le mari « faisait tout par force », mais je n'arrivais pas à aller au-delà de cette banale constatation.

À un certain moment j'ai pensé me trouver en face d'un de ces couples dits pervers, formé d'une épouse qui draguait les hommes, et d'un mari, masochiste, qui se contentait de regarder. Mais très vite j'ai abandonné cette hypothèse : la jalousie du mari était au moins aussi authentique que le désespoir de l'épouse. J'ai pensé que cette femme faisait la coquette pour rendre jaloux un mari négligent ou devenu indifférent. J'abandonnai cette idée à peine fût-elle formulée : ce mari était visiblement amoureux et sa jalousie n'avait nul besoin d'être provoquée. Elle existait bien avant que nous nous rencontrions sur le bateau. Finalement, me dis-je, il ne restait que l'hypothèse, plus vraisemblable, qui ne correspondait à aucune hypothèse. Il s'agissait d'un cas unique, particulier, qu'on ne pouvait rapprocher ni du déjà-connu ni du déjà-arrivé, donc impossible à recréer logiquement. Je veux dire, un cas anormal, impossible à expliquer à priori mais seulement en le vivant petit à petit et en renvoyant son explication à la fin de l'expérience.

Arrivé là, j'ai pensé que je devais vivre jusqu'au bout mon étrange aventure sans essayer de l'expliquer, en cherchant tout au plus à en prendre conscience pendant que je la vivais.

Ces réflexions n'ont en rien modifié mes sentiments pour Mme Müller. Seul dans ma chambre, à la plage, pendant que je me baignais, pendant que je me promenais, j'étais tourmenté de doutes. Mais il me suffisait de m'asseoir à table et de revoir ses deux grands iris verts qui me fixaient, sombres et désespérés, sous une frange de cheveux roux mal peignés, pour retrouver intact le trouble profond de notre première rencontre. J'aurais voulu refuser ce dialogue de regards, ne penser qu'à manger et quitter la salle à manger sans avoir, même une seule fois, levé les yeux sur elle ; je n'en étais pas capable ; un moment arrivait où nos regards se croisaient ; alors recommençait notre muette conversation faite, de mon côté, de questions précises et, du sien, de réponses ambiguës. Et toujours en présence du mari qui intervenait de temps en temps en obligeant sa femme à prendre part à ces discussions désagréables qu'ils tenaient à voix basse. Après la discussion, durant laquelle elle limitait ses réponses à quelques monosyllabes, tout recommençait : elle me regardait ; le mari exprimait sa colère avec les gestes expressifs et conventionnels qui caractérisent les petites querelles conjugales : c'est-à-dire poser brutalement son verre sur la table, tripoter les couverts ou manger avec une voracité excessive.

Mais ce qui me frappait le plus c'était la volonté impérieuse qui transparaissait visiblement sous la tristesse de Mme Müller. Je me demandais souvent comment on pouvait exercer sa volonté sur un sentiment aussi involontaire que, disons, la mélancolie. Cette contradiction inexplicable me fascinait et faisait que je ne pouvais éviter de la regarder : c'était plus fort que moi. Je sentais en cette femme une obstination, une lucidité qui outrepassaient de beaucoup les limites de la coquetterie et même de la passion. Il y avait dans son comportement un je ne sais quoi qui ressemblait à un « plan » qu'elle exécutait sans hésitation ni bavure. Et voilà que le troisième jour de mon installation à Capri quelque chose est arrivé qui m'a confirmé dans cette impression.

Tout de suite après le dîner, je suis sorti pour aller au village en passant par la grand-route. Je me sentais dans un état d'âme anormal, différent de mes habituelles rêveries désespérées. Et cela parce que ce soir-là, exaspéré par l'insistance des regards de Mme Müller, j'avais décidé « d'agir ». Ce que je ferais, je n'en savais encore rien. Mais ce dont j'étais sûr c'était que je voulais sortir au plus vite de cette situation sans issue. Il fallait que j'agisse, n'importe comment et à tout prix, même en risquant de tuer dans l'œuf ce début de relation amoureuse et d'être obligé de retourner à ma solitude.

J'avais remarqué que les Müller sortaient tous les soirs après dîner pour faire une petite promenade avant de se retirer dans leur chambre. Je me suis dit que je les suivrais de loin et que d'une manière que je n'imaginais pas encore, parce que j'avais l'intention de me laisser guider par les circonstances, j'affronterais la femme et l'obligerais à me donner un rendez-vous pour nous voir seuls, sans la présence gênante du mari.

Je les ai rejoints sur la grand-route. Je les suivais d'assez près. Ils marchaient lentement, tranquillement, comme des gens qui n'ont pas d'autre but que de profiter d'une belle soirée. Ils me précédaient et, comme cela leur arrivait fréquemment, ils affichaient exagérément leurs sentiments intimes. Je les ai observés longuement en pensant qu'ils ne me voyaient pas. Ils avançaient serrés l'un contre l'autre, enlacés, le bras du mari autour de la taille de sa femme, presque comme s'il la soutenait pour l'empêcher de tomber ; le bras de la femme, traversant presque en diagonale le dos de son époux, s'agrippait à l'épaule de son mari comme si elle avait eu vraiment peur. Cette position contraignait Mme Müller à incliner sa tête avec tendresse sur la poitrine de son mari ; mais aussi à exécuter une torsion de ses jambes osseuses et maigres vers le corps athlétique qui marchait à ses côtés. En somme, c'était une étreinte manquant d'harmonie entre cet homme gras et robuste et cette femme maigre et fragile. J'ai dit que je croyais qu'ils ne m'avaient pas vu ; c'était faux. D'un seul coup, la voilà qui tourne la tête de mon côté pour me lancer un de ses longs regards expressifs mais dans lequel son habituelle tendresse était devenue deux fois plus forte à cause de sa détresse actuelle. J'ai cru l'entendre dire : « Regarde ce que je suis obligée de supporter maintenant. » Le mari, s'étant aperçu de sa mimique, n'a pas retiré son bras passé autour de la taille de sa femme ; tout simplement, avec deux doigts de son autre main, il lui a pris le menton pour retourner son visage vers lui. Il s'en est suivi une dispute, lui, rageant, grondant, elle, se disculpant. À présent, nous étions arrivés sur la place de l'église. Les Müller se sont lâchés et sont entrés au café. Je me suis arrêté un moment pour leur donner le temps de choisir une table et de s'asseoir ; et puis je suis entré à mon tour.

La salle de ce café était tout en longueur, les tables, disposées le long du mur, faisant face au comptoir. Devant ce comptoir, en train de bavarder avec le patron, il n'y avait qu'un seul client, un homme petit, aux larges épaules, avec une grosse tête de cheveux noirs et frisés. Les Müller s'étaient assis à une table près de la radio. J'ai fait semblant d'hésiter puis je suis venu m'asseoir à une table près de la leur. Il y avait un journal sur ma table, je l'ai pris, et j'ai fait comme si je le lisais. Je tenais le journal à la hauteur de mes yeux ; pendant un moment je ne les ai pas vus. Puis, très lentement, j'ai baissé les bras qui tenaient le journal et alors, tout de suite, voilà le regard qui me fixait droit dans les yeux, le regard triste et obstiné. J'ai repris le journal, j'ai fait semblant de lire ; de nouveau, j'ai baissé les bras : le regard était toujours là, comme ce soir à table, comme tous les soirs, comme tous les matins, comme depuis trois jours. J'ai regardé le mari. D'une manière trop marquée pour ne pas être ostensible, il était en train de régler le son de la radio.

Que faire ? J'avais décidé d'agir mais à présent il m'était impossible de renvoyer ma décision et je ne savais comment la mettre à exécution. Je pouvais adopter la manière, disons forte, franche, directe : les affronter tous les deux, demander une explication. Ou, au contraire, renoncer et ne m'adresser qu'à Mme Müller, de façon hypocrite et indirecte. Le premier parti me tentait, ne serait-ce que parce qu'il m'aurait permis de voir clair dans le mystère du comportement du mari ; mais j'ai compris que je devais adopter le second pour la bonne raison que c'était celui que Mme Müller semblait préférer. Du reste, le premier parti comportait le risque d'une rupture définitive, ce que, pour le moment du moins, je voulais absolument éviter.

J'ai donc choisi le modeste et traditionnel stratagème de tous les adultères depuis que le monde est monde : je lui écrirais un billet que je lui ferais passer en cachette, en tâchant de ne pas me faire voir du mari.

Aussitôt dit, aussitôt fait. J'ai arraché une feuille de mon carnet et, en allemand, j'ai écrit rapidement ceci : « Il faut absolument que je te parle. Cette nuit je laisserai ma porte entrebâillée. Fais semblant d'aller aux toilettes et arrête-toi dans ma chambre. Tu peux venir à n'importe quelle heure. »

J'ai remis mon carnet dans ma poche et recapuchonné mon stylo. Il ne me restait qu'à trouver le moyen de faire parvenir mon billet. Oui, mais comment ? En me posant la question j'ai levé les yeux sur elle et quand je l'ai vue me regarder avec son même regard triste et buté, tous mes projets de prudence ont été balayés par la douleur inattendue que je ressentais. Je me suis brusquement levé, je me suis approché de la table des Müller, je me suis incliné devant eux, à l'allemande ; puis je me suis adressé au mari sur un ton poli mais ferme : « Me permettez-vous de m'asseoir près de vous ? Je voudrais écouter une émission qui m'intéresse. »

Tout son corps penché sur la radio, il tripotait les boutons. Il a tourné la tête vers moi et m'a regardé un moment ; comme s'il ne me reconnaissait pas et cherchait en vain à se rappeler qui je pouvais bien être. À travers les verres de ses lunettes j'ai vu un regard brillant de colère ; je me suis alors préparé à une discussion, peut-être à une agression physique. Rien ne s'est passé. En faisant un gros effort, le mari a détourné lentement son regard, puis il est revenu à la radio exactement comme si je n'avais ni existé ni parlé et qu'il ne m'eût ni vu ni entendu.

J'avais le billet dans ma poche, j'ai pensé que c'était le moment ou jamais de le refiler à Mme Müller ; le mari ne nous voyait pas ; je me suis tourné vers elle, je lui ai tendu mon bout de papier, à peu près sûr qu'elle était prête à s'en saisir. Je me trompais. Mme Müller a fait comme si elle ne s'apercevait de rien. Sans me regarder elle a avancé une main pour prendre son verre qu'elle a porté à ses lèvres. Ils étaient donc d'accord pour m'ignorer ? De rage, j'ai fait une boulette de mon billet, je l'ai lancée par terre et je suis revenu m'asseoir à ma table. Comme je l'ai déjà dit, en dehors des Müller et de moi-même, il n'y avait dans le café qu'un seul client, ce petit homme à la grosse tête frisée enfoncée dans ses épaules, qui parlait avec le patron. Il se tenait un peu de biais par rapport au comptoir de façon à pouvoir surveiller et ma table et celle des Allemands. J'ai tout de suite compris à la mobilité de ses prunelles et à son air curieux que la scène du billet ne lui avait pas échappé. Et maintenant, prenant brusquement une décision, le voilà qui s'éloignait du comptoir pour s'approcher du mari.

Penché en avant, il lui a demandé en italien mais avec un fort accent de Capri : « Allemagne ? Vous voulez prendre l'Allemagne ? Si vous permettez, je vais vous la trouver. » Tout en parlant il a mis sa grosse tête à côté de celle de l'Allemand et il a avancé la main vers le bouton de l'appareil. En manipulant tous les boutons, il m'a jeté un coup d'œil encourageant comme pour me dire : « Allez, vas-y, c'est le bon moment. »

Mais le bon moment, pourquoi, puisque aussi bien le mari que la femme avaient fait semblant d'ignorer ma présence ? Perplexe, j'ai baissé la tête et j'ai vu que la boulette de papier que j'avais jetée par terre se trouvait juste aux pieds de Mme Müller. Alors j'ai tout de suite imaginé que peut-être elle m'avait ignoré pour une raison différente de celle de son mari ; lui par haine, elle, au contraire, pour ne pas se trahir ou, tout simplement, par amour. Peut-être que rien n'était vraiment perdu. Il fallait attendre le moment propice où elle pourrait se baisser et ramasser le papier sans que Müller s'en aperçoive. Mais comment faire pour que Müller ne s'en aperçoive pas ?

Inopinément, c'est la radio autour de laquelle Müller et le client s'agitaient qui vint à mon secours.

Ce fut tout d'abord une musique tonitruante, à la fois martiale et sentimentale, qui éclata dans le café. Puis, après un long et lourd silence, une voix, une voix solitaire, une voix de commandement, a prononcé quelques mots vibrants qui évoquaient, comme par magie, un lieu immense, une salle de congrès ou une place publique, rempli d'une foule de gens attentifs. Cette voix ne me disait rien en dehors du fait qu'il devait s'agir d'une réunion du parti national-socialiste et que, selon toute probabilité, c'était celle d'un grand personnage du parti. Ce n'était pas la voix de Hitler, que je connaissais trop bien. Ce devait être cependant celle de quelqu'un d'important, de haut placé. Müller semblait lui porter une attention particulière et il a remercié chaleureusement le client qui l'avait aidé à trouver l'Allemagne et puis il s'est rapproché encore plus près du poste. Dans cette position il tournait carrément le dos à sa femme qui, elle, n'avait pas bougé et continuait à me regarder avec sa déconcertante insistance. Je me suis dit alors que, cette fois, c'était le bon moment. J'ai froncé les sourcils d'un air sévère et, du menton, j'ai fait un geste en direction de ma boulette de papier qui se trouvait juste à ses pieds, pour l'inciter à la prendre. Je m'attendais à la voir se baisser pour la ramasser et lire mon message. Toujours aussi énigmatique, elle n'a pas fait le moindre mouvement. À partir de ce moment a commencé pour moi une sorte de torture provoquée par l'alternance de deux angoisses, de deux inquiétudes, différentes et coexistantes : celle que m'inspirait la voix inconnue d'un grand chef nazi qui parlait en Allemagne, et celle que je ne pouvais m'empêcher d'éprouver en face du comportement incompréhensible de cette femme. Une fois, je cherchais à lui indiquer des yeux, du menton, la boulette de papier, immobile à ses pieds, une autre fois, déçu dans mes espérances, je détournais les yeux de son visage en prenant un air indifférent ; alors immédiatement la voix du grand personnage nazi pénétrait malgré moi dans mes oreilles. Bizarrement, une idée tout ensemble stupide et obsédante me revenait dans la tête chaque fois que la voix de la radio s'imposait à moi : « Si, au moins, c'était Hitler ! Mais être obligé, ici, dans ce minable petit café d'Anacapri, d'écouter le discours d'un quelconque petit chef de Mayence ou de Lubeck ! Ah, ça, non ! Non ! » Comme on le voit, je n'étais même plus capable de raisonner normalement, la voix de la radio, le refus obstiné de cette femme de collaborer avec moi, le regard indiscret du client toujours appuyé contre le comptoir et continuant toujours à nous observer ; tout contribuait à mon trouble. Dans mes instants de lucidité, je me disais que j'étais un imbécile, que je n'avais qu'à me lever et à m'en aller. Pourtant, je restais assis à ma place. Je continuais d'espérer que finalement elle allait se baisser et prendre mon billet.

Presque une heure s'est écoulée de cette façon. Mme Müller ne cessait de me regarder sans voir le message qui n'attendait que sa main ; le mari, en fumant un épais et court cigare, écoutait gravement en approuvant de temps en temps de la tête : du fond de l'Allemagne, les hurlements d'un nazi nous arrivaient et le client, toujours appuyé contre le comptoir du café, continuait à nous observer.

Puis, d'un seul coup, la situation s'est débloquée en se précipitant vers une solution imprévisible. Le nazi a brusquement conclu son discours ; à la voix solitaire ont succédé d'interminables applaudissements ; M. Müller a fermé la radio et s'est tourné vers sa femme qui s'est baissée pour saisir mon billet, qu'elle a déroulé, qu'elle a lu, et qu'elle a tout simplement remis à son mari. Le mari l'a lu, l'a posé sur une table et s'est levé avec un geste ferme et apaisé. Il avait écouté le discours d'un chef et la soirée était terminée ; il était temps de rentrer.

J'étais tellement furieux, d'une fureur faite davantage d'étonnement que d'agressivité, que je n'ai pas été capable de regarder autre chose que le cher visage triangulaire à moitié caché par cette espèce de gros champignon qu'étaient ses cheveux roux... C'est avec un sentiment à la fois de nanti et de révolté par cette éternelle mystification que je l'ai vue se lever à son tour, prendre sur la table mon billet, et suivre son mari. Lorsqu'elle est passée près de moi, elle a porté mon billet à ses lèvres et m'a jeté un regard vraiment suppliant comme pour me dire : « Ne te mets pas en colère, je n'avais pas le choix mais je t'aime. » Je suis resté assis à ma table dans un état d'âme complexe où se mélangeaient colère et espoir, frustration et bonheur. Le client frisé et bas sur pattes s'est alors approché de moi et m'a dit : « Une belle femme, tout de même, cette Allemande ! » Je pense qu'il devait se considérer en quelque sorte comme mon complice dans l'aventure. Il avait aidé Müller à trouver la chaîne qui l'intéressait et il avait réussi à le distraire de sa femme et de moi. Du reste, n'étions-nous pas deux Italiens partageant la même conception casanovienne de la femme ? Je lui ai répondu sèchement : « Excusez-moi, je dois m'en aller, j'ai à faire chez moi. » Je me suis levé et, presque en courant, je suis sorti du café.

IV

Le lendemain, en autobus, je suis descendu d'Anacapri jusqu'aux *Due Golfi*. De là, j'ai pris à pied le raccourci qui mène à la *Piccola Marina*. J'étais dans le même état d'âme — frustration et espoir — que la veille au soir. Je faisais l'effort de considérer objectivement la situation mais sans arriver à me dissimuler que mes rapports avec Mme Müller n'avaient fait aucun progrès depuis notre première rencontre à bord du *vaporetto*.

Je me disais, mais avec un peu de ressentiment, que je ne voulais plus rien avoir à faire avec ces Allemands. Cette décision — je l'avais remarqué à plusieurs reprises — « doublait » mon fondamental désespoir d'un second, disons, supplémentaire et contingent. J'étais réellement mais mystérieusement attaché à Mme Müller et je ne supportais pas l'idée de cesser de la voir, même de cette manière ambiguë et peu satisfaisante avec laquelle nos relations s'étaient poursuivies jusqu'à ce jour.

Le raccourci qui mène des *Due Golfi* à la *Piccola Marina* est une ancienne route pavée qui descend à la mer en serpentant entre des murets de pierres sèches et grises, sous les vignes sauvages et les grosses masses vertes des figuiers de Barbarie. De temps en temps un caroubier qui dépasse tempère de son ombre l'ardeur du soleil. De temps en temps, un vieux portail laisse apercevoir, entre ses barreaux, au fond d'une allée, la façade d'une villa. Comme tous les raccourcis, celui de la *Piccola Marina* coupe la grand-route dont il abrège le parcours. Lorsqu'on rencontre un de ces croisements, il faut traverser et reprendre le raccourci de l'autre côté.

Lorsque je suis arrivé au premier des croisements du raccourci et de la grand-route, j'ai regardé à droite et à gauche avant de traverser, j'ai vu, plus haut, au tournant, une *carrozza* venant vers moi et se dirigeant en bas vers la *Piccola Marina*. Dans la voiture j'ai immédiatement reconnu, assis l'un à côté de l'autre, Müller et sa femme. J'ai éprouvé tout de suite la joie, grande et circonspecte, du chasseur qui, après avoir longtemps marché dans la forêt, entre par hasard dans une clairière et voit la bête qu'il cherchait, debout dans l'herbe et la lumière du soleil.

Alors je n'ai pu m'empêcher de penser qu'au moment même où je jurais ne plus vouloir rencontrer Mme Müller, en réalité je la cherchais, ou plutôt, pour continuer la comparaison, je lui donnais la chasse. Il ne fallait donc plus résister, j'en étais convaincu, à une attirance aussi tenace, aussi profonde. Je me suis arrêté au bord de la route et j'ai attendu que la *carrozza* arrivât à l'endroit où je me tenais. Les feuilles d'une branche de caroubier devaient gêner les Müller ; ils ne me voyaient pas. Quant à moi il me suffisait de reculer un peu pour voir le cheval avec ses œillères, son harnachement, son conducteur assis sur le siège, la *carrozza* tout entière avec ses grandes roues et les deux Allemands installés à l'arrière sur les coussins. Müller était assis d'un côté, sa femme de l'autre ; du mien. Le mari regardait le paysage ; impossible de savoir ce qu'elle, elle regardait : de grosses lunettes noires dissimulaient ses yeux. J'ai pensé tout de suite que si je voulais être sûr d'être vu par Mme Müller il fallait avant tout réussir à lui faire enlever ses lunettes, sinon comment pourrions-nous nous servir, pour communiquer, de notre silencieux langage habituel ? Oublieux de mes sages décisions, j'étais à présent anxieux de le reprendre. Ils se rapprochaient, je voyais le visage triangulaire et félin, complètement aveuglé par deux énormes verres du noir le plus hermétique et je formulai fébrilement mille projets pour l'amener à enlever ces verres : m'avancer sur la route en agitant mon bras pour demander le passage ; traverser brusquement, obligeant la voiture à s'arrêter brusquement ; crier très fort un nom quelconque pour alerter le voiturier et ensuite m'excuser de mon erreur. Maintenant les Müller étaient là. Elle, elle tournait la tête de mon côté mais à cause de ses maudites lunettes noires, impossible de saisir ce qu'elle regardait : moi ? le caroubier ? ou bien n'importe quoi d'autre ? Et puis... et puis, il s'est passé une sorte de miracle. Mme Müller a soulevé une main et, avec lenteur et une certaine élégance, elle a enlevé ses fameuses lunettes.

Brusquement ma première impression a été celle d'assister à un acte impudique d'un exhibitionnisme provocant, plein de malice. Comme si au lieu d'enlever ses lunettes elle avait déboutonné son chemisier pour me faire voir ses seins en voulant me signifier par ce geste : « Nos rapports dépendent de nos yeux. C'est avec nos yeux que jusqu'à présent nous nous sommes aimés. Tu as peut-être craint que je ne t'aime plus. Alors, pour te rassurer, voici mes yeux " nus ". »

Et nos regards se sont enfin rencontrés à travers l'air bleuté de cette douce matinée ; et comme en se rencontrant ils s'étaient subitement transformés en deux bouches avides de se confondre et de se pénétrer, j'ai éprouvé au moment même de la rencontre une troublante sensation d'intimité physique. Et Mme Müller, pour me faire bien comprendre qu'elle avait ôté ses lunettes pour moi et rien que pour moi, les a replacées sur son nez. La *carrozza* est passée devant le caroubier qui me cachait ; très vite je n'ai plus vu que la grosse tête rousse de l'épouse et la petite tête chauve du mari dépassant le dossier du siège arrière du véhicule.

Alors il m'est venu une idée spécifique d'amoureux, une idée qui ressemblait à un jeu. J'allais courir aussi vite que possible le long du raccourci, jusqu'à l'endroit où il débouche sur la grand-route, et là j'attendrais que la *carrozza* passe devant moi. Encore une fois j'obligerais Mme Müller à enlever ses lunettes et je continuerais mon petit jeu jusqu'au troisième croisement et jusqu'au quatrième s'il y en avait quatre, et ainsi de suite jusqu'à la *Piccola Marina* où raccourci et grand-route se rejoignent définitivement.

Décidé à tout mais cependant inquiet parce qu'il me semblait agir en proie à une sorte de délire et sans que rien pût m'en empêcher, j'ai traversé la route et je me suis mis à courir sans quitter le raccourci entre les murets de pierres sèches et grises. Je savais qu'il n'était pas nécessaire de courir parce que le cheval allait presque au pas, mais je voulais arriver au croisement bien avant eux, surtout pour ne pas me priver du plaisir singulier de les voir apparaître en haut de la côte comme s'ils exauçaient mon désir le plus précis.

Je suis arrivé haletant et j'ai attendu, longtemps, avant de voir la *carrozza* surgir du tournant, et même si longtemps que je me mis à craindre que, par quelque sortilège, elle ne fût déjà passée. Elle est apparue ; mais alors j'ai eu le désappointement de découvrir que du fait des tournants et de la route j'allais cette fois avoir le mari de mon côté et sa femme du côté de la route. Certes, j'aurais pu traverser et au lieu d'attendre à la sortie du raccourci, me placer à son entrée, mais je n'avais plus le temps de le faire sans que les Müller s'en aperçoivent. Et puis ma mise en scène effacerait ce qu'à propos de cette rencontre on devait prendre pour un coup du hasard ; peut-être même qu'on penserait que je faisais tout cela exprès au point même de vexer la mystérieuse Mme Müller qui refuserait volontairement d'enlever encore une fois ses lunettes. Que faire ? J'ai hésité longtemps, si longtemps que la voiture allait déjà me dépasser ; alors je me suis décidé en basant ma décision sur ceci : « Il est trop tard pour donner l'impression d'un hasard. Tant mieux : elle n'aura plus de doute sur mes intentions. » Alors j'ai traversé d'un bond la route en effleurant presque le museau du cheval. Le voiturier a tiré sur les rênes pour éviter de m'écraser ; la *carrozza* s'est arrêtée. Cette fois, avec une joie presque incrédule, j'ai vu qu'à l'audace de mon comportement correspondait une audace analogue chez Mme Müller. Le voiturier, furieux, me contemplait du haut de son siège en faisant le geste bien connu de toucher de la pointe de son index un coin de sa tempe. « Vous êtes fou ? Non ? Se jeter sous mon cheval lorsque toute la route est vide ! Mais qu'est-ce qu'il vous a pris ? » J'ai esquissé un geste pour m'excuser et au même moment Mme Müller a arraché ses lunettes ; elle m'a regardé fixement ; elle a fait de la tête le même geste réprobateur qu'elle m'avait adressé lors de notre première rencontre sur le bateau. Le voiturier a rageusement enfoncé sa casquette sur sa tête avant de secouer les rênes sur le dos de son cheval pour lui faire reprendre son trot ; le mari s'est retourné pour me regarder avec une attention, comment dire... presque scientifique, comme un entomologiste regarderait un insecte d'une espèce inconnue. Mme Müller, sans lunettes, a fait un demi-tour sur elle-même pour me regarder une dernière fois avant de réinstaller ses verres à leur place. Un instant je les ai suivis des yeux pendant qu'ils s'éloignaient ; tout de suite après, je me suis jeté en courant dans le raccourci.

Je courais comme un fou ; tout en courant je me disais que maintenant il ne me serait plus nécessaire de traverser la route ; comme la première fois, Mme Müller serait de mon côté et son mari de l'autre. C'était voir les choses avec lucidité ; mais je ne me faisais pas d'illusion : en réalité, j'étais mortellement troublé par ce sentiment, comme je l'ai déjà dit, presque de férocité qu'on éprouve en allant à la chasse. La lucidité ne servait qu'à me rassurer, à me donner l'impression que tout en me comportant comme un fou, il y avait quelque chose de méthodique dans ma folie.

Ah ! voilà enfin la fin du raccourci ; voilà la grand-route. Juste à ce moment la *carrozza* arrivait au trot soutenu du cheval. Je me suis arrêté en haletant, j'ai regardé, j'ai vu Mme Müller lever pour la troisième fois sa main et décrocher lentement ses lunettes. Presque immédiatement, son mari les lui a arrachées des mains et les a jetées rageusement sur le bitume de la route. Sa femme, en italien, a crié au voiturier de s'arrêter. Le voiturier a tiré sur la bride et la *carrozza* s'est arrêtée.

Mme Müller est descendue et elle a ramassé ses lunettes tombées au milieu de la route. En voyant qu'elles étaient cassées, elle les a rejetées sur le sol ; ensuite elle a traversé la route pour prendre le raccourci à l'opposé de l'endroit où j'étais. Son mari est descendu de voiture à son tour pour payer le voiturier et pour traverser la grand-route ; derrière sa femme, il a disparu en boitillant sous le poids d'un gros appareil photographique et d'un sac de montagne. En courant je me suis lancé derrière eux.

Ils n'étaient pas allés bien loin. J'ai parcouru quelques mètres à peine et, après un tournant, je les ai trouvés me barrant le chemin. Lui, était arrêté en plein milieu du sentier ; elle, au contraire, s'était juchée sur un muret, ses jambes pendant dans le vide.

J'ai ralenti le pas, j'ai esquissé un salut en disant « bonjour » en allemand, tranquillement, comme si je les considérais comme de vulgaires clients de la pension, rencontrés par hasard, que je saluais par simple courtoisie. Mais ma vague invitation à observer les conventions en usage dans les stations balnéaires n'a pas été bien accueillie. Le mari m'a répondu un « bonjour » vibrant de colère mal contenue puis il a ajouté, après un instant de silence : « Je crois comprendre que vous voulez faire la connaissance de ma femme ? Est-ce que je me trompe ? »

Interdit, j'ai commencé : « Vraiment, je...

« Ne protestez pas. C'est ainsi. Alors je vais vous la présenter : elle s'appelle Beate, elle a dix-neuf ans, elle est comédienne. Que vous dire encore ?... J'oubliais que pour vous, les Italiens, ce qui compte chez une femme c'est son aspect physique. Eh bien, si les Italiennes sont en général très agréables à regarder, Beate, à mon avis, n'a rien à envier à vos compatriotes. » Après s'être tu un instant, il a saisi brusquement Beate (désormais je l'appellerai Beate) par un bras pour la faire descendre du petit mur sur lequel elle était assise. « Viens, Beate. C'est vrai, je suis ton légitime mari, mais je suis prêt à laisser ma place à mon allié italien. Cependant, il doit savoir ce qui l'attend ; c'est pourquoi avant de m'en aller, je veux, comment dire... un peu te décrire. Regardez-la et dites-moi si Beate n'est pas une femme désirable à tous points de vue ? Elle est peut-être un peu maigre et anguleuse, c'est encore une adolescente, ceci est une qualité, mais on devine qu'elle deviendra une femme superbe. Je vous conseille de porter votre attention sur la couleur de ses cheveux et celle de ses yeux : un contraste, ou, si vous préférez, un magnifique accord de couleurs : roux les premiers, verts les seconds. Le nez est très petit mais les narines sont bien ouvertes ; la bouche est grande et charnue, d'un dessin capricieux ; les dents sont séparées les unes des autres et très blanches. C'est fort agréable à voir. Je ne parle pas de son corps, sans doute pour vous ce qu'il y a d'essentiel. Vous la verrez bientôt en maillot de bain. Je voudrais pourtant souligner la largeur de ses épaules, eh eh ! vraiment germanique, ainsi que la minceur de sa taille : on en fait le tour avec les deux mains ; enfin la longueur de ses jambes : une véritable autruche ! En somme, un rare spécimen de la race germanique que vous, en amateur que vous êtes certainement, vous saurez apprécier à sa juste valeur. »

Ce qui m'a surtout frappé dans ce sarcastique portrait de Beate, c'était son côté douloureux et pathétique, comme si Müller, voulant me punir avec son habituelle « leçon » de morale, était le premier à souffrir et à s'en sentir puni.

D'autre part, c'est ce que je pensais, la « leçon », cette fois, était en rapport étroit avec l'idée peu flatteuse qu'il se faisait des Italiens ; une idée qui ne me surprenait pas car je la savais très répandue en Allemagne ; mais elle m'irritait car elle plaçait ce qui nous différenciait sur un plan faux et injuste. Müller voulait me blesser et moi, d'avance, j'étais résigné à me laisser blesser, mais pas avec des arguments propres aux préjugés nationalistes.

Pendant que j'étais en train de me demander comment il me fallait riposter à cette « leçon », Beate a tout simplement repoussé la main de son mari qui tenait son bras, et elle a dit en le regardant : « Bon. Tu ne trouves pas qu'il serait temps d'aller à la plage ? » Et sans me saluer ni montrer qu'elle avait remarqué ma présence, elle nous a tourné le dos et elle a tout de suite disparu. Müller a hésité quelques secondes, il m'a fait un geste bizarre, entre la menace et le salut, et il a suivi sa femme.

Encore une fois, que faire ? Au fond, avec ce départ brusqué, Beate avait empêché une fois de plus que nos rapports n'en arrivassent à dépasser les limites étroites et finalement angoissantes de nos dialogues muets. Pourquoi n'avait-elle pas pris au sérieux la ridicule présentation de son mari, pourquoi ne m'avait-elle pas serré la main, pourquoi ne m'avait-elle pas dit les quelques mots conventionnels dont on use dans ces circonstances ? Que le mari le veuille ou non, nous serions devenus ce qu'on appelle des « connaissances », deux personnes qui, selon les manuels de bonne éducation, peuvent se parler en plus de se regarder. Mais Beate ne l'avait pas fait. Il était évident qu'elle voulait prolonger ses jeux provocants.

J'ai eu alors une grande envie de remonter à Anacapri par le premier autobus. Puis j'ai subitement renoncé à cette démonstration, du reste un peu tardive, de dignité, à l'idée qu'arrivé à Anacapri j'allais retomber dans mon désespoir habituel sans même avoir l'agréable perspective de le partager avec elle. C'était vrai que j'avais besoin de Beate, pas seulement comme, selon la formule de Müller, d'un « parfait prototype de la race allemande » mais comme de mon semblable, mon *alter ego*, mon double, en un mot d'une compagne dans une aventure psychologique analogue.

L'idée, pour moi fascinante, de la ressemblance de nos destins, a fini par me décider. Je me suis remis en marche lentement : je préférais ne pas suivre les Müller de trop près pour ne pas provoquer, du moins pour le moment, une nouvelle explosion de fureur du mari.

Voilà enfin la *Piccola Marina*. Des *carrozze* attendent avec leurs chevaux immobiles, tête enfermée dans des œillères, écrasés par un soleil de plomb, dans une acre odeur d'urine. Au-delà de la banquette sur laquelle les voituriers se tiennent pour bavarder, la mer s'étend jusqu'à l'horizon, fraîche, aimable, lumineuse. Les murmures confus et joyeux des baigneurs montent de dessous les toits de diverses couleurs des cabines.

Très vite j'ai dégringolé les marches qui conduisaient à l'établissement, jusqu'à la rotonde du restaurant où d'habitude se tenait le patron. Je me demandais quelle était la cabine des Müller. Comme on le voit, mes bonnes intentions de discrétion s'en étaient allées à vau-l'eau. J'avais envie d'être aussi près que possible de Beate. Assis à une table, le maître-nageur était là : un vieil homme rougeaud, au nez bourgeonnant ; je me suis approché dans l'idée de lui demander s'il n'avait pas vu un couple d'Allemands, lui, grand, gros, elle très jeune, avec des cheveux roux. Il me fallait le numéro de leur cabine. Rapidement j'ai cherché un prétexte intéressant à la fois le maître-nageur, les Müller et moi-même. Pris d'une subite inspiration j'ai terminé mon discours : « Nous voudrions faire une promenade ensemble en barque. Voulez-vous m'en mettre une à l'eau tout de suite, s'il vous plaît ? » Un beau truc réussi, ma foi ! Il m'a demandé si je désirais une petite barque ou une grande. J'ai répondu que je la voulais petite et j'ai ajouté que je désirais aussi une cabine proche de celle de mes amis Müller. Il m'a donné la clé du quinze. La cabine des Müller portait le numéro seize.

Voilà les cabines peintes en bleu et en vert, alignées le long d'un promenoir tout en planches qui domine le *Porticciolo delle Sirene* et le passage dallé de pierres grises où les corps bruns et immobiles des estivants sont allongés au soleil. J'ai marché jusqu'à la porte numéro quinze ; la porte du numéro seize me semblait entrebâillée ; je ne m'en expliquais pas le pourquoi mais j'ai eu immédiatement l'impression qu'elle l'était intentionnellement. Presque sans le vouloir, en passant, je l'ai légèrement poussée. J'ai eu à peine le temps d'entrevoir un visage triangulaire sous une chevelure rousse, un cou blanc et nerveux, de larges épaules, deux petits seins en forme de poire, un large bassin, des hanches osseuses, la flambée d'un pubis. Quelqu'un m'a fermé la porte au nez. Je suis entré dans ma propre cabine. Comme Beate, je n'ai pas fermé la porte à clé ; je me suis contenté de la pousser.

Je me suis hâtivement déshabillé ; je voulais sortir de ma cabine avant que Beate pût sortir de la sienne. Beate avait eu la même idée que moi. Je venais à peine d'enlever mon pantalon que ma porte s'est ouverte et que Beate est apparue sur le seuil. Elle a hoché la tête une ou deux fois, d'un air de reproche, me regardant comme elle l'avait fait au moment de notre première rencontre sur le *vaporetto,* puis elle s'est sauvée. J'ai avancé la tête hors de la cabine pour l'observer pendant qu'elle s'éloignait. Sa démarche était légère malgré le grand sac qu'elle portait accroché à l'épaule. Ses hanches remuaient sans grâce mais sans aucune idée de provocation ; c'était vraiment l'adolescente qui ne pense pas à contrôler les mouvements de son corps. Arrivée au bout du promenoir en planches, elle a commencé à descendre lentement le petit escalier qui mène à la plage *delle Sirene*. La dernière chose que j'ai vue d'elle a été sa chevelure rousse et gonflée au-dessus de son cou mince entre ses maigres épaules carrées.

J'ai fini de passer mon maillot et je suis sorti de ma cabine ; j'ai marché jusqu'au bout des planches ; j'ai contourné la petite plage de galets qui encercle la baie. J'avançais tête basse, sous l'ardeur du soleil, en m'amusant à enfoncer mes doigts de pieds dans les graviers frais et humides. Et tout d'un coup, j'ai vu deux gros mollets mal fichus, d'une étonnante blancheur et deux énormes pieds dont les orteils s'agitaient dans le vide. J'ai pensé à Müller et quand j'ai levé les yeux j'ai vu que c'était bien lui ; il était allongé sur les galets, son minuscule slip presque dissimulé par un ventre ballonné, son corps tout en graisse comme aplati, comme élargi par sa position même. Nos regards se sont croisés ; j'ai fait un léger salut de la tête et il a répondu par un autre signe de tête. Une fois de plus je me suis étonné de son attitude indifférente. Où s'en était allée la colère de tout à l'heure ? Pourquoi s'était-elle calmée ? J'ai relevé la tête pour regarder du côté du promontoire rocheux qui dominait le *Porticciolo*. Alors, là-haut, debout sur un rocher surplombant le vide où se trouvait, je le savais, le plongeoir, j'ai vu Beate regarder au-dessous d'elle pour mesurer, avant de sauter, la distance qui la séparait de la mer. Quelqu'un, dont la silhouette se dégageait sur le ciel, s'est approché d'elle. Beate et la silhouette ont échangé quelques mots. Elle lui a fait place en se reculant ; l'homme a pris place sur le tremplin, il a joint ses mains et il a sauté en réussissant un impeccable plongeon. J'ai pensé : « Elle n'a pas voulu plonger, elle a cédé sa place, ce qui veut dire qu'elle m'attend. » Je me suis immédiatement élancé pour grimper sur le rocher.

Je me trompais. J'étais à peine arrivé au sommet du promontoire que j'ai vu Beate marcher vers le tremplin en tenant en main quelque chose de blanc. Puis elle a approché l'objet blanc de sa tête et j'ai compris que c'était un bonnet de bain en caoutchouc. Elle a enfoncé le bonnet sur sa tête. Elle a levé les bras et s'est jetée à l'eau tête droite, mains et pieds réunis. Je me suis précipité en sautillant comme je pouvais sur le sol hérissé de cailloux pointus. Tout en bas, dans l'eau encore agitée, la petite tête blanche de Beate semblait aller en direction de la haute mer. J'ai pensé qu'elle resterait dans l'eau longtemps pour nager et je me suis demandé s'il convenait de la suivre. Au moment où j'allais sauter à mon tour, mes yeux se sont arrêtés sur quelques objets que Beate avait laissés par terre : un sac en toile garni de cuir, une serviette éponge, un flacon d'huile contre les coups de soleil et, inattendu sur ce rocher corrodé par le sel, un livre. Tout de suite j'ai deviné une intention dans la présence de cet objet incongru, l'intention, la même, que jusqu'à présent j'avais toujours devinée dans le comportement de Beate. J'ai alors préféré renoncer à la suivre en nageant, je me suis baissé pour prendre le livre et je l'ai examiné.

Je me souvenais de *Ainsi parlait Zarathoustra* dont je m'étais servi pour lancer mon message ; je voulais voir si ce livre-là était destiné à servir à un usage semblable. Je l'ai ouvert ; c'était le *Recueil des Lettres* de Heinrich von Kleist, l'auteur de la nouvelle intitulée *Michael Kohlhaas* que j'étais, ces jours-ci, en train de traduire. Je connaissais très bien ces lettres mais je me sentais également incapable de découvrir le message que, j'en étais sûr, on leur avait confié. J'ai feuilleté le livre en espérant trouver un signe, ou une page, ou quelques notes en marge, mais je n'ai rien trouvé. J'allais remettre le livre par terre, à côté du sac quand, poussé par je ne sais quelle curiosité, j'ai voulu donner un coup d'œil à la page de garde. Une dédicace pouvait y être. Elle y était : « À ma sœur, à ma très chère Beate, sa très affectionnée Trude. » Je suis resté vaguement décontenancé : une sœur nommée Trude avait offert à Beate ce livre ; mais dans cette dédicace, rien ne me concernait. Et pourtant, ai-je pensé très désappointé, il n'était pas douteux que ce livre était là pour moi ; j'en étais sûr et le fait de n'y trouver aucun message m'exaspérait. Je l'ai encore une fois feuilleté, je l'ai secoué dans tous les sens, pour voir s'il n'en tomberait pas un billet : rien. Alors, presque sans savoir ce que je faisais, je suis monté sur le tremplin, j'ai réuni mes deux mains au-dessus de ma tête et je me suis jeté dans le vide.

J'ai entendu le heurt de l'eau contre ma tête ; et puis je suis descendu, descendu, descendu, les yeux ouverts dans la lumière verte du fond de la mer, avec la sensation que je n'avais pas plongé pour suivre Beate, que je ne désirais pas la retrouver mais que je voulais descendre de plus en plus profond pour m'étendre sur le sable comme si j'étais n'importe quelle épave. C'était peut-être cette éternité dont parlait Nietzsche que cette interminable descente dans la nuit ! Oui, peut-être ; peut-être n'avais-je qu'à m'aider à descendre jusqu'au moment où j'atteindrais l'endroit où je reposerais pour toujours.

Cette sensation n'a duré qu'un petit instant. En faisant un rapide retour sur moi-même et sur ma réelle situation, j'ai fait avec mes bras, avec mes jambes, tous les mouvements nécessaires pour remonter à la surface. De fait, assez vite, la tête hors de l'eau, en plein soleil, je me suis trouvé, tout surpris, face à face avec Beate. Elle devait être revenue en arrière ; sa tête, enserrée dans son bonnet blanc, faisait paraître plus larges ses épaules qui émergeaient. Tout de suite je me suis mis à crier très en colère : « Et ce livre ? Que signifie le *Recueil des Lettres* de Kleist ? »

Elle m'a regardé mais elle n'a rien dit. J'ai ajouté précipitamment : « Il faut que je te parle, donne-moi un rendez-vous, j'ai la chambre douze, nous sommes au même étage. Ce soir, je laisserai ma porte entrebâillée et je t'attendrai jusqu'au matin. » Elle n'a toujours rien dit : l'immobilité de son visage contrastait avec les mouvements des bras qu'elle faisait pour se maintenir sur l'eau. J'ai repris : « Tu as peur ? Pourquoi ? C'est très facile. Tu fais semblant d'aller aux toilettes qui se trouvent au bout du couloir, et tu entres chez moi. » Nouveau regard intense, immobile, et toujours les mouvements des bras. Au comble de la colère, j'ai crié : « Mais pourquoi ne parles-tu pas ? Qu'est-ce que tu as ? Tu es muette ? Tu as compris ou non ? Moi j'ai absolument besoin de te parler. »

Finalement, lorsqu'elle a parlé, sa voix était jeune, franche, claire, une voix de vraie adolescente ; mais d'autre part, calme, raisonnable, presque sotte, qui m'a vaguement étonné car, à en juger par son comportement jusqu'à aujourd'hui, je m'étais attendu à une voix désagréable et blessante : « Mais tu sais, moi, demain, je rentre chez moi en Allemagne.

« En voilà une nouvelle ! Et moi qui depuis quatre jours cours après toi comme un fou ! »

Je l'ai vue secouer sa tête : elle n'acceptait pas mon reproche. « Mon mari et moi allons à Naples où nous retrouverons ma sœur Trude et ma mère. Nous resterons une journée avec elles avant de rentrer en Allemagne. Ma sœur et ma mère s'installeront dans notre chambre à Anacapri.

« Et toi, tu ne reviendras plus à Capri ?

« Pas cette année en tout cas. Mais je parlerai de toi à ma sœur et quand elle sera à Capri, elle cherchera à te voir. C'est ma sœur jumelle. Elle me ressemble beaucoup.

« Mais toi, tu ne peux, tu ne dois pas partir, juste maintenant.

« Malheureusement, il faut que je parte, mais je te prie de chercher à rencontrer ma sœur. »

J'ai presque hurlé sur un ton brusquement passionné : « Ta sœur ne m'intéresse pas. C'est toi que j'aime ! »

C'était ma première déclaration d'amour, la première avec des mots après en avoir fait tant avec des regards. Mais elle, elle l'a accueillie avec l'air raisonnable d'une bonne mère de famille qui enlève des mains de son bébé une tranche de gâteau parce qu'il a déjà trop mangé : « Essaie de me comprendre. C'est impossible.

« Qu'est-ce qui est impossible ?

« L'amour. »

D'une voix basse et frémissante, j'ai dit : « Tu as tout fait pour me faire comprendre que tu m'aimais. En réalité, tu t'es servie de moi pour rendre ton mari jaloux. »

Je l'ai vue hocher la tête : « Ne dis pas ça. » Après un moment d'hésitation elle a ajouté : « J'ai horreur de ce mari, il a du sang sur les mains. »

Je suis resté littéralement stupéfait. Je ne m'attendais pas, après tant de fuites, tant d'ambiguïtés, à une révélation aussi directe, aussi brutale. À ma stupéfaction se mêlait un vrai soulagement : finalement le mystère se dissipait ; j'apprenais enfin quelque chose de réel sur elle-même. J'ai balbutié très vite, ému, butant sur les mots : « Mais alors, si ce que tu dis est vrai, tu dois, tu comprends, tu dois venir dans ma chambre cette nuit. Après, tu partiras, c'est entendu, mais au moins nous nous serons mis d'accord sur l'avenir. »

Tout en parlant, je restais frappé par l'attention calme, sérieuse, avec laquelle elle m'écoutait, avec laquelle, tout en m'écoutant, elle m'observait. Puis d'une voix parfaitement normale elle m'a demandé : « Si je vais dans ta chambre, est-ce que tu accepteras de faire quelque chose avec moi ? »

Elle était toujours aussi calme, avec le même air de défi tranquille et raisonnable. Stupidement, j'ai balbutié : « Pour toi je ferai n'importe quoi.

« Tu en es sûr ?

« Absolument sûr.

« Mais tu ne sais pas de quoi je parle.

« Tu me le diras cette nuit quand tu viendras me retrouver. »

Elle me regardait, très attentive, étudiant mes réactions : « Pourtant, tu devrais déjà le savoir. Je n'ai fait que te le répéter en te regardant. Et aujourd'hui, je te l'ai dit encore une fois avec le livre de Kleist. »

J'ai crié : « Le livre de Kleist ! Tu l'avais laissé là pour moi alors ? Mais je n'y ai trouvé aucun message.

« Et cependant il y en avait un.

« Alors, tu viendras cette nuit ? »

Elle a d'abord hésité puis elle a dit : « D'accord. Je viendrai cette nuit à n'importe quelle heure après minuit. »

Brusquement, au-dessus de nous il y a eu un cri terrifiant : « Beate ! » Et tout de suite après, avec un grand coup de bedaine sur la surface de l'eau et des centaines d'éclaboussures tout autour, le mari de Beate a surgi ; de toute évidence, il avait suivi notre conversation du haut du plongeoir : « Beate ! Et moi qui te cherchais partout ! » C'est ce que je l'ai entendu dire entre quelques hennissements et autres reniflements en refaisant surface. Je suis parti nager très loin d'eux et je ne me suis arrêté qu'après avoir rejoint la pointe du promontoire.

V

Au *Porticciolo delle Sirene,* j'ai trouvé, déjà prête, se balançant sur l'eau, la barque que j'avais demandée. Je m'y suis assis tout de suite et j'ai commencé à ramer énergiquement en me dirigeant vers le large. Je voulais réfléchir sur ma première rencontre, disons « parlée », avec Beate. Après avoir mis quelque distance entre le rocher *delle Sirene* et moi, j'ai posé mes rames, je me suis allongé sur le fond et pendant que la barque s'en allait à la dérive, au gré des courants, je me suis mis à me répéter, mot après mot, le bref dialogue qui venait d'avoir lieu entre Beate et moi.

En premier lieu, l'annonce de son départ. Sur le ton le plus calme, le plus simple, le plus indifférent qu'on puisse imaginer ; première étrangeté : elle me l'avait annoncé après avoir dit avec ses yeux, et pendant plusieurs jours, les choses les plus désespérées, les plus passionnées. Comme si cela ne suffisait pas, elle s'était moquée de moi en m'annonçant l'arrivée de sa sœur jumelle et en me conseillant presque de me consoler avec elle, étant donné qu'elle lui ressemblait tant, comme si l'amour pouvait se contenter d'un nez ou d'une bouche pareils à un autre nez ou à une autre bouche. Est-ce que c'était là une attitude de femme amoureuse ?

D'autre part, il y avait cette phrase terrible : « Cet homme me fait horreur, il a du sang sur les mains » ; et il y avait la promesse de venir cette nuit me retrouver dans ma chambre. Mais il y avait surtout l'ambiguïté de sa question mystérieuse ; est-ce que je me sentais le courage de faire cette nuit avec elle une certaine chose ?

Précisément une chose qu'elle avait cherché à me dire, pendant quatre jours, avec ses regards et aujourd'hui avec le *Recueil des Lettres* de Kleist.

Kleist ! À ce nom j'ai eu une sorte d'illumination, mais une grande inquiétude s'est emparée de moi. Incapable de rester inactif, je me suis relevé pour m'asseoir, j'ai repris les rames, j'ai recommencé à ramer.

Kleist ! Doucement, en répétant ce nom, la vérité s'entrouvrait sous mes yeux, à la manière de ces dangereuses fleurs carnivores des tropiques qui n'ouvrent leurs pétales que pour happer un insecte qu'elles vont lentement dévorer en secret.

Beate avait dit que la chose que nous devions faire ensemble la nuit prochaine n'était que ce qu'elle avait cherché à me faire comprendre par les lettres de Kleist. Moi je savais que ce recueil de lettres écrites durant un long laps de temps ressemblait en réalité à un grand fleuve qui, ayant recueilli les eaux de plusieurs affluents va se jeter à la mer, en suivant mille détours, pour obéir à un but inconscient et fatal : le suicide. Mais pas un suicide normal. Celui de Kleist, le suicide à deux ; – oui, Kleist s'était suicidé au bord du Wannsee avec sa compagne Henriette Vogel.

Pourtant il me restait des doutes, disons plutôt un certain scepticisme. Par exemple, pourquoi Beate avait-elle voulu me choisir moi, pour elle un étranger, un passant quelconque, afin d'accomplir un acte aussi grave, aussi définitif que le suicide. Kleist s'était tué avec Henriette Vogel après être devenu son amant, après avoir constaté, d'accord avec elle, que leur vie ne pouvait avoir d'autre issue ; surtout après avoir senti que seule la mort lui ferait don du sceau de l'amour éternel. Mais moi ? Moi je ne savais rien de Beate, je n'étais pas son amant, je n'avais échangé avec elle que quelques mots hâtifs et équivoques. Nous avions dialogué, il est vrai, avec nos regards deux fois par jour pendant quatre jours. Mais tandis qu'on peut déclarer son amour à l'aide de regards, il est beaucoup plus difficile, sinon impossible, de s'entendre seulement en se regardant, pour organiser un suicide à deux. Plus je pensais à la chose et plus je m'inquiétais de cette improvisation, de cette hâte, de cette impatience que révélait ce projet de double suicide. Mais en même temps, et de façon contradictoire, improvisation, hâte, impatience m'inquiétaient comme des indices éloquents d'un authentique et obsessionnel besoin. J'avais l'impression que Beate désirait mourir avec le même aveuglement, la même insouciance que, à son âge, on désire faire l'amour. N'importe où, avec n'importe qui, à n'importe quel moment, de n'importe quelle façon. Mais alors pourquoi moi ? Pourquoi pas un autre ?

Et la réponse m'est venue, spontanée, logique : tout simplement parce que Beate avait eu mystérieusement l'intuition que parmi les hommes auxquels elle pouvait demander de se supprimer avec elle j'étais peut-être le seul qui depuis longtemps avait rêvé au suicide. Cette intuition avait sans doute été confirmée par le fait qu'au moment où je m'étais présenté, je m'étais vanté d'avoir passé un examen à Munich avec une thèse sur Henrich von Kleist, ce même Kleist qui, selon les apparences, avec ce double suicide, devait avoir constitué, depuis longtemps pour elle, un exemple à suivre.

Tout d'un coup, sans savoir pourquoi, j'ai laissé mes rames glisser au fond de la barque et j'ai regardé autour de moi. J'avais doublé le promontoire qui ferme au nord la baie de la *Piccola Marina* ; toute la partie de la côte de Capri invisible depuis la baie se dévoilait à mes yeux. Un peu plus loin, un autre promontoire fait de rochers et de profondes crevasses se dressait, solitaire et couvert de brume au milieu de la mer. Entre ce lointain promontoire et celui que je venais de doubler, se succédaient plusieurs petites criques. L'une d'elles était à deux pas de moi : eau verte, peu profonde, transparente, battant le bord d'une étendue de galets blancs que cernait un amphithéâtre de rochers rouges. J'ai compris tout de suite qu'il n'y avait personne. À cette heure, le soleil tapait fort ; autour de moi la mer semblait avoir multiplié ses éclats et ses scintillements. J'ai passé la main sur mes cheveux : ils brûlaient. Je me suis penché au-dessus de la mer et je me suis mouillé la tête. Sans toucher aux rames, assis dans la barque immobile, j'ai recommencé à penser à Beate.

Donc, dans cette proposition de suicide à deux, il y avait quelque chose de plus qu'un urgent besoin de se décharger sur le premier venu de ses propres soucis ou de ses propres angoisses. Il y avait, assez mystérieusement, un choix infaillible mais totalement simple et attractif. Et moi j'avais été sélectionné parmi des millions d'individus. Il se pouvait que cette opération sélective eût isolé, parmi tant d'autres, l'homme qui convenait parfaitement à la situation. Mais n'est-ce pas ce qui se passe d'habitude dans l'amour ? Cette infaillibilité instinctive n'est-elle pas ce qui pousse un homme et une femme qui ne se connaissaient pas, qui même ne se sont peut-être jamais encore vus, à coucher ensemble ?

C'est ainsi qu'à la fin j'ai rejeté la proposition de suicide de Beate comme quelque chose d'improvisé et de hâtif. Car aujourd'hui improvisation et hâte me poussaient à l'accepter en tant qu'indice de ce qu'on appelle communément un coup de foudre. Pour obtenir ce résultat, il avait suffi que je substitue au mot mort, le mot amour. Ou plutôt que je sente que, dans notre cas, mort et amour étaient les deux faces indivisibles et complémentaires d'une même réalité.

Naturellement ce n'était rien qu'une hypothèse parmi tant d'autres. Mais, peut-être, justement parce qu'il s'agissait de quelque chose d'hypothétique, je me laissais aller à des imaginations folles, à des extravagances sur ce qui se passerait cette nuit lorsque Beate viendrait me retrouver dans ma chambre.

La chose pourra sembler bizarre, mais je me suis tout de suite aperçu, et avec surprise, que l'idée de suicide à deux ne m'effrayait plus, ne me déconcertait pas. Elle faisait partie de l'amour ; en tout cas de l'amour entre Beate et moi. C'était tellement vrai qu'en imaginant notre rencontre dans ma chambre la nuit prochaine, je me suis senti brusquement troublé par un désir qui, au lieu d'être affaibli par la perspective du suicide, paraissait en recevoir plus de force et de profondeur. En réalité, dans ce futur immédiat qui m'attendait dans quelques heures, moi je ne voyais que l'union de nos deux corps, tandis que l'idée du suicide, qui en serait l'inévitable conclusion, demeurait lointaine, renvoyée à une époque encore incertaine. Mais quelque chose restait au fond de ma mémoire. Plus vulgairement, on aurait dit quelque chose que j'avais sur le bout de la langue ; quelque chose se rapportant à la phrase : « Cet homme me fait horreur, il a du sang sur les mains. » J'ai vite compris : Beate et moi étions désespérés mais les raisons de notre désespoir étaient différentes. Beate était désespérée pour des raisons morales, peut-être politiques : un mari qui lui faisait horreur parce qu'il avait du sang sur les mains ; une société qui lui faisait également horreur parce que sanguinaire et ensanglantée. Moi, au contraire, je savais très bien que mon désespoir était, pour ainsi dire, métaphysique. Quelle que fût autour de moi la situation politique et sociale, j'étais sûr d'être de toute façon désespéré. Qu'est-ce que je voulais dire par là ? Alors de nouveau j'ai cherché à concentrer mon attention et finalement j'ai pu formuler une réponse. Je voulais dire que mon désespoir était différent de celui de Beate parce qu'il était provoqué par des motifs différents, mais aussi parce qu'orienté vers une solution différente. Beate voulait amener son désespoir jusqu'à la solution logique du suicide. Moi, au contraire, je voulais le stabiliser. Je voulais trouver le moyen de vivre avec lui. C'est dans ce but, comme je l'ai déjà dit, que j'avais eu l'idée d'écrire un roman où le personnage principal se suiciderait pour des raisons politiques. Dans la perspective d'un désespoir stabilisé, ce roman servait de paratonnerre ; la violence autodestructrice du désespoir se déchargerait sur une page blanche mais pas dans la vie. Aujourd'hui, ma rencontre avec Beate envoyait promener ma petite machinerie psychologico-littéraire. Beate, avec sa proposition de suicide à la Kleist, demandait, comme disent les joueurs de poker, « à voir les cartes » ; elle me laissait entendre que la carte du roman, avec un protagoniste qui se tuait à ma place, n'avait aucune valeur. Il me semblait l'entendre dire avec sa voix fraîche, ingénue et cruelle : « Lorsqu'on est vraiment désespéré on n'écrit pas un roman sur le suicide, on se tue. »

J'ai repris mes rames et très vite je suis entré dans la crique. L'eau était basse et transparente : on voyait le fond sablonneux jaune et gris couvert de cailloux blancs et d'oursins noirs. De temps en temps une petite vague, qui faisait penser à une respiration calme et régulière, gonflait légèrement la surface de l'eau, courait sur la rive, mourait sur les galets en y laissant un ourlet d'écume transparente qui brillait au soleil. L'avant de la barque a heurté le rivage en faisant crisser les graviers. J'ai sauté dans l'eau et d'un bon coup de reins j'ai tiré la barque au sec. J'ai fait quelques pas et je me suis assis sur les galets. La transparence de l'eau dans la crique m'avait donné une impression de fraîcheur, hélas illusoire. Je me suis très vite aperçu que l'ardeur du soleil, réverbérée par les galets, m'était désagréable au point de m'empêcher de réfléchir. Je me suis relevé, j'ai jeté un coup d'œil autour de moi ; non loin de la rive, il y avait un rocher qui avait un peu l'air d'un de ces éléments de décors de théâtre qui s'avancent sur la scène et derrière lesquels se dissimulent les comédiens. J'allais m'y abriter. Je me suis assis, tête et bras à l'ombre. C'est à ce moment que j'ai vu une barque qui entrait dans la crique et qui venait vers moi.

Dans la barque il y avait Beate et son mari. C'était lui qui ramait, en tournant le dos à la rive. Beate était assise à l'avant, en face de moi : elle m'avait certainement vu. Elle avait ôté son bonnet et elle portait un chapeau de paille jaune. J'ai été déçu, mais c'était bête, en voyant qu'elle ne répondait pas à mon salut : elle ne le pouvait pas, son mari étant assis en face d'elle ; pourtant notre récente conversation me paraissait justifier n'importe quelle imprudence. Leur barque filant tout droit est allée s'immobiliser au milieu des galets. Le mari a sauté dans l'eau, il a aidé Beate à descendre ; puis il a tiré sa barque au sec, à côté de la mienne. Je me suis alors demandé ce qu'il valait mieux faire. Je pouvais sortir de derrière mon rocher, passer dignement devant eux sans donner le moindre signe de gêne, peut-être même en les saluant, puis pousser ma barque à l'eau et m'en aller ; je pouvais aussi rester sur la plage, me baigner, m'allonger au soleil comme n'importe qui. Je pouvais enfin – et c'était le parti le plus mauvais mais en accord avec le comportement que j'avais choisi jusqu'à présent – rester caché et attendre la suite. En d'autres termes, continuer à les suivre, à les guetter, comme je l'avais fait en courant entre le raccourci et la route, comme les autres jours à la pension. J'ai dit que ce comportement était ce qu'il y avait de pire ; j'ajoute que, inconsciemment et obscurément, je sentais que c'était le seul que les Müller, pour un motif que j'ignorais, attendaient de moi.

Mais, au fond, ces deux-là, que voulaient-ils de moi ? Leur présence ici n'était probablement pas un effet du hasard. Dès que le mari était tombé entre nous deux du haut de son plongeoir, je m'étais éloigné ; j'étais tout de suite reparti pour le *porticciolo* où m'attendait ma barque. De toute évidence, les Müller avaient décidé de me suivre ; il n'y avait que peu de bateaux sur la mer donc pas de difficulté à me reconnaître et à me suivre de loin. J'ai parlé de poursuite, mais à présent il me semblait que les rôles étaient inversés : j'étais devenu celui qu'on suivait et eux les poursuivants. Pourtant, la raison de tout ceci m'échappait. Moi j'avais, au moins, la justification de mon amour pour Beate. Mais son mari ?

Tout en réfléchissant, je ne perdais pas de vue les nouveaux venus allemands. Ils étaient encore près de leur barque ; elle regardait tout autour d'elle, peut-être me cherchait-elle et si elle ne me découvrait pas c'était qu'à présent mon rocher me cachait entièrement ; un peu plus loin, son mari déchargeait le bateau de tout le nécessaire pour un pique-nique soigneusement organisé : deux transats, quelques serviettes, un parasol, un grand panier fait main, qui devait contenir les provisions, des livres, des journaux. En dernier, il a transporté avec beaucoup de soin l'appareil de photo que tout à l'heure, sur le raccourci, il portait en bandoulière. Tout était clair : les Müller avaient l'intention de passer tout l'après-midi dans le coin. Ils se baigneraient, ils prendraient un bain de soleil, ils déjeuneraient, ils parleraient de tout et de rien, ils liraient, ils dormiraient. Et quoi encore ? Ah oui ! ils prendraient des photos. J'ai tout de suite supposé qu'entre toutes ces occupations, c'était la photographie qui était la plus importante.

Le mari, avec entrain, Beate, plus calmement, ont tout transporté dans un coin de la plage un peu en hauteur, à égale distance de la mer et des rochers du fond. Je me suis demandé si les Müller me voyaient comme moi je les voyais, et je n'ai pas trouvé de réponse. Peut-être me voyaient-ils, peut-être ne me voyaient-ils pas ; Beate m'avait certainement vu au moment où leur barque s'était approchée de la rive, et elle avait dû avertir son mari de ma présence. Tous deux savaient donc que, quelque part, je devais les surveiller. Et cependant ils se comportaient aussi librement que des gens qui ne soupçonnent pas que quelqu'un puisse les espionner. Moi je devais espionner avec le calme d'un qui se croit invisible ; et eux devaient s'exhiber avec l'innocence de ceux qui ne se savent pas observés. En quoi consistait l'exhibition que les Müller semblaient préparer avec tant de soin ? Assis dans l'ombre du rocher qui me servait de paravent, je les ai longuement regardés sans arriver à comprendre ce qui réellement se passait. Tout avait l'air lenteur et calme, mais en même temps, lenteur et calme semblaient vaguement prémédités et programmés. Le mari a d'abord déplié les transats ; ensuite il a planté le parasol au milieu d'un tas de cailloux et il l'a ouvert ; ensuite il a étendu par terre la nappe du pique-nique. J'ai cru qu'ils allaient commencer à manger ; je me trompais. Le mari s'est assis sur son transat pour manipuler diverses pièces de son appareil photographique. À présent, Beate était étendue sur son fauteuil et regardait de mon côté ; du moins, je l'imaginais : elle avait remis ses lunettes noires et la direction de son regard ne pouvait se deviner qu'à la position de sa tête. L'installation a duré longtemps. Le soleil s'était arrêté dans le ciel pour tomber — exprès — tout droit sur ma tête. La chaleur m'était intolérable ; l'ombre du rocher me protégeait mal ; je m'étais ramassé sur moi-même ; mes bras entouraient mes genoux parce que je n'avais pas la place d'étendre mes jambes à l'ombre. D'autre part, la vue de ma barque tirée au sec à côté de la leur ne permettait pas aux Müller d'ignorer ma présence et suggérait une hypothèse à peine admissible : ils savaient très bien que j'étais là mais, comme la veille au café, ils avaient décidé de faire comme si je n'y étais pas. Cette dernière supposition me faisait mal car elle sous-entendait la totale complicité de Beate avec son mari, et contre moi. J'aurais préféré l'alternative d'un plan qui tînt compte de ma présence, qui, lentement mais sûrement, me compromettrait de plus en plus. Au bout d'un certain temps, cette scène immobile et équivoque s'est modifiée. Le mari a jeté son journal et il a repris son appareil photographique ; il l'a placé à la hauteur de ses yeux en dirigeant l'objectif vers le large. Il a scrupuleusement regardé puis ses yeux ont lâché l'objectif, il s'est tourné vers Beate et il lui a parlé. Elle lui a répondu en le regardant, calme, pensive. Leur conversation s'est poursuivie encore un peu, intime, à peine audible. Caché derrière mon rocher j'avais l'impression humiliante qu'ils parlaient de moi. Puis, sur une invite de son mari, Beate a quitté son transat et en marchant plutôt mal, ses pieds nus sur les cailloux brûlants, elle est allée s'asseoir sur les genoux de Müller. Ne m'attendant pas à cette familiarité conjugale, incrédule, j'ai écarquillé les yeux. Müller a passé son bras autour du cou mince de Beate et sur une de ses petites fesses, il a posé cinq gros doigts d'une main protectrice. De l'autre il lui tripotait la nuque, jouant avec ses cheveux. Beate l'a d'abord laissé faire puis, tout d'un coup, elle a commencé à couvrir la figure de son époux, du menton jusqu'au front, de tout petits baisers. On aurait dit un petit oiseau qui becquetait, frénétiquement mais méthodiquement.

Finalement Müller a tendu une de ses mains : il voulait sans doute reprendre son appareil photographique posé par terre. Beate s'est levée pour se diriger vers le bord de l'eau. Son mari, après avoir réglé son objectif, s'est levé à son tour pour la suivre.

Je les ai regardés ; avec toujours plus d'attention. Je sentais que la chose que le couple venait de décider allait être exécutée. Beate marchait avec précaution, posant ses pieds l'un après l'autre sur les galets brûlants. La prudence avec laquelle elle avançait imprimait à son corps dégingandé de brusques mouvements qui faisaient penser à une marionnette à fils mal manipulée. Parfois, ses flancs de femme adulte par leur largeur mais d'adolescente par leur maigreur, se déhanchaient brusquement. Parfois, quand elle se tordait le pied, ses épaules carrées et osseuses se penchaient tout d'un coup d'un seul côté, comme tirées vers le bas par le poids de ses cheveux dépeignés. Ses bras graciles, son cou mince et ses cuisses maigres accentuaient cet air de femme-pantin égaré dans la grande lumière de la canicule estivale. Arrivée au bord de l'eau, elle y a tout de suite trempé ses pieds brûlants. Puis elle s'est retournée vers son mari comme si elle attendait des ordres.

Müller a dirigé vers elle son appareil photographique. Beate a dit quelque chose sur un ton interrogatif ; son mari, qui regardait dans l'objectif, a tardé à répondre, puis il a dit, mais en allemand, une phrase que j'ai facilement comprise : « Mais oui, naturellement. » Quelle était cette chose qui « allait de soi » ? Je l'ai su très vite en voyant Beate enlever son maillot. Un costume de bain noir, d'une seule pièce, trop grand pour elle et pour son corps d'enfant ; même de loin je pouvais voir qu'il était trop large pour ses cuisses, son ventre, sa poitrine, tous les endroits qu'une femme bien faite aurait normalement remplis. Je l'ai vue prendre à deux mains ses épaulettes et les faire descendre le long de ses bras. Son mari a dit encore quelque chose et Beate s'est dénudée jusqu'à la taille ; deux petits seins de chèvre durs et piriformes se sont dressés dans le bleu de l'air. Ce n'était pas suffisant pour Müller ; d'une main – de l'autre il tenait toujours en place son objectif, – il a fait un geste impérieux comme pour lui enjoindre de continuer. Beate a obéi et en tirant de ses deux mains sur son maillot, elle l'a fait descendre soigneusement jusqu'à ses pieds. À présent, toute nue, debout, elle attendait. Le mari tenant toujours son œil collé sur l'objectif a crié sur un ton qui manquait de patience : « Recule ! Recule ! Allons, recule, je te dis ! » Beate s'est retournée et, en marchant sur la pointe des pieds, elle est entrée dans l'eau. Peu sûre d'elle, elle avançait lentement ; je voyais l'eau monter peu à peu de ses jambes à ses reins, de ses reins à son cou ; elle est restée quelques minutes immobile. Seules sa tête et ses épaules émergeaient ; elle s'est ensuite retournée pour faire le chemin en sens contraire, en avançant vers le rivage. Alors, peu à peu sont apparus ses épaules, sa poitrine, sa taille, son ventre. Müller courait de-ci de-là comme un fou pour prendre en vitesse ses photos. Beate a fait encore deux ou trois pas ; et lentement est sorti de l'eau son pubis couvert de poils roux. Le mari a lancé une sorte de cri désespéré : « Comme ça ! Comme ça ! » en portant lui-même en guise d'exemple sa main d'abord à l'aine, puis à sa tête, puis à sa poitrine, comme une femme qui, par pudeur, défait ses cheveux pour en recouvrir ses seins et son ventre. Alors j'ai eu une sorte d'illumination : Müller, en faisant ces gestes, se référait à un modèle, à un personnage connu. Mais lequel ? Brusquement j'ai compris : sans doute admirateur de la peinture classique italienne, Müller voulait photographier sa femme dans l'attitude de la Vénus de Botticelli sortant de la mer vêtue de sa seule chevelure. Je ne me trompais pas. Obéissante, Beate a levé les bras pour achever de défaire son chignon, elle a laissé glisser ses cheveux le long de son corps ; puis elle a mis sa main droite devant son pubis et la gauche devant sa poitrine. Maintenant elle se tenait immobile, toute droite, comme si elle attendait d'autres ordres de son mari. Müller, enfin satisfait, a recommencé plus calmement à la photographier sous tous les angles. Ayant probablement épuisé un rouleau de pellicule, je l'ai vu subitement s'arrêter pour examiner son appareil. Le voilà qui s'en va chercher un rouleau neuf dans la poche de sa veste accrochée au dossier de son transat et le glisser à la place du vieux. Avec des gestes plutôt minutieux qu'il a exécutés sans se presser, comme un professionnel. En l'attendant, Beate se tenait toujours immobile dans l'attitude botticellienne. Enfin, sans impatience mais d'une voix assez forte pour que je puisse l'entendre, elle a demandé à son mari : « Alors, tu es satisfait comme ça, ou est-ce que je dois faire encore quelque chose pour toi ? » Müller a regardé son objectif et puis en haussant lui aussi la voix, il a répondu : « Demande-le au signore qui est caché derrière le rocher s'il est content, mais pas à moi. »

Il s'agissait encore de me donner une « leçon » ; cette fois, d'accord avec sa femme, Müller me traitait en voyeur. Cette première hypothèse, après tout vraisemblable dès qu'elle s'est présentée à mon esprit, a été chassée par une réflexion plus subtile ; en réalité Müller, amoureux de sa femme et fier de sa beauté, avait voulu que je l'admire moi aussi dans l'attitude de la Vénus, et complètement nue. Certainement cette « leçon » était la raison qu'il se donnait à lui-même pour cette espèce d'exhibitionnisme conjugal. Cela ne faisait qu'ajouter une complication de plus à sa passion d'impuissant.

Ces réflexions ont galopé si vite dans ma tête qu'elles se sont pour ainsi dire amalgamées avec les gestes et avec les paroles du mari. Brusquement, comme devenu fou de rage, sans attendre que Beate voulût bien lui répondre, Müller a repris : « Mais pourquoi me demandes-tu une chose pareille ? Il va de soi que ce signore n'est pas encore satisfait ; lui aussi veut te photographier. Mais bien sûr, mais naturellement ! » À grands pas, en brandissant son appareil, il s'est avancé vers moi.

Durant les quelques secondes qu'il a mises à me rejoindre, j'ai eu le temps de peser le pour et le contre à propos de ce que je pouvais et devais faire ; je pouvais lui arracher son appareil, le jeter par terre et le briser ; je pouvais accepter le rôle qu'il m'assignait dans son espèce de comédie, et photographier Beate ; je pouvais enfin refuser calmement le rôle qu'il voulait m'imposer et m'en aller. Je ne sais pas pourquoi mais, presque instinctivement, très vite, j'ai regardé Beate. Alors je l'ai vue me faire un certain clin d'œil, le même geste d'acceptation avec lequel dans la salle à manger de l'hôtel elle m'avait conseillé de répondre par un salut fasciste à celui de Müller. Je l'ai quittée un instant des yeux, j'ai regardé son mari bien en face et je suis sorti de derrière mon rocher ; et sans dire un mot j'ai pris l'appareil qu'on me tendait. Immédiatement Müller a sauté de joie et puis il a couru vers sa femme. Il est entré dans l'eau, il a pris Beate par la taille. Puis il a crié d'une voix frémissante et angoissée : « Voulez-vous, monsieur, être assez aimable pour me photographier avec ma femme ? »

Il m'est alors venu une méchante idée : à mon tour j'allais rendre « leçon » pour « leçon ». Je photographierais le sexe de Beate, seulement son sexe, ainsi quand Müller développerait chez lui la pellicule il ne verrait ni lui ni Beate mais uniquement l'anonyme, l'impersonnel et forcément symbolique triangle de poils roux.

C'est avec cette rage au cœur que j'ai amené lentement mon objectif à descendre de plus en plus bas et de plus en plus loin du visage de Beate, le long de son corps, jusqu'à son ventre. À ce moment-là, elle ne posait plus en Vénus de Botticelli ; tenue fermement par le bras de son mari qui la plaquait contre son gros abdomen, elle avait l'air mal à l'aise, dans l'impossibilité de cacher de ses mains son ventre et ses seins. J'ai réglé l'objectif sur son pubis. L'objectif a été brusquement rempli d'un poil fauve si net, si proche qu'il m'a semblé monter dans mes narines la légère et aigre odeur de sueur qui certainement s'en dégageait. J'ai posé un doigt sur le déclic mais j'ai eu alors l'étrange sensation qu'une main derrière moi me prenait par le cou et m'obligeait à remonter l'objectif. Et voilà de nouveau le ventre, les seins, la gorge. Lorsque m'est apparu le visage de Beate d'un seul coup, comme par enchantement, je n'ai plus senti la main mystérieuse. Elle s'était évaporée comme pour me signifier que maintenant je pouvais prendre ma photo. Le visage était isolé, bien cadré, seul, sans Müller. Dans les yeux de Beate, confirmant la « spiritualité » de notre amour, on ne lisait que son habituel désespoir. Alors j'ai pensé : « Lorsque Müller développera cette pellicule, il verra le visage de sa femme et rien d'autre. Son expression lui prouvera qu'elle ne participait pas à cette indigne comédie et que son corps était avec moi. »

J'ai appuyé sur le déclic ; j'ai posé l'appareil sur les galets avec précaution en me disant qu'il contenait l'image précieuse d'un regard de Beate. Tête basse, lentement, j'ai rejoint ma barque. Quelques minutes plus tard j'étais déjà loin de la baie.

VI

Le fait d'avoir déjeuné au restaurant et non à la pension Damecuta comme j'en avais l'habitude s'explique non pas parce que j'avais l'espoir de revoir les Müller (je les savais décidés à pique-niquer au bord de la mer) mais bien plutôt à cause de ma répugnance à me retrouver seul à la salle à manger, en face de leur table vide. Mais comment nier que j'ai été vraiment déçu lorsque j'ai compris que mon couple allemand ne semblait pas avoir envie de réapparaître ici, même après l'heure présumée de la fin de leurs agapes au fond de la crique. Ils avaient dû vouloir profiter sans limite de leur dernière journée à Capri, comme logiquement tous les nordiques, insatiables affamés de soleil et de mer. Cet après-midi conjugal devait avoir été long, mais long, avec ses alternances de contemplation et d'amour, de calme et de violence, de silence et de conversation. Peut-être son mari avait-il reproché à Beate sa coquetterie, sa mystérieuse et obstinée coquetterie ; peut-être qu'elle, pour le rassurer, s'était résignée à faire l'amour avec l'homme qui lui faisait horreur parce qu'il avait du sang sur les mains. Mais quel genre d'amour ? Les choses vues dans la crique, avec Beate se faisant photographier en Vénus de Botticelli, évo-quaient pour moi des exigences érotiques obscures, compliquées par des mythes de bas étage et vulgaires. Je n'éprouvais aucune jalousie en pensant à ces choses ; plutôt de la pitié ; qui me faisait voir en Beate une victime et dans son mari un bourreau. Je me consolais en pensant que la nuit prochaine Beate viendrait me retrouver dans ma chambre. En dehors de cette certitude je ne savais rien ni, au fond, où je voulais aller.

Sur la place de Capri j'ai éprouvé de nouveau la même répugnance à l'idée de me retrouver seul et j'ai décidé de retarder mon retour à la pension d'Anacapri. Il était trois heures ; l'autobus partait toutes les demi-heures. J'ai alors eu l'idée de faire une promenade à pied et de ne prendre l'autobus que pour revenir. Me voici donc sur la petite route de Tragara ; à mi-côte, elle fait le tour de l'île jusqu'à l'*Arco Naturale*. Je n'avais pas l'intention de marcher jusque-là ; je pensais n'aller qu'au Belvédère qui domine les *Faraglioni* pour revenir lentement, sans me presser. Je me disais que cet après-midi que j'étais obligé de vivre seul passerait vite en pensant à Beate ; du moment où je l'avais vue pour la dernière fois dans la crique au moment où je la reverrais dans la salle à manger, à l'heure du dîner. La route de Tragara, c'est, d'un côté, une file ininterrompue de vieux jardins accrochés à la colline et, de l'autre, la mer. J'ai commencé à marcher sur l'ancienne route pavée et silencieuse dans la douceur âcre et languissante d'une fin d'après-midi d'été, en regardant soit la mer, en bas entre les troncs rouges des pins, soit les portails des jardins envahis par la poussière et les plantes grimpantes. Alors dans cette intimité profonde et euphorique, peut-être préméditée, un peu comme celle des jardins de cliniques ou de sanatoriums, tout naturellement j'ai repensé aux événements de la journée. Par exemple, pourquoi ce mari se comportait-il de cette manière bizarre, complice et en même temps hostile ?

Évidemment ce comportement venait du genre des rapports existants entre lui et sa femme ; mais je ne savais rien, moi, de ces rapports, à part que Müller faisait horreur à Beate parce qu'il avait du sang sur les mains. Mais alors, comment relier cette horreur aux baisers fougueux et passionnés dont, tout à l'heure, Beate avait couvert les joues grasses et suantes de son mari ? Et à cette docile complaisance qu'elle avait affichée en se laissant photographier nue, dans la pose de la Vénus de Botticelli, devant moi ? Il m'était impossible d'entrevoir un accord quelconque à moins que... ? Il m'est alors revenu en mémoire les idées qui m'avaient tenu méchamment compagnie pendant mon récent déjeuner. Des idées qui, sans doute exagérées, intéressaient les rapports « réels », je veux dire érotiques, existant dans le couple Müller. Ce que j'étais en train d'imaginer me faisait penser avec pitié à Beate, la victime, et avec haine à Müller, le bourreau. Mais s'il s'agissait bien d'une victime et d'un bourreau, les deux personnages n'étaient pas absolument différents ou opposés, je dirais même qu'ils étaient peut-être liés l'un à l'autre par des rapports de secrète et réciproque connivence. Comme cela se passe fréquemment entre oppressés et oppresseurs. J'étais à peu près sûr que Müller, en se servant d'un quelconque chantage, obligeait Beate à jouer le rôle de l'épouse complaisante et que Beate, de son côté, se pliait aux volontés de Müller avec un zèle qui frôlait la complicité. Ainsi, et seulement ainsi, s'expliquaient ces besoins, en apparence spontanés mais visiblement jamais réclamés par personne, et l'exhibition de sa nudité ce matin dans la crique. En somme Beate cherchait parfois désespérément à me faire comprendre par ses regards qu'elle m'aimait et n'aimait que moi ; tandis que, d'autre part, on ne la voyait pas se révolter au chantage probable de Müller, qu'inconsciemment même, elle transformait en jeu érotique dont elle retirait sans doute un plaisir secret et inavouable.

Alors, en imaginant leurs rapports, à partir du peu que j'avais vu ce matin dans la petite crique et du beaucoup que je n'avais pas vu mais qu'il m'était permis de supposer, j'ai fait la déroutante découverte que, non seulement je ne ressentais aucune jalousie, mais que les images cruelles et profanatoires d'un rapport sexuel victime-bourreau m'agitaient et m'excitaient pas mal. Oui, c'est vrai, j'étais amoureux de Beate mais ce qui maintenant semblait m'attirer le plus en elle, c'était justement ce que j'aurais dû espérer n'être jamais arrivé : sa complicité vicieuse avec l'homme qui lui faisait horreur et qui avait du sang sur les mains. Pire encore : trouble et excitation me faisaient « comprendre » Müller ; grâce à ma compréhension nouvelle, je fraternisais avec lui, je me sentais solidaire de lui. En réalité, en ce moment, je ressemblais davantage à Müller qu'à moi-même. De fait, en pensant à l'imminente visite nocturne de Beate, je me voyais prenant la place de son mari, sans rien changer, exactement comme une sorte de nouveau propriétaire dont les intentions seraient de répéter avec une docile esclave les sévices de son prédécesseur.

Arrivé à ce point de mes réflexions j'ai levé les yeux et je me suis aperçu que j'étais à l'endroit d'où l'on a la plus belle vue sur les îles Faraglioni.

Je trouvai là quelques personnes qui regardaient en bas, appuyées contre le parapet : je me suis approché et moi aussi j'ai regardé. Le soleil avait disparu ; les énormes rochers, debout, dont la vue n'était bouchée ni par la brume de midi ni par celle du soir, faisaient penser dans cette parfaite lumière à deux aérolithes rouges posés sur une surface de verre bleu. Mais l'abîme muet dans lequel ils étaient enfoncés m'a brusquement semblé sinistrement funèbre et tentateur. En baissant la tête, j'ai vu que je m'étais placé à l'endroit où le belvédère surplombe le vide. Et alors je me suis souvenu de ce que le signor Galamini m'avait dit de cet endroit qu'on appelle la *Migliara,* un autre abîme, et de la jeune fille qui s'était jetée dans la mer avec sa tresse de cheveux enroulée sur ses yeux. J'ai cru sentir monter en moi, du fond des Faraglioni, une tentation qui m'a fait faire quelques pas en arrière pour m'éloigner du parapet. J'avais presque peur. Ce n'était pas la tentation suicidaire de qui aime trop et en vain comme celle de la jeune fille de la *Migliara* ; mais celle de quelqu'un qui, au contraire, craint de ne pas être capable d'aimer.

J'ai repris le même chemin, mais en sens inverse, en direction de la place de Capri. De la corruption des Müller, où lui jouait le rôle du maître et elle celui de l'esclave — corruption à laquelle j'avais, avec horreur, le pressentiment de pouvoir un jour être mêlé —, naissait en moi une idée tout autre. Il me fallait respecter Beate, je veux dire que je ne devais pas profiter de son désespoir, que je devais « la sauver » pour employer une expression dont on use et abuse beaucoup trop.

Naturellement, je me rendais compte qu'on ne peut sauver personne, sauf, peut-être, par l'exemple ; et j'avais gardé l'illusion de pouvoir le faire parce que j'étais capable d'interpréter le désespoir d'une manière différente de celle de Beate. Cela voulait dire que je ne renonçais pas à Beate par peur de ressembler à son mari ; mais pour me montrer à tous comme l'homme qui se sent capable de faire du désespoir un motif, non de mort mais de vie. Ainsi, sauver Beate voulait dire, simplement, lui expliquer mon idée du désespoir « stabilisé » ; la convaincre d'oublier Kleist ; la séparer de son mari et de la conception fausse qui était à l'origine du projet de suicide à deux.

Ces réflexions, les décisions qui en seraient les conséquences, les réflexions sur ces décisions, m'ont occupé jusqu'au moment de mon retour à la pension Damecuta. Je suis entré dans le hall, j'ai demandé ma clé au signor Galamini. Il me l'a remise en même temps qu'une enveloppe me paraissant contenir un livre. Sur l'enveloppe, en caractères d'imprimerie, il n'y avait que mon prénom : Lucio. J'ai décacheté l'enveloppe, j'en ai retiré un livre, c'était le *Recueil des Lettres* de Henrich von Kleist, celui-là même que j'avais remarqué ce matin sur le rocher *delle Sirene*. Je suis allé m'asseoir dans un coin du hall, j'ai regardé le livre, j'ai tout de suite remarqué un signet qui devait indiquer une certaine page. J'ai trouvé la page et j'ai lu :

« A Ernst Friedrich Peguilhen,
Stimming près Postdam.
21 novembre 1811
Mon très cher ami.
C'est à cette amitié que si fidèlement vous n'avez cessé de me montrer que va être réservé de devoir supporter une épreuve non commune. Nous deux, le célèbre Kleist et moi, sommes ici à Stimming, sur la route de Postdam, dans une situation très embarrassante, puisque nous gisons par terre, tués par une arme à feu et que nous faisons appel à la bonté d'un ami désintéressé pour confier nos fragiles dépouilles à la tutelle vigilante de la terre... »

Je me suis arrêté là, d'abord parce que je connaissais très bien cette lettre fameuse, ensuite parce que la signification du message que contenait la dernière missive d'Henriette Vogel n'avait plus rien de mystérieux pour moi. C'était, du reste, cette signification que j'avais attribuée au recueil de Kleist après avoir parlé avec Beate en nous baignant. Mais une chose est de formuler une supposition, une autre de la voir confirmée par des faits.

Avec ce bouquin Beate m'avait inquiété ; avec la lettre d'Henriette elle me proposait de me suicider avec elle dans les heures qui allaient suivre. Un frisson m'a couru dans le dos ; mon regard s'est brouillé ; le souffle m'a manqué. Machinalement j'ai refermé le livre, j'ai quitté mon fauteuil et je me suis dirigé du côté de l'escalier. Mais à peine avais-je mis mon pied sur la première marche que je faisais demi-tour, que je revenais en arrière et que je demandais au signor Galamini s'il lui serait possible de me faire servir mon dîner dans ma chambre. Je ne me sentais pas le courage de revoir Beate dans la salle à manger. D'autre part, je voulais réfléchir en paix sur le dernier épisode de cette extraordinaire journée. Le signor Galamini m'a assuré que c'était possible et il a noté ma commande sur un cahier. Je l'ai remercié et j'ai ajouté, dans mon trouble, une explication totalement inutile : « Je ne me sens vraiment pas bien ce soir, vous savez, je... »

Dans ma chambre je me suis jeté tout habillé sur mon lit, j'ai repris le Kleist, j'ai relu la lettre. Je sentais dans la précision du message de Beate quelque chose d'anormal, d'extraordinaire, mais je n'arrivais pas à aller au-delà de cette sensation inexplicable. Incapable de réfléchir, je me suis mis à feuilleter le livre en m'arrêtant au hasard sur une lettre puis sur une autre. Je les connaissais bien ; mais aujourd'hui, à la lumière du projet suicidaire de Beate, il me semblait qu'elles acquéraient une nouvelle signification qui me concernait, ou plutôt qui concernait Beate et moi. Kleist s'était suicidé en même temps qu'Henriette Vogel ; mais pour des motifs différents de ceux de son amie. Kleist était la proie d'un désespoir total qui touchait tous les aspects de sa vie. Tandis qu'Henriette avait un cancer de l'utérus et c'était justement à cause de cette grave maladie qu'elle s'était facilement identifiée à son amant en acceptant le suicide à deux. Aujourd'hui, entre Beate et moi, dans ce projet de suicide, qui jouait le rôle d'Henriette et qui jouait le rôle de Kleist ?

D'un côté il y avait le fait indéniable que moi j'étais un homme et Beate une femme ; on pouvait donc penser que moi j'étais Kleist, et Beate, Henriette. D'autre part, personne ne mettait en doute que le projet de suicide à deux avait été formulé par Kleist ; en tant que conclusion logique de sa vie désespérée ; dans ce cas, l'identification se trouvait intervertie ; Beate était Kleist, et moi, Henriette. Mais moi je n'étais pas malade. Je n'avais ni cancer ni quelque obsession morbide remplaçant symboliquement le cancer. Moi, au contraire, j'étais l'homme du désespoir « stabilisé », l'homme stoïque, à la fois rationnel et sain, donc je ne pouvais pas être Henriette, apparemment lucide mais en réalité maladivement amoureuse, telle qu'elle apparaissait dans son ultime lettre.

D'autre part, moi, j'étais amoureux de Beate, et de la manière ingénue et romantique dont Kleist, à en juger par ses lettres, était amoureux d'Henriette. Par conséquent, on pouvait supposer que le projet de suicide à deux avait été proposé par Henriette et que Kleist, désespéré, mais pas vraiment désireux de mourir, l'avait accepté par amour pour cette femme et en cédant ainsi à une sorte de défi ou de chantage sentimental.

Dans ce cas je pouvais m'identifier une fois encore à Kleist à cause de notre passion commune pour la littérature. Mais alors si moi j'étais Kleist, et Beate, Henriette, qui était réellement Henriette ? Au fond je ne savais rien d'Henriette, si ce n'est qu'elle souffrait d'un cancer : comme je ne savais rien de Beate, si ce n'est qu'elle était l'épouse de Müller. Donc...

Donc cette nuit, « à n'importe quelle heure », Beate pourrait entrer dans ma chambre. Je me suis alors aperçu qu'après la lecture de la lettre d'Henriette, cette perspective m'inspirait un sentiment terriblement contradictoire : d'un côté, j'étais impatient de voir Beate, de lui parler, de l'initier à l'opération de sauvetage qui m'avait tout à l'heure paru être le seul genre de rapport pouvant exister entre elle et moi ; de l'autre, le message confié à la lettre dans laquelle Kleist et Henriette annonçaient leur mort me faisait penser que je m'étais totalement trompé sur Beate et sur le genre de relations existant entre elle et Müller. Beate n'était probablement pas une victime ; Müller n'était certainement pas un bourreau. Tout au plus, la lettre d'Henriette Vogel contresignée par Kleist dont Beate s'était servie en tant que message semblait-elle représenter une façon très particulière d'entendre l'amour. Je ne pouvais ignorer que le projet de la mort « ensemble », apparemment pur et héroïque, cachait et traduisait — transparent euphémisme — celui de l'amour « ensemble ». Ou, si l'on préfère, de « l'érotisme ensemble ». Il était impossible de savoir ce qu'avaient fait, senti, dit, Kleist et Henriette avant de se tuer ; mais je savais très bien que pour moi, comme pour Beate, la mort « ensemble » aurait conféré un caractère d'absolu à l'amour « ensemble ». Amour et mort, ce vieux ménage littéraire, qui parlait d'amour indivisiblement lié à la mort, ne diminuait en rien le sérieux du projet de Beate ; il ne faisait qu'en découvrir le fond ambigu. Mais moi j'étais attiré par Beate, je désirais Beate. Ainsi mon propre instinct vital qui aurait dû me faire refuser le suicide à deux me poussait, en y ajoutant le désir amoureux, à l'accepter.

Pris brusquement d'un accès de nervosité que je ne pouvais maîtriser, je me suis assis sur mon lit pour chercher sur ma table de chevet mes cigarettes et mes allumettes. Alors là, sur le marbre blanc, à côté des cigarettes, j'ai vu *Ainsi parlait Zarathoustra,* le livre dont je m'étais servi pour envoyer mon premier message d'amour à Beate ; un petit poème souligné qu'elle avait, à son tour, elle-même souligné. Voir ce livre et, sans penser à ce que la chose pouvait avoir de ridicule en pareille circonstance, être tenté de me frapper le front en hurlant : « Eurêka ! », je l'ai fait. Je venais de découvrir que Beate avait réussi à opérer une espèce de point de jonction entre le poème de Nietzsche et le suicide à deux de Kleist.

Ce poème ne disait-il pas que le plaisir veut éternité ? Quelle éternité plus sûre, plus illimitée, que celle de la mort ? Mais Beate n'était pas cultivée ; elle n'était probablement qu'une quelconque fille allemande mariée à un homme nommé Müller. Ainsi, Beate ne voulait pas mourir parce qu'elle avait réussi à créer un rapport entre Nietzsche et Kleist ; mais c'était justement parce qu'elle avait créé ce rapport entre Nietzsche et Kleist qu'elle voulait mourir.

Je me trouvais donc devant quelqu'un qui entendait faire réellement dans la vie ce que moi je voulais faire faire au héros de mon roman et que je ne voulais pas faire dans la vie. La fin de l'histoire était que je me trouvais en face d'un dilemme assez significatif : d'un côté il y avait la vie qui, avec le projet de suicide à deux calqué sur le suicide de Kleist et arbitrairement relié aux vers de Nietzsche, forçait la main à la culture ; de l'autre, la culture qui, avec mon propre projet opposé de désespoir « stabilisé », barrait la route à la vie.

Alors que faire ? Mentalement j'ai énuméré tout ce qu'il était possible de faire cette nuit :

1. Fermer ma porte à clé ; ne l'ouvrir sous aucun prétexte ; dès demain quitter Capri.

2. Arriver au moment délicieux et fatal ; c'est-à-dire jusqu'aux somnifères, jusqu'au poison, jusqu'au revolver. Arriver jusqu'au plaisir mais pas jusqu'à l'éternité.

3. Nous suicider ensemble.

VII

Tandis que j'étais plongé dans mes réflexions voilà que tout d'un coup j'entends des gens parler sous ma fenêtre. Je ne sais pas pourquoi mais j'ai tout de suite imaginé que ces deux voix avaient affaire avec moi ; que peut-être, d'une façon ou d'une autre, elles apporteraient une solution à ma question : « Que faire ? » D'un bond j'ai sauté à bas de mon lit, j'ai couru à la fenêtre pour soulever le panneau mobile de la persienne et regarder en bas.

Je l'ai déjà dit, les deux fenêtres de ma chambre donnaient sur le jardin de la pension ; plus exactement sur une très vieille verrière peinte en blanc qui protégeait la porte d'entrée. Ma chambre était au deuxième étage, je pouvais fort bien voir sans être vu. À cette heure encore à moitié endormie et silencieuse de la fin de l'après-midi, deux personnes s'étaient assises près des tables et des chaises en osier groupées en cercle : le maître d'hôtel et une femme dans laquelle j'ai, sans hésiter, reconnu Sonia, la directrice du musée Shapiro.

Très grand, très maigre, des cheveux mal peignés, des yeux électriques enfoncés sous de gros sourcils, un nez busqué, le maître d'hôtel de la pension, l'air désinvolte, se tenait à demi couché un peu de travers sur un fauteuil à côté d'une petite table. L'air suffisant il écoutait Sonia qui parlait, très excitée, penchée vers lui. J'ai été tout de suite frappé du fait que la première fois que j'avais vu Sonia elle se disputait avec un voiturier ; maintenant avec un domestique ; comme si ses rapports avec deux hommes de condition subalterne étaient là pour m'indiquer je ne savais quelle dégringolade sociale.

J'ai tendu l'oreille. Alors j'ai compris que les voix claires et distinctes qui m'avaient fait me précipiter à ma fenêtre avaient dû faire partie d'une conversation qui venait de se terminer. Jusqu'au moment où je m'étais penché au-dessus du jardin, Sonia et le maître d'hôtel n'avaient probablement parlé que de choses insignifiantes qui pouvaient être entendues par n'importe qui. Mais à présent le dialogue semblait être devenu plus intime ; en même temps Sonia avait baissé la voix jusqu'à la réduire à une sorte de susurrement sifflant et rapide. Très certainement, elle était en train de faire des reproches dont la nature était nettement révélée par l'attitude de l'homme ; un mélange de vanité masculine et de suffisance sociale. Apparemment, Sonia grondait un amant infidèle ou négligent qui, justement, semblait éprouver pour elle le même mépris indulgent et amusé que j'avais cru deviner dans le comportement de mon voiturier, le jour de mon arrivée à Anacapri. Pendant un moment ils ont continué leur dialogue, elle poursuivant sans lâcher pied avec son susurrement ridicule ; lui répondant de temps en temps par des bribes de phrases insipides, une façon de nier ce qu'on lui reprochait, mollement et sans conviction. Elle, le corps presque plié en deux, pointait un doigt accusateur vers la poitrine de l'homme. Lui, le buste rejeté en arrière, se contentait de hocher négativement la tête. Mais, sans modifier pourtant son air indifférent, il fumait en tenant au bout de ses longs doigts squelettiques une cigarette arrivée presque à sa totale consomption. Sonia a fini par se taire pour reprendre souffle mais sans modifier son geste accusateur. Le maître d'hôtel en a profité pour jeter son mégot par terre et l'écraser avec son pied ; et dire ensuite quelques mots, une phrase inaudible qui a eu un effet immédiat et tout à fait imprévu.

Sonia a répondu quelque chose, cette fois sans s'énerver, et sans sifflement de colère. Le maître d'hôtel a allumé une autre cigarette, puis il s'est mis à parler sur un ton débonnaire, supérieur et badin. Alors Sonia s'est penchée en avant, elle a saisi la longue et maigre main brune que l'homme laissait pendre sur le bras de son fauteuil et elle l'a baisée avec une ardeur passionnée. Le maître d'hôtel tenait entre les doigts de son autre main une cigarette allumée et, tandis que Sonia continuait à l'embrasser, il a porté à ses lèvres sa cigarette, en a tiré une bouffée ; en même temps, mais à la dérobée, il observait la tête baissée de la femme.

Ensuite il s'est passé quelque chose qui a constitué l'imprévue, bien que logique, conclusion de cette scène.

Sonia a tendu le bras vers l'accoudoir de son fauteuil où était accroché son sac en toile ; elle a fouillé dans le sac, en a retiré une grande enveloppe blanche pliée en quatre, sûrement préparée à l'avance, qu'elle a réussi à faire passer à l'intérieur de la main qu'elle couvrait de baisers.

Pourquoi, je l'ignore, mais juste à ce moment je n'ai pas pu m'empêcher de tousser. Le maître d'hôtel a levé la tête, il m'a vu, il a retiré sa main. Sonia est restée un moment dans sa position, elle a dit quelque chose d'une voix suppliante, elle a posé sur la table la main dans la paume de laquelle se trouvait serrée l'enveloppe pliée en quatre. Là il y a eu un moment de silence et d'immobilité. Le maître d'hôtel regardait le bras tendu de Sonia et sa main qui serrait l'enveloppe, mais il n'a rien dit et n'a pas bougé. Je me disais que son immobilité contemplative avait on ne sait quoi qui faisait penser à l'animal, à la nature. Le soleil silencieux et la lourdeur de cet après-midi estival, confirmaient mon impression. Immobile, il l'était à la manière des lézards, ces ravissants petits reptiles qu'à Anacapri on peut observer sur les murs ou sur les plafonds des terrasses occupés à surveiller les mouvements d'une mouche ou de quelque autre insecte. J'ai attendu patiemment. Sonia tendait l'enveloppe avec une insistance pleine d'angoisse ; le maître d'hôtel, en faisant semblant de fumer, évitait de la regarder ; il avait l'air de réfléchir. En réalité, il était le lézard, et l'enveloppe la mouche. Il y a eu à ce moment un bruit de voiture roulant sur le gravier de l'allée ; j'ai levé les yeux, j'ai vu qu'effectivement une *carrozza* débouchait sur le terre-plein et j'ai eu le temps de faire cette réflexion : comment se fait-il que cette voiture puisse arriver jusqu'à la porte de la pension ? Quand, pour moi, le voiturier s'était arrêté sur la place et qu'il avait porté jusqu'ici ma valise sur son épaule. J'ai vite trouvé la réponse : le voiturier avait voulu gagner quelques lires de plus en faisant le bagagiste.

À présent Sonia et le maître d'hôtel étaient debout à côté de leur table. J'ai eu le temps de voir la longue main osseuse de l'homme glisser l'enveloppe dans la poche de son veston avant de s'avancer pour serrer la main de Sonia. C'est à ce moment que je me suis retiré à l'intérieur de ma chambre.

Je ne m'explique pas encore ce qu'il m'a pris. Je crois avoir pensé qu'il allait me falloir attendre six heures Beate avant que minuit sonne. Beate avait dit à n'importe quelle heure après minuit. Ces six heures seraient entièrement vides sauf dans le cas où je les meublerais de l'idée assez dure à supporter, quoique fascinante, du double suicide. J'ai alors décidé que pour éviter le tourment soit de ce trop de vide, soit de ce trop de plein, j'aurais recours à Sonia. Sonia était la seule personne à laquelle j'avais parlé à Anacapri, et puis, comme je l'ai déjà dit, je sentais que sa présence dans le jardin à cette heure-ci, encore plutôt mystérieuse pour moi, me regardait directement. Je descendrais au jardin, je me ferais reconnaître, je lui demanderais de visiter le musée Shapiro. Et même plus tard, si les six heures n'étaient pas écoulées, je l'inviterais à dîner ; et vers minuit je reviendrais à la pension pour attendre la visite de Beate. Aussitôt dit aussitôt fait. J'ai quitté ma chambre en courant, j'ai descendu l'escalier au galop, je suis sorti dans le jardin. Les sièges groupés autour de la table étaient tous inoccupés. Je me suis remis à courir. Voilà le portail avec ses deux battants ouverts ; voilà le petit chemin qui passe entre les maisons ; voilà la place et son terrain en pente et les marches creusées dans la terre ; et au milieu un seul et unique olivier avec un tronc tordu et de rares branches dénudées. Sonia était là, à la sortie de la place. J'ai grimpé les marches quatre à quatre, j'ai appelé : « Sonia ! » Elle s'est immédiatement arrêtée ; mais bizarrement, sans doute étonnée de s'entendre appeler par son nom, elle ne s'est pas retournée.

Le miracle du jour de mon arrivée s'est renouvelé : elle ne montrait que son dos et ses cheveux ondulés d'une épaisseur et d'une légèreté juvéniles me laissaient l'illusion d'avoir appelé Sonia une femme jeune qui, en se retournant, me montrerait un visage pur et éclatant. J'avoue même que durant un instant j'ai eu plus qu'une illusion, disons la certitude que Sonia était jeune et belle et qu'auprès d'elle j'aurais pu oublier Beate et sa macabre proposition.

Toujours courant, j'ai encore une fois appelé : « Sonia ! » ; elle s'est retournée et alors j'ai vu, ombragé par ses beaux cheveux, son vieux visage kalmouk. J'ai eu alors ce genre de choc que produit une grande déception ; ce fut comme si je voyais Sonia pour la première fois. Et je me suis mis à penser en me rapprochant d'elle : « Voilà ce qu'elle est, une femme plus que mûre, à la merci de tous » : du voiturier qui avait failli l'écraser ; du maître d'hôtel auquel, pour des raisons on ne peut plus évidentes, elle donnait de l'argent ; et enfin de moi qui l'appelais par son nom presque sans la connaître et que, docilement, elle attendait au coin de la place.

Je suis arrivé à bout de souffle près d'elle, je lui ai dit : « Je suis le garçon de la *carrozza* qui, il y a quelques jours, a manqué vous écraser à l'entrée d'Anacapri. Je m'appelle Lucio. Vous vous souvenez de moi ? »

Elle m'a regardé gentiment à travers ses vieilles paupières brûlées par le soleil. Puis elle m'a répondu avec un accent russe qui contrastait avec la prononciation des gens de l'île : « Oui, je me souviens de toi et je me souviens de cette brute de Salvatore qui a failli me passer dessus. Et toi, qui es-tu et qu'est-ce que tu veux de moi ? » J'ai dit : « On m'a dit que c'était vous... »

Elle m'a interrompu : « Tu peux me tutoyer, tu sais.

« Que c'était toi qui étais la directrice du musée Shapiro : je voudrais que tu me fasses visiter le musée.

« Le musée est fermé. Il ouvrira en septembre. »

Anxieux, j'ai insisté : « Tu pourrais me le faire visiter tout de même. Je m'intéresse beaucoup à la peinture. »

Elle m'écoutait avec un air sympathique et compréhensif, comme si elle avait voulu me dire : « Parle toujours. Ce sont des mensonges mais cela n'a aucune importance. L'autre jour un voiturier, tout à l'heure un maître d'hôtel, à présent le premier venu. Je suis vieille et seule et je remercie quiconque s'aperçoit que j'existe. » Puis elle a dit avec une sorte d'insolence : « Bon. J'accepte ton histoire de musée, mais dis-moi un peu ce que tu veux de moi ?

« Vraiment rien, en dehors de mon désir de voir le musée.

« Tu t'intéresses à la peinture ?

« Beaucoup. »

Elle continuait à me considérer d'un air amusé. Puis elle a dit :

« Tu n'es qu'un pauvre type, tu ne sais même pas inventer un mensonge. De toute façon, si cela ne t'ennuie pas trop de rester avec une vieille femme, tu peux m'accompagner jusqu'au musée. Mais le musée, tu le visiteras seul, si c'est vraiment vrai que tu veuilles le visiter. »

Elle m'attribuait donc tout de suite des intentions auxquelles moi-même je n'avais même pas pensé. Elle me traitait avec l'indulgence presque maternelle qui sert la coquetterie d'une femme vieillissante lorsqu'elle parle avec un homme beaucoup plus jeune qu'elle. J'ai accepté provisoirement le rôle qu'elle m'imposait et je lui ai demandé innocemment : « Quel genre de peinture y a-t-il dans ce musée ?

« Des expressionnistes allemands, autrichiens, belges, suédois... »

Elle me parlait en me regardant avec une étrange insistance. À mon tour je l'ai regardée. C'est alors que m'a frappé le rouge vif de sa bouche très mince et pourtant projetée en avant, un peu comme celle de certains singes. Un rouge trop jeune que démentait le visage rond, fané, bouffi, enfariné par une poudre de mauvaise qualité, trop blanche. En regardant ses lèvres pareilles à une blessure je me suis rendu compte que je désirais voir de nouveau ce que j'avais vu durant sa bagarre avec mon voiturier : sa langue écarlate, humide, énorme, qu'elle avait tirée hors d'un masque gris et desséché. Pourquoi désirais-je voir cette langue, pourquoi ce désir me troublait-il ? Peut-être parce que c'était la seule chose qui m'avait frappé en elle et qui justifiait ma première intuition : notre rencontre n'était pas due au hasard. Mais comment fait-on pour dire à une vieille dame qu'on a envie qu'elle vous tire la langue ? Sous quel prétexte ? Nous marchions l'un à côté de l'autre. Je lui ai demandé si c'était vrai qu'elle était Russe. Elle a dit, avec un rire grinçant : « Archirusse. Née dans le gouvernement de Saratov et amenée tout enfant à Petersbourg, pardon, à Leningrad.

« Tu es une exilée ?

« Oui, une exilée ; exactement.

« Noble ?

« Naturellement.

« Alors tu es une Russe blanche ?

« Blanche ? Tu es fou ! Je suis une Russe plus que rouge, du moment que les Bolcheviks se disent rouges. *Rossissima.*

« Alors, archirusse et archirouge, *russissima* et *rossissima.*

« Exact. J'appartenais au parti dit socialiste-révolutionnaire et je voulais faire ce qu'on appelle généralement la révolution. Mais que sais-tu, toi, de toutes ces choses ? Tu n'es qu'un beau *ragazzo* italien venu à Capri pour les bains de mer et pour faire la conquête des touristes, ce qui n'a rien à voir avec ce que je raconte. »

Un peu vexé je me suis dépêché de lui expliquer que je n'étais pas seulement un *bel ragazzo* mais aussi un intellectuel ; que j'avais passé mes examens en Allemagne, que j'avais présenté une thèse sur Kleist, que j'écrivais dans une revue littéraire des articles sur la littérature allemande (il ne s'agissait que de quelques informations sans importance), que j'étais l'auteur d'un essai sur les rapports entre Nietzsche et d'Annunzio (je ne l'avais pas encore écrit ; ce n'était qu'un vieux projet mais je m'étais promis de l'écrire quand j'en aurais fini avec mon roman).

Je me suis aperçu tout de suite que les noms de Kleist, de Nietzsche, de d'Annunzio ne lui faisaient aucune impression. On aurait même dit qu'elle les entendait pour la première fois de sa vie. Elle m'a répondu : « Quand j'étais jeune j'ai lu quelques auteurs allemands : Goethe, Schiller, etc. mais je n'y ai rien compris et j'ai laissé tomber. J'ai lu aussi quelques romans russes, par exemple Tolstoï, mais à présent je ne choisis plus, je lis ce qui me tombe sous la main, pour passer le temps.

« Mais si tu étais révolutionnaire, tu as dû lire des livres sur la politique ?

« Oui, ceux-là oui. Les journaux clandestins du parti, des opuscules, des feuilles de propagande, mais ne me demande pas les noms des auteurs, il y a trop longtemps de cela ; je les ai oubliés. »

J'ai remarqué qu'elle tenait dans sa main un livre en mauvais état. Je lui ai pris la main et je l'ai retournée pour lire le titre : *La Gouvernante anglaise.* J'ai demandé : « C'est bien ce roman-là ?

« Oui, pas mal.

« C'est un roman pour demoiselle, un roman à l'eau de rose probablement ?

« Est-ce que je ne suis pas une demoiselle moi-même ? »

Elle faisait la coquette, elle m'obligeait de nouveau à jouer le rôle du *bel ragazzo* italien. Je me suis arrêté un instant pour allumer une cigarette et je me suis aperçu que j'avais oublié mon paquet à la pension. J'ai demandé : « Où est le marchand de tabac ?

« Ici, juste devant toi. »

J'ai regardé : le marchand de tabac était là, devant nous. Je ne l'avais pas vu parce qu'il était trop près. L'enseigne *Sali e Tabacchi* était jaunie et presque écaillée ; la petite vitrine poussiéreuse contenait quelques vieux objets de bureau. Sur le trottoir il y avait un de ces trépieds sur lesquels on expose les cartes postales. Il m'est venu subitement une idée : j'ai dit : « Allons acheter des cigarettes, viens. »

Nous sommes entrés dans le petit magasin puant le tabac, l'encre et les vieux papiers. La marchande, une grosse femme avec une ombre de moustache au coin de la bouche et une pyramide de cheveux au-dessus de sa tête, a jeté sur son comptoir quatre paquets de cigarettes pour que je choisisse celui que je préférais. J'ai été un peu étonné de ces égards qu'on réserve généralement aux anciens clients. Mais, en voyant Sonia parler familièrement avec la marchande, qu'elle appelait par son prénom, Mariannina, j'ai compris que ces égards, c'était à Sonia qu'on les réservait. J'ai choisi un paquet et j'ai pris une carte postale. Elle représentait une maison basse, au crépi rouge, dont les fenêtres étaient entourées de marbre blanc ; en dessous, en cursives : « Musée Shapiro ». Je l'ai montrée à Sonia : « C'est ça le musée ?

« Oui.

« Est-ce que je peux t'offrir un paquet de cigarettes ?

« En voilà une question ! Mariannina, mes préférées, des Giubek, s'il te plaît, moelleuses. »

Mariannina a jeté sur le comptoir quatre autres paquets. Sonia a choisi le plus souple en le palpant de ses longs doigts hâlés. J'ai écrit sur la carte postale quelques mots insignifiants et l'adresse de mes parents. J'ai demandé à la marchande un timbre, elle me l'a donné. J'ai mis le timbre et la carte postale devant Sonia et je lui ai dit : « Signe Sonia, tout simplement ; mes parents penseront que j'ai eu un flirt à Capri. » Mon idée était la suivante : après avoir signé la carte postale elle allait se trouver devant un timbre à coller ; pour me faire plaisir elle l'humecterait de salive et, pour ce faire, elle tirerait, comme je le désirais, cette langue monstrueusement juvénile. J'ai fait semblant de m'absorber dans la rédaction d'une autre carte postale et j'ai regardé Sonia du coin de l'œil. Elle a pris le porte-plume qui se trouvait sur le comptoir à la disposition des clients, elle a signé et sans hésiter elle a appuyé le timbre sur la petite éponge qui se trouvait là ; je me suis alors dit qu'elle se trouvait là exprès pour empêcher mon plan de réussir, cette éponge. Heureusement, elle était complètement sèche et Sonia s'est exclamée : « Mais voyons, Mariannina, ton éponge n'est pas mouillée ! » puis elle s'est tournée vers moi pour me demander, asez curieusement : « C'est toi qui lèches le timbre ou tu préfères que je le lèche moi ?

« Lèche-le, lèche-le toi-même. »

Elle m'a lancé un coup d'œil oblique de complicité et elle a tiré sa langue pour la passer sur le timbre. Je la regardais fixement, avec l'attention de quelqu'un qui cherche une confirmation à une première impression ; mais je me suis rendu compte que mon impression était identique aujourd'hui encore. La langue de Sonia avait sa propre vitalité, turgide et violente ; oui, son visage ressemblait extérieurement à un fruit pourri mais, intérieurement, encore riche de lymphe. Sonia a pressé son pouce sur le timbre puis elle s'est exclamée : « Pouah ! le goût de la colle m'est resté dans la bouche ! » En sortant du tabac j'ai proposé : « Tu veux que nous prenions un café ? Le mauvais goût s'en ira.

« Pourquoi pas ? »

Il n'y avait que deux pas à faire pour aller du tabac au café. Nous sommes entrés et nous nous sommes approchés du comptoir. Sonia a dit au patron sur un ton de familiarité : « Domenico, s'il te plaît : *ristrestissimo !* » Puis elle a ajouté : « Et chez toi, comment ça va ? Tout le monde va bien ? »

Le patron a répondu que tout le monde allait bien. Sonia a allumé une cigarette avec un plaisir évident. J'ai pris le roman que Sonia avait posé sur le comptoir, je l'ai ouvert. Sonia m'a dit, en rejetant la fumée par le nez : « C'est l'histoire d'une gouvernante qui, à la fin, se marie avec un veuf richissime dont elle élève les enfants. Très intéressant. » Je n'arrivais pas à comprendre si elle parlait sérieusement. Je m'étais fait une autre idée des révolutionnaires. Sonia, qui s'était peut-être aperçue de mon étonnement, a ajouté : « Cette histoire m'intéresse particulièrement : j'ai été gouvernante pendant vingt-cinq ans de ma vie.

« Où ça ?

« Un peu partout. Les familles de la grande bourgeoisie européenne voyagent beaucoup. À Paris, sur la Côte d'Azur, en Suisse en Italie, en Allemagne et à Londres, où j'ai rencontré Shapiro.

« Shapiro qui t'a demandé d'être la directrice de son musée ?

« Qui m'a demandé d'être sa gouvernante. C'est plus tard qu'il m'a offert le poste de directrice de musée. Mais il n'y a rien à diriger. Depuis longtemps Shapiro n'achète plus de tableaux. Le musée a besoin d'un gardien, pas d'une directrice.

« En quoi consiste ton travail ?

« Je dois lui lire à haute voix des romans anglais, assommants, pour qu'il s'endorme. Et puis quelquefois je l'accompagne dans ses petites promenades.

« Presque rien, donc ?

« C'est vrai, presque rien. D'autant plus qu'il ne passe que les mois d'été à Anacapri. L'hiver il s'installe sur la Côte d'Azur.

« Et tu vas avec lui ?

« Non, moi je reste à Anacapri. »

Nous sommes sortis du bar après un « *Ciao, Domenico* » jeté du bout des lèvres par Sonia. Puis nous avons pris un chemin étroit sous l'ombre capricieuse des platanes, le long des lauriers-roses en fleurs au parfum âcre et volatil. Les platanes entremêlaient leurs branches au-dessus de nos têtes. À travers leurs feuillages, nous faisait un clin d'œil un soleil indirect et filtré qui, tout en restant l'ardent astre de juin, avait quelque chose d'irréel et de distant, presque comme s'il avait été le soleil d'un mois de juin passé depuis très longtemps. Pour renforcer cette impression d'anachronisme estival venaient contribuer les portails rouillés, et, au-delà des portails, au fond de jardins touffus et peu entretenus, les façades pompéiennes des villas et des maisons de campagne de la fin du siècle dernier. J'ai regardé Sonia : elle avait probablement l'âge de ces villas et de ces jardins ; nous étions en 1934, elle paraissait avoir la cinquantaine, elle devait être née en 1885 ou aux environs de cette date. Je la voyais très bien naître dans une de ces informes et boueuses petites villes de la Russie tsariste, à l'époque où un homme riche, anglais ou napolitain, se faisait construire ici sa villa pour y passer les mois d'hiver. Ce n'était pas encore la mode des bains de mer et Anacapri n'était fréquentée que pour son climat agréable en mauvaise saison. Je me suis mis à penser que pour compléter cet air de rêve, rêvé les yeux ouverts, il ne manquait qu'un piano dont le son deviendrait languissant et balbutiant sous les doigts hésitants d'une petite fille contrainte d'y faire ses exercices et ses gammes, enfermée dans un vieux salon plein de photographies jaunies et d'abat-jour garnis de perles.

Et comme engendré par ma pensée, le voilà le piano dont les sons pouvaient bien nous parvenir d'un des nombreux jardins qui bordaient la route. Ce n'étaient pas les doigts hésitants d'une petite fille qui suscitaient ces sons évocateurs d'autres lointains étés, mais certainement ceux d'une personne adulte qui jouait, avec un certain talent, pour son propre plaisir. Ce n'étaient pas des exercices ; peut-être une pièce de Chopin ? Le pianiste s'arrêtait de temps en temps, comme pour se rappeler quelque chose, puis reprenait avec fougue et habileté.

Je me suis approché du portail et j'ai regardé dans le jardin ; comme toujours on y voyait, bordée de pittosporums, une grande allée qui montait un peu jusqu'à la villa à deux étages « style art nouveau ». Sous l'avancée du toit, une rangée de carreaux de céramique décorés d'iris violets et de feuillage vert. Les persiennes étaient fermées sauf celles d'une fenêtre du rez-de-chaussée d'où, justement, nous parvenait la musique. J'ai dit : « Je serais bien content de savoir qui joue du piano dans cette villa. »

Sonia s'est mise à rire : « Rien de plus facile. C'est la mère de la doctoresse Cuomo qui a sa crise quotidienne.

« Quel rapport y a-t-il entre cette crise et le piano ?

« La doctoresse Cuomo garde auprès d'elle sa mère sujette à des troubles mentaux, mais elle n'est pas dangereuse. Quand elle a sa crise elle se met au piano mais elle ne joue jamais entièrement l'œuvre qu'elle a choisie. Elle joue un moment, puis recommence, puis s'arrête, puis reprend. »

Effectivement, mais toujours avec le même enthousiasme, avant d'être terminée la pièce de Chopin revenait à son début. C'était comme si la pauvre femme cherchait à enfiler dans le chas si étroit de sa mémoire le fil invisible d'un de ses souvenirs. Mais le fil passait à côté du chas et la malheureuse reprenait depuis le début. J'ai demandé : « Comment est-elle, cette mère de la doctoresse Cuomo ?

« Quand elle est dans son état normal, c'est une vieille dame très agréable. »

Au lieu de dissiper le mystère de la maison et de la musique, cette information en accentuait le côté étrange. C'était un mystère qui concernait autant la mère de la doctoresse Cuomo que moi-même. Il me semblait que si j'avais vécu dans cette villa avec cette vieille dame un peu folle et sa fille, je serais sorti de mon temps, je me serais trouvé dans un temps différent dans lequel espoir et désespoir étaient des mots privés de sens. Dans un temps, pour ainsi dire, hors de l'histoire, où n'existaient ni espoir ni désespoir ; mais seulement la mère de la doctoresse Cuomo qui sans jamais y arriver cherchait durant tout un après-midi d'été à jouer une pièce de Chopin. Malheureusement, le mien de temps ne m'accordait aucune trêve. La pension Damecuta m'attendait comme une bête féroce à l'affût dans l'herbe prête à me sauter à la gorge. Le mien de temps voulait que je fusse désespéré ; qu'une Beate vienne me proposer de me suicider avec elle, que je sois tenté d'accepter cette proposition. Brusquement j'ai demandé à Sonia : « Pendant la guerre, beaucoup de révolutionnaires russes vivaient à Capri, n'est-ce pas ?

« Oui. Par exemple Gorki.

« Et Lénine ?

« Je ne sais rien de Lénine.

« Tu détestes Lénine, il me semble ?

« Est-ce que tu aimerais quelqu'un qui a fait fusiller une grande partie de tes amis et de tes parents ?

« Tu as connu Lénine ?

« Oui.

« Où ça ?

« Avant la révolution, à Paris, un soir chez des amis.

« Tu lui as parlé ?

« Non, je lui ai seulement serré la main. Il me l'a prise entre ses deux mains pour la secouer en riant, comme s'il retrouvait une vieille connaissance. Ce fut la première et la dernière fois que nous nous sommes vus.

« Comment était-il ?

« Il ressemblait alors à tous les émigrés. Je me rappelle qu'il avait un pantalon dont les jambes n'étaient pas de la même longueur. »

J'ai éprouvé quelque chose qui ressemblait à de la désillusion, comme lorsque j'avais découvert que Sonia ne savait rien de la littérature allemande. Avoir rencontré Lénine et ne se rappeler que la longueur des jambes de son pantalon ! J'ai voulu changer de conversation et j'ai dit avec une volontaire cruauté : « De ma fenêtre, je t'ai vue quand tu donnais de l'argent au maître d'hôtel. Qu'est-ce que tu lui payais ? Quelque chose qu'il a déjà fait ou quelque chose qu'il fera un jour ou l'autre ? »

Elle ne parut ni étonnée ni fâchée par mon allusion. Elle m'a regardé un moment avec ses petits yeux bridés d'une fixité inexpressive puis un sourire a crispé ses lèvres minces et trop rouges. Elle a dit avec un accent plutôt satisfait, entre le cynisme et la roublardise paysanne : « Qu'il a déjà fait ; on paye toujours après, non ?

« Il l'a fait il y a longtemps ?

« Non, pas très longtemps. Il y a deux jours.

« Les hommes te plaisent beaucoup, n'est-ce pas ?

Elle a haussé les épaules : « Comme à toi te plaisent les femmes.

« Pourquoi dis-tu ça ?

« Tu crois que je n'ai pas compris quand tu m'as fait lécher le timbre exprès.

« Exprès ? Pourquoi ?

« Pour voir ma langue.

« Mais je ne t'ai rien fait lécher.

« Alors pourquoi m'as-tu regardée de cette manière ? »

Ainsi elle avait deviné le truc de la carte postale. J'ai eu honte et j'ai dit sans réfléchir : « Bon, alors, je rentre chez moi. Adieu.

« Comme tu voudras. On se reverra. »

J'ai fait quelques pas puis, d'un seul coup, le désespoir s'est de nouveau jeté à ma tête. Je venais de comprendre que cette nuit, ce serait uniquement ma lâcheté qui m'empêcherait de me tuer avec

Beate. Curieusement, ma rencontre avec Sonia dévaluait, à mes yeux, la vie à l'instant même où je cherchais à la vivre puisque je la réduisais à la présence d'une langue trop humide, trop écarlate entre les lèvres desséchées d'une vieille femme. En me faisant cette réflexion j'ai ressenti une espèce d'horreur et de tristesse. Malgré la chaleur, j'ai frissonné ; j'ai vu la peau de mes bras se transformer en chair de poule comme s'il gelait. Sans prendre le temps de réfléchir j'ai crié : « Attends-moi ! »

Elle s'est arrêtée tout de suite ; je l'ai rejointe ; un peu confus je lui ai dit : « Allons visiter le musée, tu veux ! »

Elle a ri en disant : « Tu l'avais oublié, hein ? Mais le musée est fermé et, en conscience, je ne peux pas l'ouvrir seulement pour toi. À la place, je vais te préparer une tasse de thé. D'accord ? »

Ainsi elle faisait tomber le prétexte du musée en étant sûre que je ne protesterais pas.

Sans rien dire je me suis mis à marcher à côté d'elle, tête basse, en recevant en pleine figure la fumée de la cigarette qu'elle tenait entre ses lèvres. Je me disais que c'était là le comportement de quelqu'un qui se sent troublé et qui cherche à le cacher. Je me disais aussi que j'allais faire l'amour avec Sonia. Et que j'allais le faire uniquement pour ne pas penser à Beate ; pour me décharger sur Sonia de toute mon énergie, pour être « dévitalisé » lorsque plus tard, dans la nuit, on me demanderait de démontrer ma vitalité de façon autodestructrice. Eh oui, aucun doute, il faut beaucoup de vitalité pour s'ôter volontairement la vie ; terrifié, moi je m'acharnais à la dépenser avec cette vieille femme hystérique.

J'ai sursauté en entendant la voix de Sonia qui me disait : « Nous sommes arrivés. » J'ai levé la tête et j'ai regardé : à cet endroit, la route qui mène d'Anacapri à Capri n'était plus flanquée d'arbres mais sur un des côtés il y avait un parapet au-delà duquel s'étendait la mer et sur l'autre côté, les rochers du mont Solaro. Accroché au roc, une espèce de belvédère s'avançait au-dessus de la route ; j'ai levé les yeux pour voir une terrasse en équilibre sur le vide avec deux colonnes doriques soutenant une pergola. Un petit sphinx de marbre noir accroupi sur le parapet semblait contempler la mer du fond de ses orbites vides et brillantes. En entendant une sorte de grincement, j'ai baissé les yeux ; Sonia avait ouvert une petite porte de fer que je n'avais pas remarquée. Elle m'invitait à la suivre le long d'un petit escalier encaissé entre les murs de pierres sèches qui croulaient sous la verdure.

De nouveau, tandis que je grimpais derrière elle, j'ai été frappé par la minceur de son corps et la richesse de sa chevelure. La femme que je suivais était jeune et belle ; l'amour m'attendait en haut de l'escalier. Le fait de monter cet escalier, et derrière une femme en proie à un certain trouble, m'a rappelé ma première expérience sexuelle avec une prostituée dans un bordel de province. La prostituée mince et pourvue comme Sonia d'une belle chevelure, mais, au contraire de Sonia, âgée d'une vingtaine d'années, m'avait aussi précédé dans un escalier en relevant ses jupes pour monter plus vite. Plein de désir je me tenais derrière elle, une marche plus bas, mon nez presque contre ses fesses. Pourquoi ce souvenir revenait-il à ma mémoire ? À cause de la ressemblance de la situation, disons intérieure ; ce jour-là j'avais voulu me servir de la prostitution comme d'un moyen de me libérer du tourment du désir. Aujourd'hui je voulais me servir de Sonia comme d'un sortilège qui m'amènerait tout doucement à accepter le suicide à deux proposé par Beate.

Comme si elle avait deviné ma pensée, Sonia s'est arrêtée au milieu de l'escalier. Elle s'est tournée vers moi et elle a dit : « Shapiro n'est pas là, il doit arriver demain. C'est mieux, non ? Personne ne nous dérangera.

« Mais où allons-nous ?

« Dans ma chambre. »

En me regardant un peu de biais elle a saisi mon regard au vol et sans hésiter j'ai vu la pointe de sa langue darder entre ses lèvres. C'était un geste effronté et drôle comme aurait pu penser le faire la prostituée de ma première expérience sexuelle. Mais moi je n'ai pu m'empêcher de baisser les yeux, pris de je ne sais quelle honte. Elle a ajouté : « Je vais te faire du thé à la russe, avec mon samovar. » Ce qui était une façon vaguement folklorique de m'informer qu'elle me ferait tout ce que j'attendais d'elle.

En haut de l'escalier nous avons débouché sur la terrasse que j'avais remarquée de la route. D'un côté, le parapet et le sphinx accroupi surveillant la mer ; de l'autre, adossée à la colline, au bout de la terrasse, la villa de Shapiro, construction longue et basse de style orientalo-caprese ; avec portes, petites portes-fenêtres, petites fenêtres entourées de marbre blanc et distribuées en ordre asymétrique sur la façade rouge. Sonia a ouvert une des portes, elle a traversé un cortile de marbre, elle m'a précédé le long d'un couloir étroit puis elle a traversé encore une fois un autre cortile ; enfin elle m'a fait pénétrer dans une chambre qui m'a immédiatement paru être en grand désordre.

Il y avait là un solennel lit à baldaquin, couvert de draps froissés ; un bureau ancien et baroque était collé contre un mur couvert de vieilles photographies jaunies ; une machine à écrire noir et or trônait au milieu. Enfin, devant la fenêtre ouverte qui donnait sur une paroi rocheuse, il y avait une table ronde supportant un service de petites tasses et le samovar dont on m'avait déjà parlé.

Sonia s'est tout de suite assise sur le lit sans même faire semblant de préparer le thé : « Mets-toi là. Ça ne te fait rien si le lit n'est pas fait, n'est-ce pas ? Concettina a la mauvaise habitude de ne venir qu'avant le dîner du soir ; pratiquement mon lit est toujours en désordre. Tu détestes le désordre, toi ? »

J'ai secoué la tête. Elle m'avait attrapé par un bras, d'une main nerveuse et crochue pareille aux serres d'un rapace, pour me faire tomber sur le lit à côté d'elle. Maintenant, avec ses doigts déployés en éventail, elle descendait tout le long de mon bras. Elle a alors placé la paume de sa main au-dessus du dos de la mienne pour enfoncer ses doigts entre les miens. À mi-voix, elle a dit : « Toi, tu sais tout de moi, même que je donne de l'argent à Vincenzo. Mais moi je ne sais rien de toi. Peut-on savoir ce que tu es venu faire à Anacapri ? »

J'ai répondu d'un air mystérieux mais aussi très sincère : « Je suis venu faire une chose très difficile.

« Quelle chose ?

« Stabiliser le désespoir.

« Qu'est-ce que ça veut dire ?

« Être désespéré, c'est bien naturel. À mon avis, cela devrait être la condition normale de l'homme. Mais le désespoir, malheureusement, est logique, et sa logique est stupide parce qu'elle t'amène infailliblement au suicide. Voilà, moi je voudrais rendre intelligent le désespoir, le régler, comme on règle la température d'un bain, le stabiliser sur un certain nombre de degrés, rien de plus et rien de moins. »

Elle me regardait déçue de ne pas me comprendre. Finalement elle a dit : « Je ne te comprends pas, tu parles comme un intellectuel et moi je ne suis pas une intellectuelle. Et c'est pour ça que tu es venu à Anacapri ? Pourquoi Anacapri plutôt qu'un autre endroit ? »

J'ai voulu faire le galant tout en restant dans les limites de mon plan : « J'avais comme un pressentiment que, à Anacapri, je trouverais une femme qui m'aiderait dans l'accomplissement de mon but et, effectivement, je l'ai trouvée, c'est toi. »

Ça, elle l'a compris. Une lueur de complicité s'est allumée dans ses petits yeux bridés. Confidentiellement, elle m'a demandé : « Qu'est-ce qui t'attire le plus en moi ? »

J'ai pensé que tout allait vers le but que je m'étais fixé : Sonia malgré sa sottise, ou plutôt grâce à sa sottise, était prête à me seconder. J'ai répondu sur un ton ambigu : « Tu le sais déjà.

« C'est-à-dire ? »

J'ai tout de suite pensé qu'honnêtement je devrais la prendre par la nuque pour la plier contre mon ventre. Je me suis alors rendu compte que je n'étais pas capable de faire un geste aussi simple et aussi mécanique, en somme celui du client d'une prostituée : l'âge de Sonia, son idée, bien entendu présomptueuse, de forcément me plaire, m'inspiraient une sorte de respect. Maintenant elle s'était tournée de mon côté et tout en continuant à triturer ma main avec sa main, elle haletait et, en haletant, elle me révélait sous le tissu opaque de sa chemisette des seins d'une insoupçonnable beauté. J'ai avancé la main et j'ai commencé à défaire boutonnière après boutonnière. Elle me laissait faire, la bouche entrouverte comme si elle attendait que je délivre le dernier bouton pour pousser un cri d'effroi. Mais sa chemisette s'est ouverte largement sur un soutien-gorge de coton blanc, bien rempli, gonflé, sans que sorte de sa bouche aucun son. Alors je me suis attaqué aux bords du soutien-gorge pour le tirer vers le bas avec une énergie rageuse. Encore une fois elle m'a laissé faire. Elle se tenait debout droite avec un sein dans son soutien-gorge, l'autre dehors. C'était un sein d'un brun mat, parcouru de veines bleues, très ramifiées et, à première vue, celles d'une femme jeune ; mais le bout du mamelon était comme un peu desséché, fané, et tout le globe de chair brune et tendre semblait moins être tenu par sa propre fermeté que par le solide réseau de veines bleues. Brusquement j'ai eu envie d'aller vite pour en finir et tout d'un coup je me suis aperçu que j'avais enfoncé mes doigts dans la chevelure de Sonia ; que je l'attirais vers moi ; qu'elle s'inclinait docilement, en suivant le mouvement de sa chevelure. Elle s'est laissée mettre sa joue et sa bouche entrouverte contre mon pantalon ; elle est restée là, en attente, les yeux fixés devant elle, repliée de travers dans une position incommode qui faisait penser à celle du condamné à mort qui a posé sa tête sur le billot et attend, sans la voir, la hache du bourreau qui lui tranchera le cou. J'ai eu une seconde d'hésitation : puis j'ai retiré ma main qui agrippait ses cheveux pour lui demander à voix basse :

« Ça te plairait ? »

Alors à ma grande surprise, la tête sur mon ventre, elle a parlé en direction du membre qui gonflait mon pantalon et elle a dit : « Oui, ça me plairait mais tu me fais peur.

« Pourquoi ? Est-ce que je ne fais pas les mêmes choses que Vincenzo ?

« Avec Vincenzo c'est différent. Il ne me fait pas sentir que je suis vieille. Toi, oui.

« Pourquoi dis-tu que je te fais sentir que tu es vieille ? »

Avant de me répondre, elle a modifié sa position ; elle a reboutonné sa chemisette ; puis elle m'a regardé en face : « J'ai vu dans tes yeux quelque chose qui m'a fait peur.

« Tu ne sais pas ce que c'était ?

« Quelque chose de méchant. Tu sais, ce que l'on voit dans les yeux des gosses lorsqu'ils tourmentent un chat ou un chien. »

J'ai dit humblement : « Pardonne-moi.

« Ce n'est rien. Maintenant je vais préparer ton thé. »

Elle s'est levée et s'est mise à tourner autour de la petite table du samovar. Furtivement j'ai regardé la pendule pour constater qu'une seule des heures qui me séparaient de mon rendez-vous avec Beate s'était écoulée. Encore cinq heures ! J'ai regardé Sonia et je me suis dit que je m'étais trompé à son sujet ; elle n'était pas celle qui pouvait être un moyen de me libérer du charme de Beate, et pourtant, qui sait pourquoi ? Je pressentais qu'elle m'aurait tout de même aidé à atteindre mon but. Mais comment ? Peut-être pourrais-je passer les heures avant mon inévitable rencontre avec Beate en cherchant au moins à comprendre pourquoi je m'étais trompé.

Soudainement inspiré, j'ai dit : « Sais-tu à quoi je pense, Sonia ? Je suis sûr que, sans le savoir, tu m'attendais à Anacapri pour m'aider à stabiliser mon désespoir. »

Elle a hoché la tête : « Mais, mon cher, je t'ai déjà dit que je ne te comprends pas. Tu me fais penser à certains intellectuels que j'ai connus en Russie avant la Révolution. Ils parlaient comme toi et je ne les comprenais pas. »

C'est presque en criant que j'ai protesté : « C'est pourtant clair ! Toi, depuis longtemps tu as fait ce que moi je voudrais faire à présent. Dis-moi comment tu as fait ? »

En me tendant ma tasse de thé elle a dit gentiment : « Je sais de moins en moins ce que tu veux de moi. Tu dis des choses difficiles. Tandis que, a-t-elle ajouté, avec une pointe de regret, si tu te laissais aller, tout deviendrait facile. » J'ai fait semblant de ne pas entendre. J'ai insisté : « Et pourtant je le sais, j'en suis sûr, tu as fait une certaine opération. Pourrait-il en être autrement.

« Mais quelle opération ? »

« Je ne sais pas, même si je crois qu'il me serait assez facile de le deviner. C'est pourquoi pour en finir je te demande : qui es-tu ? »

Elle est revenue s'asseoir sur son lit, à quelque distance de moi, sa tasse de thé dans la main, comme une parfaite maîtresse de maison poursuivant une conversation intéressante. Elle a dit brusquement, l'air très décidé : « Puisque tu tiens à savoir qui je suis, je vais te répondre : une morte. »

Je m'attendais à une telle réponse qui, au fond, était juste le contraire de ce que je pensais maintenant d'elle. J'ai voulu avoir l'air de plaisanter et j'ai dit : « Et quand, à ton avis, es-tu morte ? »

Je l'ai vue réfléchir un instant puis elle m'a répondu très sérieusement : « Je suis morte très précisément le 5 janvier 1909. Aujourd'hui j'ai cinquante-deux ans étant née, disons physiquement, en 1882. Je suis donc morte à l'âge de vingt-sept ans. »

De nouveau je me suis senti tout à fait décontenancé par cette précision qui contrastait avec l'idée d'une personne pas très équilibrée, un peu approximative que je m'étais faite de Sonia. Avec un soupçon d'ironie j'ai remarqué : « Tu es morte jeune. Et de quoi es-tu morte ?

« Oh ! très simplement : de dégoût.

« Mais de dégoût de quoi ?

« On me demandait de faire quelque chose que je n'ai pas voulu faire et je suis morte. »

Quelles étranges paroles sortaient de cette bouche desséchée et un peu simiesque qui tout à l'heure s'était penchée sans aucune répugnance vers mon ventre ! Je n'ai pas pu m'empêcher de me rappeler les vers, à l'époque je les adorais, de Rimbaud :

> *« Oisive jeunesse*
> *A tout asservie*
> *Par délicatesse*
> *J'ai perdu ma vie. »*

Incrédule, j'ai insisté : « D'accord, tu es morte le 5 janvier 1909, comme tu me l'as dit. Mais quelle était la chose que tu n'as pas voulu faire ? »

De nouveau réticente, hésitante : « Mais tu veux vraiment le savoir ? Ou tu me le demandes pour me faire plaisir ? Dans ce cas, je t'avertis que tu te trompes. Cela ne me fait aucun plaisir de parler de mon passé.

« Oui, sérieusement, je veux le savoir.

« Bon, alors prépare-toi à écouter une longue et ennuyeuse histoire. »

Puis elle a repris : « La chose que je n'ai pas voulu faire était décidée par le comité central du parti socialiste révolutionnaire qui devait justement rentrer le 5 janvier 1909 pour examiner le cas de Evno Azev.

« Qui était Evno Azev ? »

Elle a longuement aspiré une bouffée de tabac puis elle a dit en faisant ressortir la fumée par ses narines : « J'ai eu du dégoût pour tuer. J'ai peut-être mal fait ; mais c'était comme ça. J'ai préféré être victime plutôt que bourreau.

« Bourreau de qui ?

« Laissons cela. Quel besoin as-tu de fouiller dans le passé ? C'est comme de fouiller dans un cimetière pour en sortir des ossements qui ne demandent qu'à être laissés en paix. »

J'ai dit méchamment : « Si tu ne me dis pas qui tu es réellement, ou plutôt qui tu as été, je serai obligé de te considérer comme une pauvre femme un peu trop mûre.

« Tu veux dire carrément vieille.

« Comme une pauvre vieille femme qui erre dans un petit village italien en payant des voituriers, des domestiques, des marins, en échange d'un peu d'amour.

« Des marins ! Beaucoup de marins. Comment as-tu fait pour le deviner ?

« Capri est un port de mer, non ?

« Les marins, entre autres, ne veulent pas être payés. Je vais en barque avec eux, je m'assieds sur le fond du bateau, le marin continue à ramer les jambes écartées, tout se passe très calmement entre la mer et le ciel. »

En parlant, comme si elle voulait me faire comprendre ce qui se passait très calmement entre le ciel et la terre, elle a passé sa langue sur ses lèvres, elle a craché une miette de tabac qui y était restée collée.

J'ai eu alors une idée précise : Beate et moi sommes encore sur le seuil ; celle-là est déjà de l'autre côté, elle a déjà fait tout ce que nous voudrions ou devrions faire et que nous n'avons pas le courage de faire. J'ai insisté doucement : « Sonia, qui était la personne que le comité central aurait voulu te faire assassiner ?

« Evno.

« Encore une fois, qui était cet Evno ?

« Je peux te dire comment il était : petit, trapu, costaud, la peau du visage jaune, une moustache noire en brosse, de grosses lèvres molles, un gros nez aplati, des oreilles décollées, un homme laid, qui ressemblait à un marchand de bestiaux ou à un courtier en grains.

« Il s'appelait Azev ?

« Pour les camarades, oui ; pour la police : Radzkine.

« Je ne comprends pas.

« Evno était un révolutionnaire et en même temps un mouchard. Un révolutionnaire très important qui devint un des chefs du parti ; un mouchard, lui aussi très important, qui, dans un but de provocation, fit assassiner le président du conseil Plehve.

« Comment vous, les gens du parti, avez-vous fait pour découvrir qu'Azev était un mouchard ?

« Azev a été démasqué par Burtzev, le 5 janvier 1909, pendant la réunion du comité central.

« Qui était ce Burtzev ?

« Pourquoi veux-tu le savoir ? Disons : un camarade. De toute façon, Evno a été condamné à mort par le parti.

« Et c'est toi qui aurais dû exécuter la sentence ?

« Oui.

« Pardon, mais le genre de choses que tu me racontes ne m'est pas familier. Par exemple, il y a une chose que je ne comprends pas : Evno a fait assassiner le président du Conseil Plehve ; mais il a été condamné comme espion. Or, quelqu'un qui réussit à faire assassiner un président du Conseil n'est-il pas plutôt un révolutionnaire qu'un mouchard ?

« Il n'avait pas ordonné cette exécution pour des motifs révolutionnaires mais antirévolutionnaires, ou, si tu veux, de provocation, pour fournir au gouvernement un prétexte pour ordonner une répression. Ceci, suggestivement, objectivement ; c'est peut-être toi qui as raison. Evno, en assassinant, même pour des motifs privés, le président Plehve, a favorisé la révolution.

« Pourquoi dis-tu des motifs privés ?

« Evno était juif ; Plehve était responsable du massacre des juifs en Bessarabie. D'un côté Evno faisait œuvre de révolutionnaire en vengeant les juifs ; et de l'autre, il faisait œuvre de provocateur en assassinant le président du Conseil. Moi je suis convaincue, a-t-elle ajouté très vite, que Evno lui-même lorsqu'il se regardait dans la glace ne savait pas s'il voyait un révolutionnaire ou un mouchard. Il était l'un et l'autre, et il était l'un parce qu'il était l'autre et vice versa.

« Maintenant, parlons de toi. Tu étais socialiste-révolutionnaire. Qu'est-ce que c'était que le parti socialiste-révolutionnaire ?

« Des tas de choses. Principalement un parti qui voyait le terrorisme comme une façon de faire de la politique.

« Alors, toi, tu étais une terroriste ?

« Oui, si tu veux. »

Je n'arrivais pas à faire coïncider les deux images que j'avais d'elle : la Sonia qui tirait la langue au voiturier et la Sonia terroriste. Et pourtant, comme je le pensais un peu simplement peut-être, elle était la même personne. J'ai demandé : « Pourquoi étais-tu terroriste ? »

Elle me regarda à la dérobée puis elle dit froidement, sans emphase, comme si elle répétait quelque chose venant de quelqu'un d'autre : « Parce que je croyais dans l'avenir d'un monde meilleur et que je ne voyais pas, du moins en Russie, de moyens différents de le créer.

« Mais toi, tu croyais vraiment en un monde meilleur ?

« Oui.

« Et comment aurait dû être ce monde meilleur ?

Elle s'est mise à parler avec une sorte de ferveur : « Un monde juste, un monde libre, un monde beau.

« Juste, libre, beau, mais réellement, concrètement, comment aurait été ce monde juste, libre et beau ? »

Elle m'a regardé comme si elle en avait vraiment assez. Puis elle a dit sur un ton ferme et définitif : « Nous, nous croyions en un monde juste, libre et beau, un point c'est tout.

« Qui, nous ?

« Nous les idéalistes de la bourgeoisie.

« Alors tu te considérais comme une bourgeoise ?

« Pas du tout. Je me considérais comme une révolutionnaire. Mais aujourd'hui en regardant les choses dans une sorte de perspective, je pense que oui, que j'étais une bourgeoise qui voulait une révolution.

« Tu y crois encore à la révolution ?

« Je suis maintenant la secrétaire du signor Shapiro.

« C'est-à-dire que tu ne crois plus à rien. »

Elle a réfléchi un moment puis elle a dit simplement : « Je crois que je suis morte, voilà. »

Je me suis alors demandé s'il y avait du désespoir dans sa voix. J'ai dû convenir qu'il n'y avait « même pas » de désespoir. Je lui ai fait remarquer une chose : « Tu le dis d'une drôle de façon.

« Je dis quoi d'une drôle de façon ?

« Que tu es morte.

« Je le dis comment ?

« Comme si tu parlais de quelqu'un d'autre.

« Mais je suis quelqu'un d'autre.

« Qui es-tu ?

« Je suis Sonia la folle.

« Qui t'appelle comme ça ?

« Tout le pays. Demande à Anacapri qui je suis et on te répondra : Sonia la folle.

« Mais, en somme, quel a été le motif véritable, concret, de ce que tu appelles ta mort ? »

Je l'ai vue réfléchir ; elle a pris un air sérieux puis elle a dit : « Le motif concret ? Une paire de chaussures.

« Quoi ?

« Une paire de chaussures chic, probablement de fabrication anglaise ou française. »

Elle a allumé une cigarette puis elle s'est exclamé : « Quelle cochonnerie m'a refilée aujourd'hui la Mariannina ! Ces Giubeck sont encore plus vieilles que moi ! »

J'ai insisté : « Raconte ce qui s'est passé avec cette paire de chaussures ?

« Oh là là là ! Tu le sais déjà ! Il s'est passé que j'ai renoncé à la vie qui, pour moi, était le parti et que j'en suis morte. Peu de temps après, le parti est mort lui aussi, mais c'était trop tard.

« Trop tard pour quoi faire ?

« Je suppose pour ressusciter.

« Revenons aux chaussures. Quel rapport ont-elles avec le terrorisme ? »

Elle est restée muette un instant puis elle a repris : « J'étais déjà dans le parti depuis un an mais je n'avais pas encore rencontré Evno. J'en avais seulement entendu beaucoup parler.

« Qu'est-ce qu'on disait de lui ?

« Qu'il était l'un des révolutionnaires les plus courageux et les plus durs, toujours prêt à agir, toujours prêt à l'attaque.

« Bien sûr. C'était un mouchard et un agent provocateur. Il est facile à un provocateur d'être courageux et extrémiste. Du reste, il doit l'être. »

Qui me dira pourquoi je me sentais un état d'âme compétitif avec ce lointain personnage du passé de Sonia ? Elle m'a répondu avec beaucoup de précision : « Non, tu te trompes, c'était un mouchard payé par l'Ochrana. Mais c'était aussi un révolutionnaire.

« Comment peut-on être en même temps l'un et l'autre ?

« On peut l'être. Evno dans sa jeunesse avait été révolutionnaire. Si un jour tu as été révolutionnaire tu seras toujours un révolutionnaire même si tu es un traître. Raspoutine péchait exprès pour avoir horreur du péché et s'en repentir. Peut-être que Evno obéissait à un mécanisme analogue. Il trahissait pour détester encore davantage le pouvoir qui le payait. »

Elle s'est tue un moment puis elle a ajouté : « Naturellement il y avait aussi autre chose.

« Quelle chose ? »

« Je t'ai dit que Evno était laid, petit, avec un gros ventre, des jambes courtes, une peau jaunâtre, des yeux bilieux. Mais de sa personne émanait quelque chose de féroce qui, dès que je l'ai vu, m'a subjuguée. On imaginait qu'il avait de forts appétits, des appétits d'animal, qu'il pouvait se permettre de faire n'importe quoi et en même temps le contraire de ce n'importe quoi. En réalité, il n'était pas tant pour la révolution qu'il était affamé de la vie dont la révolution n'était qu'un des aspects. Le tsarisme pouvait être un autre de ses aspects. Je crois qu'on peut dire que ce qui faisait de lui un révolutionnaire en même temps qu'un mouchard, c'était son appétit féroce de la vie. »

Sonia a cessé un instant de parler, puis elle a repris : « Naturellement, Evno était un homme vulgaire, grossier, sensuel, avide, capable de toutes les bassesses. Mais on sentait que tout ceci ne venait pas de son cerveau mais d'ailleurs, de plus bas, de son ventre, de la terre sur laquelle il appuyait ses pieds. Alors qu'est-ce qu'on pouvait lui reprocher ? Reproche-t-on quelque chose à un chêne dont les racines sont si profondes qu'on ne peut les arracher mais seulement les couper ?

« Parlons un peu de l'objet de ton dégoût.

« Pardon ?

« De ce que le parti voulait que tu fasses et que tu n'as pas fait.

« Tout a commencé à Petersbourg, durant la préparation de l'attentat auquel par ordre du Parti je devais collaborer aux côtés d'Evno. On m'avait dit d'aller dans un magasin de la Tverskia pour y choisir une paire de chaussures et m'en faire faire un beau paquet avec la marque et le nom du magasin. Ensuite je rejoindrais un peu plus loin, dans une pâtisserie élégante, un certain personnage de l'Ochrana qui avait l'habitude d'aller tous les jours y boire son chocolat. Evno, lui, devait entrer un moment après moi dans la pâtisserie en portant un paquet absolument pareil au mien, même papier, même marque. Dans son paquet devait se trouver une bombe à retardement. Nous devions nous asseoir non loin de la table de l'important personnage et boire du chocolat ; ensuite Evno devait sortir avec le paquet contenant les chaussures en me laissant celui de la bombe qu'il allait placer sur le second plateau du guéridon caché par les pans d'une nappe. Tout de suite après, la bombe éclaterait démolissant la pâtisserie et faisant de l'important personnage un mort.

« Je ne comprends pas. N'était-il pas plus simple et plus facile de n'avoir qu'un seul paquet, celui où se trouvait la bombe, et de le laisser dans la pâtisserie ?

« Non parce que comme tu vas le voir, Evno avait déjà prévenu la police et moi je devais être arrêtée à coup sûr avec le paquet de la bombe entre les mains. S'il n'y avait eu qu'un seul paquet, Evno n'aurait pas pu raisonnablement me demander de rester dans la pâtisserie après sa sortie à lui.

« Je ne comprends toujours pas. Pourquoi deviez-vous sortir séparément de la pâtisserie ?

« Evno m'avait dit qu'il était suivi ; on le connaissait ; tandis que moi j'étais une inconnue. Dans le cas où on l'aurait suivi et arrêté, on se serait aperçu que son paquet contenait des chaussures. Si nous étions sortis ensemble sans paquet, on aurait facilement

110

retrouvé le paquet laissé dans la pâtisserie, c'est-à-dire celui de la bombe. En fait, il s'agissait de faire suivre à la police une fausse piste, celle d'Evno. C'était la version d'Evno. En réalité, le but réel était de me faire arrêter avec la bombe ; l'attentat était une provocation. Pour Evno je n'étais qu'une pauvre fille dont il se servait sans scrupule pour se faire bien voir de ses supérieurs de la police auxquels il apportait la découverte d'un complot révolutionnaire.

« Mais toi tu n'as pas senti qu'il y avait quelque chose de louche dans cette affaire de paquets ?

« Non, moi je n'étais qu'une novice et je n'avais pas encore compris que les choses compliquées sont, neuf fois sur dix, compliquées justement parce qu'elles sont louches. Et puis j'étais tellement fière de collaborer avec le célèbre Evno ! Nous nous sommes donc rencontrés dans cette pâtisserie, chacun de nous avec son propre paquet. Nous avions peu de temps à passer ensemble, et moi ce temps je l'ai passé à regarder Evno.

« Le coup de foudre alors ?

« Oui, je me rappelle qu'il a tiré un cigare de sa poche et qu'il en a coupé la pointe en me demandant si l'odeur des cigares ne m'était pas désagréable. L'odeur des cigares peut me faire évanouir ; je lui ai répondu que je l'aimais beaucoup. Il alluma son cigare et me dit que le personnage en question était là, à notre droite, en train de boire son chocolat quotidien. J'ai regardé, j'ai vu un monsieur entre deux âges, très comme il faut, barbe et moustaches, lorgnon attaché par un ruban, canne au pommeau d'argent, gants de chevreau : il ressemblait un peu, en plus jeune, à mon père. Evno a secoué la cendre de son cigare en se servant de son petit doigt ; il portait une bague sans valeur ornée d'une pierre de couleur comme les marchands de bestiaux auxquels il ressemblait tout à fait. Puis il a posé son cigare sur un cendrier, il a tiré de la poche de son gilet une grosse montre en argent et il m'a demandé si j'avais moi aussi une montre. Je lui ai répondu que oui et je la lui ai fait voir. C'était une petite montre en or suspendue à mon cou par une chaîne dont ma mère m'avait fait cadeau pour mes dix-huit ans. Evno a comparé nos heures, il les a trouvées en accord ; de son index il m'a indiqué sur le cadran l'heure précise à laquelle je devais m'en aller et il a dit : « À vingt, tu te lèves, tu t'en vas et tu me rejoins chez moi. » Il m'a donné son adresse, il a pris le paquet avec les chaussures et il est sorti. J'ai posé ma montre contre mon ventre et j'ai commencé à suivre des yeux l'aiguille qui, avec son tic-tac tic-tac, faisait le tour du cadran. Le paquet avec la bombe était resté là où Evno l'avait mis, sur le second plateau du guéridon bien caché par la nappe. Je pouvais le sentir en bougeant mes genoux. Je me souviens que tout en suivant des yeux l'aiguille de ma montre, je me demandais combien de clients et combien de serveurs allaient mourir, à cause de la bombe, en même temps que le personnage de l'Ochrana, et je m'émerveillais de me découvrir aussi insensible et sans remords aucun ; je ne savais pas si je devais attribuer cette indifférence au fanatisme politique ou à ma passion déjà dévorante pour Evno. J'étais encore assise, les yeux fixés sur ma montre, lorsqu'une main se plaque sur mon épaule et que j'entends une voix me dire : " Police ! " »

« Et alors, toi ? Qu'est-ce que tu fais ? »

« Moi je suis plus morte que vive. Je balbutie des mots confus, je me rends compte que la bombe va exploser, je n'arrive plus à accepter l'idée fanatique que je dois me résigner à périr dans l'explosion avec les policiers et le personnage de l'Ochrana. Cela peut sembler bizarre mais la pensée de mourir et de ne plus jamais voir l'homme qui m'avait fait tant impression me donnait le désir de vivre. En même temps, autre motif de trouble, je pensais que si l'attentat ne réussissait pas, Evno ne voudrait plus me regarder en face. Mon Dieu, combien de choses passent par la tête dans un pareil moment ! Par bonheur les deux policiers m'ont tirée de mon trouble. Un des leurs a mis sa main sous la nappe ; il en a ramené la boîte et m'a demandé ce qu'elle contenait ; j'ai dit : " Des chaussures " et j'ai fermé les yeux. Je sentais que j'allais m'évanouir. Il ne manquait que deux minutes avant l'explosion.

« Et alors ?

« Alors cela voulait dire que j'avais le temps de me lever et de sortir de la pâtisserie. Peut-être que tu ne vas pas me croire mais brusquement je suis restée comme bloquée en pensant : je vais mourir, je mourrai avec les policiers, avec l'homme de l'Ochrana ; Evno saura que je me suis immolée pour la cause : je deviendrai à ses yeux une héroïne et il m'aimera toute sa vie. Et voilà : un instant avant, je voulais vivre pour Evno, et à présent, avec la même ardeur, je voulais mourir pour lui. La décision de mourir prise, je me souviens que je suis devenue très calme. J'ai regardé d'un œil indifférent l'agent qui défaisait le paquet. J'ai même remarqué qu'il avait les ongles sales et j'ai pensé : " Ce sont des paysans ou des fils de paysans, comment pourraient-ils avoir les ongles propres" ?

« Excuse-moi si je t'interrompts, mais comment se fait-il que le policier déchirait le papier du paquet avec tant de désinvolture ? Il n'avait pas peur de la bombe ?

« Il n'avait pas peur parce que Evno avait prévenu la police que la bombe était désamorcée.

« Alors qu'est-il arrivé ?

« Moi j'étais prête à mourir, je te l'ai déjà dit. Le papier est arraché, le policier ouvre la boîte et qu'est-ce qu'il voit... des chaussures !

« Pas de bombe ?

« Non, pas de bombe.

« Mais comment ? Evno s'était trompé, au lieu de prendre le paquet des chaussures il avait sans doute pris celui de la bombe.

« Oui, c'est ça, mais il ne s'était pas trompé. Il l'avait fait exprès. Je l'ai su longtemps après. Sur le moment il m'avait dit qu'il s'était trompé.

« Pourquoi l'avait-il fait exprès ?

« Evno ne m'avait jamais vue avant ce fameux jour. Dès le premier regard qu'il avait posé sur moi il avait été pris d'un désir violent. J'ai dit désir, mais appétit serait un mot qui conviendrait mieux : me voir, me désirer, décider d'envoyer paître mon faux attentat et, par conséquent, mon arrestation, pour me prendre tout de suite, dut être pour lui une seule et même chose. Plus tard, je me suis rappelée que durant les quelques minutes où il était resté assis près de moi dans la pâtisserie, il ne détachait pas son regard de ma poitrine. Nous étions en été, je portais une chemisette de lin blanc très légère. Peut-être qu'il voyait en transparence mes bouts de seins. Je crois qu'il lui a suffi de voir ces deux taches brunes pour oublier tsarisme, révolution, serment politique, idéologie, trahison. C'est la raison pour laquelle il avait pris le paquet avec la bombe et qu'il était sorti de la pâtisserie au moment même où les policiers y entraient. Naturellement, ceux-ci n'ont pas pu cacher leur surprise. Ils se sont un peu écartés pour discuter entre eux. Moi, à ma table, je les regardais avec une joie immense, comparable à celle d'une dévote venant d'assister à un miracle qui me remplissait le cœur.

« Un moment, s'il te plaît. Evno t'a dit plus tard qu'il s'était trompé, qu'il avait pris les paquets l'un pour l'autre. Il aurait dû te dire la vérité : qu'il avait voulu te sauver la vie par amour.

« Probablement qu'il n'a pas voulu ternir sa propre image de révolutionnaire. Il savait que je l'aimerais encore plus s'il se montrait comme un révolutionnaire fanatique, mettant la révolution au-dessus de tout. Me dire qu'il avait voulu me sauver par amour équivalait à dire qu'il mettait l'amour au-dessus de la révolution.

« Et qu'est-ce qu'il a dit à la police pour justifier l'échec de son projet ?

« Je ne l'ai jamais su. Evno n'était jamais à court de mensonges. Il aura certainement inventé quelque chose.

« Nous avons laissé les policiers en train de discuter entre eux. Qu'ont-ils fait après ?

« Ils se sont approchés de moi, ils se sont excusés, puis ils sont partis. Après un moment je suis sortie à mon tour, j'ai pris une voiture et j'ai donné l'adresse d'Evno.

« Comment les choses se sont-elles passées avec lui ?

« Il m'a laissé voir sa joie sincère, mais pour des raisons tout à fait privées. Il m'a prise dans ses bras, il m'a fait faire deux ou trois tours de danse au milieu du salon, comme une sorte de valse. Puis il a dit avec une feinte bonhomie : " Maintenant, voyons un peu ces chaussures. "»

« Pourquoi as-tu dis " feinte " ?

« Attends. Il ouvre la boîte et il en sort les chaussures : une paire de petites bottes à la mode à cette époque, montant jusqu'aux mollets, avec des œillets de métal et des lacets. Evno les regarde avec admiration, puis il dit en riant que je les ai bien méritées et qu'il m'en fait cadeau. Il va me les mettre lui-même, il veut avoir le privilège de me les lacer. Aussitôt dit aussitôt fait et, comme le font les vendeurs, il prend mon pied et le pose contre son ventre. Il m'enlève mes vieilles petites bottes, déformées et couvertes de boue ; et en me les enlevant il pousse sa main entre mes jambes,

114

bien au-dessus du genou. Je pense que je devrais protester et je me sens profondément troublée. J'étouffe, je comprends tout d'un coup que je suis prête à faire ce qu'il voudra. Il prend mon pied dans la paume de sa main, il le caresse longuement puis il l'introduit entre ses jambes pour l'appuyer exactement contre son membre. En même temps il prononce quelques mots bizarres parmi lesquels je distingue : " Excellence ", titre qu'en Russie, à l'époque, les inférieurs donnaient communément à leurs supérieurs. Tout de suite après cet " Excellence " je distingue le mot " Princesse ". Alors je comprends : il est en train de s'exciter en imaginant qu'il est un serf et moi une princesse.

« Tu étais noble, n'est-ce pas, toi ?

« Noble, oui, mais pas princesse. Petite noblesse de province. Maintenant, tout en moi n'était plus que désordre, trouble, désir. Je ne sais ce qu'il m'a pris, mais j'ai appuyé très fort mon pied déchaussé sur son membre. Alors, à voix basse, il m'a suggéré : " Appelle-moi esclave, appelle-moi serf, dis-moi que je suis ton esclave, ton serf. "

« Alors, toi ?

« Moi je lui ai obéi. Je t'ai déjà dit que j'étais prête à faire toutes ses volontés. Alors je l'ai appelé " esclave " et " serf " ; pendant que lui guidait mon pied le long de son membre. Tout à coup, mais vraiment sans savoir pourquoi, j'ai pris mon rôle de princesse au sérieux : j'ai arraché mon pied de ses mains et lui en ai donné un grand coup en pleine poitrine. Il est tombé à la renverse puis s'est immédiatement relevé et s'est jeté sur moi.

« Tu étais vierge ?

« Oui.

« Alors c'est de cette manière que tu as perdu ta virginité ?

« Non je ne l'ai pas perdue ce jour-là. Mais quelque temps après, quand Evno s'est décidé à me traiter comme une femme.

« Que veux-tu dire par là ? Qu'est-il arrivé ce jour-là avec Evno ?

« Tout et rien. Il m'a violée, je veux dire qu'il m'a sodomisée. C'était sa manière de répondre au coup que je lui avais donné en pleine poitrine. Au commencement il feignait d'être le serf qui s'agenouillait devant la maîtresse, ensuite il a été le même serf se jetant sur sa maîtresse pour la sodomiser. Eh oui, il y avait un côté politique dans ce geste. Pour lui j'étais un symbole et ce symbole devait être outragé, profané. »

Ce récit du début de sa liaison avec Evno, Sonia me l'a fait sur un ton d'insouciance totale. J'étais surtout frappé par la façon dont elle prononçait le mot sodomisé, mot tabou que la plupart des gens prononcent, s'il s'agit d'eux-mêmes, en le mettant entre les guillemets du dégoût et de la réprobation. Chez elle, le ton était celui d'une indifférence absolue parce qu'il provenait d'une longue habitude d'indifférence. Et ce ton était renforcé par son accent du pays. On pensait à une sorte de mascarade linguistique derrière laquelle Sonia cachait son vrai visage, en admettant, bien entendu, qu'il lui en restât un. Après un bref silence j'ai demandé : « Et après ? comment s'est passée votre vie amoureuse ?

« Pendant longtemps, après même que nous eûmes fait l'amour normalement, Evno a voulu répéter la scène du premier jour : lui, agenouillé avec mon pied déchaussé contre son ventre ; moi, lui donnant un coup ; lui, se jetant sur moi pour me sodomiser. J'acceptais parce que je l'aimais ; en réalité, physiquement je n'éprouvais presque rien ; seulement quelque chose de douloureux. Au fond, je concevais l'amour à la façon romantique ; j'étais une jeune fille de bonne famille ; j'avais été élevée avec l'idée du grand amour suivi, naturellement, du mariage. De tout cela, je m'étais débarrassée en entrant au parti. Cependant, j'y croyais encore mais sans me l'avouer. Evno, lui, n'était pas romantique : c'était un porc luxurieux. Moi j'étais fascinée par ce porc et je ne le voyais pas comme il voulait être vu.

« C'est-à-dire ?

« Comme un révolutionnaire intrépide, lucide, maître de ses nerfs. Remarque qu'il les avait, ces qualités, seulement il les mettait au service de quelque chose de plus dangereux que la révolution.

« L'espionnage ?

« Pas précisément, je dirais plutôt la provocation. L'espion cherche la vérité ; le provocateur la construit.

« Mais pourquoi avait-il choisi d'être un provocateur ?

« Apparemment parce qu'il avait besoin d'argent : il aimait vivre bien mais peut-être qu'il aimait surtout se sentir puissant et pouvoir dire : ce ne sont ni les révolutionnaires ni la police qui mènent le jeu, c'est moi.

« Revenons à votre vie, disons privée. Comment étiez-vous ensemble ?

« Moi je croyais que nous étions deux camarades, deux affiliés au parti, qui, en plus, s'aimaient. En réalité nos rapports étaient ceux d'un bourgeois et de sa putain.

« Pourquoi putain ?

« Juges-en toi-même. Evno me couvrait de cadeaux ; c'était sa manière de me manifester son amour. Il cherchait à me corrompre, à me rendre semblable à lui. Et comme il n'arrivait pas à faire de moi une provocatrice, il cherchait, en flattant ma vanité, à faire de moi une femme entretenue.

« Quel genre de cadeaux te faisait-il ?

« Il m'offrait de tout. Il aimait entrer dans un magasin et m'acheter n'importe quel objet sur lequel j'avais posé les yeux : chaussures, robe, lingerie, parfum, crème, savon...

« Comment justifiait-il ces achats ?

« Il me disait une masse de mensonges. Par exemple, que son père était un commerçant très à son aise. Son père était pauvre, il avait une minable boutique de confection dans une petite ville de province.

« Mais alors, tout cet argent ?

« Il provenait des fonds du comité révolutionnaire et de ceux de la police.

« Comment t'es-tu aperçue qu'Evno était un agent provocateur ?

« Le jour où j'ai su que j'étais enceinte.

« Pourquoi ?

« Voilà. Comme j'avais les malaises qu'ont les femmes qui attendent un bébé, je suis allée voir un médecin qui m'a dit que j'étais enceinte : naturellement j'en été très heureuse. J'aimais Evno et je pensais que l'enfant consoliderait notre amour. Je lui ai appris la nouvelle.

« Comment l'a-t-il accueillie ?

« Il m'a prise dans ses bras, il m'a couverte de baisers et il a improvisé une de ses danses sauvages. Je crois qu'il était sincère.

L'idée d'avoir un fils galvanisait son goût de la vie. Ensuite il a voulu sortir avec moi pour aller chez un bijoutier. Il fallait solenniser la naissance de l'enfant en me faisant cadeau d'une bague.

« Qu'est-ce que tu as dit ?

« Moi, figure-toi, j'étais tout simplement très heureuse de le voir si heureux. Nous sortons. Nous allons en voiture chez l'un des meilleurs bijoutiers de Petersbourg. Le magasin, genre anglais, luxueux et confortable, de confiance comme on dit, avec des crédences, des armoires en acajou et un grand présentoir, où, sous verre, une quantité de bijoux étaient exposés dans des écrins doublés de velours. Nous sommes reçus par un jeune vendeur, bien habillé, très cérémonieux, petit, brun, avec des yeux noirs comme du charbon, un nez busqué, une grande bouche cachée par d'épaisses moustaches tombantes. Ce magasin m'intimidait beaucoup. Lorsque Evno m'avait dit qu'il voulait me faire cadeau d'une bague, je ne m'étais pas attendue à quelque chose de ce genre : je pensais à une petite boutique, sans prétention, à un vieux bijoutier bon enfant et à une bague sans grande valeur. Evno demande à voir des bagues. Le vendeur retire d'une vitrine un plateau plein de bagues assez bon marché. Alors, à mon grand étonnement, Evno les refuse et indique une des bagues très simples mais de grande valeur : un anneau d'or avec un de ces gros rubis rouge foncé dans le genre de ceux qu'on appelle œuf-de-pigeon. Le vendeur le lui remet, Evno se tourne vers moi, me prend la main et enfile la bague à un de mes doigts, exactement comme un époux le jour de ses noces. Je ne sais pas ce qui m'est arrivé à ce moment-là, brusquement j'ai eu comme une vision : Evno tout nu avec son ventre et son dos poilu en train de passer une bague à mon doigt et moi, nue aussi, avec mon gros ventre, où se trouve notre enfant, en train d'accepter la bague. Et derrière le comptoir, comme derrière un autel, au lieu du commis, le diable, nu lui aussi avec des cornes et les cuisses poilues d'un bouc, le diable en personne qui nous marie pour toujours, selon son rite et selon la loi.

« Alors qu'as-tu fait ?

« J'ai tout de suite enlevé la bague, je l'ai posée sur le comptoir, j'ai fait le geste de m'en aller. Evno doit avoir compris quelque chose : il m'a indiqué un fauteuil en me disant entre ses dents de

118

l'attendre là. J'ai obéi ; ma tête tournait, j'éprouvais un grand malaise, j'essayais de l'attribuer à ma grossesse. Comme s'il se trouvait noyé dans un épais brouillard, j'ai vu Evno acheter la bague. Calme, méthodique, il a payé avec une liasse de billets de banque qu'il posait sur la table les uns après les autres en les comptant d'une voix basse qui sortait de dessous ses grosses moustaches. Ensuite il a pris l'écrin de la bague, il l'a glissé dans sa poche et il m'a fait signe de le suivre. Le commis s'est précipité pour nous ouvrir la porte ; nous sommes sortis.

« Et après ?

« Dans la rue il m'a dit à mi-voix : " idiote, tu ne comprends pas que c'est un investissement ! " Je ne comprenais rien. Nous sommes remontés en voiture, nous sommes arrivés chez nous. En silence nous entrons dans notre appartement. Evno me dit : " Maintenant, faisons nos valises. " Je sens que je vais me trouver mal ; j'ai un horrible pressentiment. Avec un filet de voix je demande ce qui se passe, où nous allons. Evno s'assied à côté de moi sur mon lit ; en me caressant il me dit : " Nous avons un enfant, le moment est arrivé de parler tous les deux parce qu'une nouvelle phase de notre vie va commencer et je veux que tout soit clair entre nous, sans tricherie, sans mensonge. " Je continue à ne pas comprendre, je balbutie : " Mais de quelle tricherie, de quel mensonge parles-tu ? " Il me lance un regard paternel et indulgent. Il m'explique : " J'aurais voulu que tu puisses rester en dehors de tout ceci, mais cela n'a pas été possible. Tu travailles avec moi ; et comme nous sommes amants, comment aurais-je pu ne pas te mêler à mes affaires ? Maintenant tout le monde croit que tu es quelqu'un comme moi. La police le croit, mais pour le moment ce n'est pas grave. Malheureusement, les camarades du Conseil Central le croient aussi, mais eux ils ne pardonnent pas. " J'ai frissonné de froid, comme si j'allais avoir une syncope et à voix basse j'ai demandé : " Pour l'amour du ciel, dis-moi ce que croient les gens du Comité ? " Et lui, doucement : " Ils croient que, comme moi, tu es un agent de l'Ochrana. "

« C'est ça qu'il t'a répondu ?

« Oui, exactement. Je ne me souviens plus de ce qui s'est passé après. Je balbutiais, je suffoquais, j'avais l'impression de délirer.

Alors lui s'est mis en colère comme une personne raisonnable qui se trouve en face d'une folle. Il m'a prise par le bras et il a commencé à me secouer avec une violence telle que je ne pouvais plus respirer. Tout en me secouant, il criait qu'il était mon amant ; que je devais être solidaire de lui, que je devais le suivre jusqu'au bout ; que, du reste, j'étais obligée de le suivre puisque le Comité était certain que nous étions tous les deux membres de l'Ochrana et qu'il était très probable que à cette heure, nous étions déjà condamnés à mort ; qu'il fallait cesser d'être ridicule et faire tout de suite les valises. Il n'y avait plus de temps à perdre.

« Alors toi ?

« Alors moi, je suis d'abord restée immobile comme quelqu'un qui ne comprend pas. Après, je lui ai demandé où nous allions. Il a tout de suite répondu, heureux d'entendre enfin quelque chose de raisonnable, qu'il avait de l'argent, beaucoup d'argent en Suisse, dans une banque ; donc les moyens pour voyager et voir le monde ne nous manqueraient pas. Nous irions visiter l'Italie : Venise, Florence, Rome, Naples, la Sicile. Nous irions aussi en Égypte : les Pyramides, Assouan, Louxor, le Nil. Et puis la Grèce. En parlant il s'animait, sa voix devenait perçante, dans ses yeux s'allumait une joie que je ne connaissais pas : la même qu'il démontrait lorsqu'il se jetait sur moi pour faire l'amour. Il oubliait qu'il était un traître, condamné à mort par ses camarades ; il se voyait en voyage à travers le monde, avec la femme qu'il aimait. Mais à moi, ce programme, cet avenir touristique, faisait un effet déplorable ; lorsqu'il a parlé du Parthénon, je me suis vue en face de ce monument célèbre, le regarder et penser que j'étais un agent de l'Ochrana ; alors subitement j'ai poussé un hurlement épouvantable, je me suis levée et en bousculant tout sur mon passage je suis sortie de l'appartement pour me lancer dans l'escalier. Et dans mon désir frénétique de m'éloigner de lui j'ai glissé, je suis tombée et je me suis évanouie. Lorsque je suis revenue à moi, j'ai compris que j'étais étendue sur le lit de la concierge, dans sa loge. J'étais couverte de sang, je ne pouvais pas bouger, j'avais la jambe cassée.

« Et Evno ?

« Disparu. Il m'avait transportée évanouie chez la concierge et il avait filé tout seul. Non sans me laisser un billet dans lequel il me disait que dès qu'il le pourrait il m'enverrait sa nouvelle adresse. On m'a transportée dans une clinique. Presque tout de suite j'ai avorté. Je suis restée plus de deux mois au lit. Ma famille a été prévenue ; ma mère s'est rendue à Petersbourg. Elle habitait chez une sœur mariée avec un fonctionnaire du gouvernement ; tous les jours elle venait à la clinique. Ma mère ne savait rien de mon activité politique. Ma famille m'avait envoyée à Petersbourg pour suivre les cours de l'université où, effectivement, je m'étais inscrite en philosophie. Ma jambe allait mieux, mais moi je désirais presque ne pas guérir. J'étais terrifiée à l'idée de sortir de la clinique et de reprendre la vie qu'on appelle normale mais qui pour moi, je le savais, ne serait telle qu'en apparence. Je restais étendue, ma joue contre l'oreiller, j'écoutais distraitement les papotages de ma mère en regardant le ciel à travers la fenêtre. Je ne pensais à rien. Il me semblait avoir été abandonnée, non seulement par Evno et nos camarades, mais aussi par moi-même.

Un jour, une fille que je connaissais tout juste de vue mais dont je savais qu'elle était du Parti, est venue me faire une visite. Elle s'appelait Elisa. Elle était blonde et maigre, avec un visage blanc et allongé, des yeux d'une vilaine couleur bleu pâle ; son regard fixe était sans expression. Comme moi, elle était d'une famille noble ; au contraire de moi, elle avait gardé les manières cérémonieuses, hypocrites, étudiées, des gens de cette classe. J'ai vite compris qu'elle venait de la part du Comité ; peut-être pour m'assassiner ; j'ai été frappée par son incroyable facilité à jouer son rôle de jeune fille de bonne famille qui rend visite à une amie malchanceuse. Elle a pris le thé avec ma mère et moi ; pendant plus d'une heure elle est restée là, racontant les choses les plus ineptes qu'on puisse imaginer. À la fin, tout ce conventionnel m'a mise hors de moi, au-delà même des limites de la prudence ; j'ai éclaté, en interpellant ma mère : « Mais voyons, maman, tu ne comprends donc pas qu'Elisa et moi avons à parler de choses importantes et que ta présence nous gêne ? » Ma mère était une de ces femmes qui s'effraient de rien et de tout — je pense qu'elle a dû venir au monde en étant déjà effrayée. Elle a ouvert de grands yeux, gênée, elle s'est levée, elle nous a saluées Elisa et moi en disant qu'elle reviendrait le lendemain et elle est sortie.

Après le départ de ma mère, Elisa a attendu un moment sans rien dire puis elle est allée donner un tour de clé à la porte. Ensuite elle est revenue s'asseoir près de mon lit et en quelques phrases banales et précises, dans un excellent style bureaucratique, sans doute pour donner à sa voix le ton impersonnel d'un juge prononçant sa sentence, elle m'a communiqué la décision du Parti : Evno et moi nous avions été condamnés à mort. À moi, on me donnait la possibilité de me racheter et, éventuellement, d'être réintégrée dans le Parti, si j'acceptais d'être l'exécutrice d'Evno. En d'autres termes, je devais fournir la preuve de mon innocence ou tout au moins de mon repentir en assassinant Evno. Elisa a joué son rôle en me fixant de manière méchante avec ses grands yeux de hyène. Elle a ajouté qu'elle était venue me voir, non seulement pour me communiquer la sentence, mais pour me donner l'adresse actuelle d'Evno et pour me fournir l'arme dont je devrais me servir. Tout en parlant elle a sorti un pistolet de sa manche. Mais je n'ai pas eu le temps de parler ni de prendre le pistolet parce que quelqu'un a frappé à la porte et que la voix de la femme de service a demandé qu'on vienne lui ouvrir : elle apportait le plateau du souper. Dans cet instant critique Elisa a fait preuve de son étonnante faculté de contrôle d'elle-même et de sa duplicité. Elle est allée à la porte pour ouvrir à la femme de chambre ; celle-ci est entrée avec son plateau qu'elle a posé sur une petite table et, comme elle avait l'habitude de le faire tous les soirs, elle s'est mise à ranger la chambre. Alors Elisa s'est levée ; en se penchant vers moi elle m'a tendrement embrassée en disant :" À bientôt ma chérie, je reviendrai te voir dans quelques jours." En prononçant cette phrase elle a fait glisser le pistolet sous mes couvertures. Elle est sortie. La femme de chambre s'est approchée du lit en disant qu'elle allait le remettre en ordre parce qu'il avait l'air d'une vieille couche de chien. Je n'ai pas pu refuser tant de sollicitude ; mais, vite, j'ai placé le pistolet entre mes cuisses, le froid du métal contre mon sexe. La femme de chambre a remonté les couvertures ; sous le drap le pistolet me faisait tout de même une petite bosse. Pour le cacher, dans un geste de pudeur j'ai posé sur elle mes deux mains croisées ; j'étais décidée, si cette femme avait vu le pistolet, à lui dire que j'étais une terroriste et qu'elle devait se taire sinon je la tuerais. Elle ne s'est aperçue de rien ; elle a fini son ménage, elle a posé le plateau du souper sur mes genoux et elle est sortie.

« Et après, que s'est-il passé ?

« J'étais guérie ; j'ai quitté la clinique et je suis allée avec ma mère dans notre maison de campagne aux environs de Moscou. C'était le mois de juillet, il faisait chaud ; à la campagne tout était vert ; je terminais ma convalescence et je ne pouvais penser sérieusement encore à rien. Je me sentais comme absente de moi-même. Je savais que cet état d'hébétude allait bientôt finir ; le pistolet que j'avais caché au milieu de mon linge dans un tiroir de ma chambre était là pour me rappeler que j'allais bientôt devoir affronter le dilemme ; Elisa m'avait donné un mois pour exécuter Evno ; quinze jours étaient déjà passés. J'en étais là lorsqu'un jour nous sommes allées, ma mère et moi et d'autres personnes de la famille, faire une promenade. Le but de cette promenade, tout à plat, à travers une magnifique forêt de bouleaux, était une prairie au bord d'une rivière. Nous pensions étendre une couverture sur l'herbe et faire un pique-nique. Tandis que nous marchions le long d'un sentier, à l'ombre des arbres, il est arrivé un incident fréquent en été dans ce genre d'endroit. Une vipère, enroulée au soleil pour se réchauffer, effrayée par notre présence a brusquement tenté de s'enfuir. J'étais la seule à posséder une canne. Je m'en servais pour me soulager de la fatigue que me causait encore la fracture de ma jambe. Voir la vipère qui, encore abrutie par le soleil, tentait maladroitement de se glisser hors du sentier, me jeter sur elle le bras levé et la tuer de quelques coups de canne ne fut l'affaire que de quelques instants. La vipère n'a pas cherché à se défendre ; peut-être qu'elle ne comprenait même pas d'où venaient les coups de canne. Elle s'est d'abord enroulée un peu plus sur elle-même comme si elle avait voulu se cacher dans un imaginaire ventre maternel ; et moi je l'ai de nouveau frappée et alors elle s'est laissée aller de tout son long, en remuant à peine, dans les derniers soubresauts de l'agonie. Pour finir, elle est restée là par terre, immobile, avec sa petite tête triangulaire, salie de sang mêlé à la poussière ; avec la pointe de ma canne, je l'ai retournée, elle n'a pas bougé. Elle était vraiment morte. Dans la journée, je n'y ai plus pensé. Mais la nuit suivante le souvenir de la mort de la vipère m'est revenu et j'en ai éprouvé un très grand remords. J'avais beau me dire que c'était un serpent dangereux qui en me mordant pouvait me tuer, le souvenir restait là, inexplicable, mystérieux ; il me faisait trouver hypocrite et vain l'argument du danger de mort. Ce remords était si fort que je n'avais pas le courage de me coucher. J'avais peur de rêver à cette vipère que je ne voulais absolument plus revoir, même pas en rêve. Longtemps je suis restée assise dans un fauteuil près de mon lit intact ; dans le noir, comme je ne voulais plus penser à ce reptile, j'ai décidé d'occuper mon esprit en évoquant Evno et le terrible dilemme : le tuer et réintégrer le Parti ; ou fuir avec lui pour entrer définitivement dans la police. C'était atroce mais je m'en rendais compte, ce n'était pas le *vrai* dilemme, le vrai dilemme c'était : est-il permis, oui ou non, de tuer ? Finalement je me suis mise au lit. J'étais fatiguée. Après toutes ces heures de veille je pensais que j'allais dormir ; je m'imaginais que le souvenir de la mort de la vipère avait été chassé par le souci beaucoup plus important que me donnaient mes rapports avec Evno. Mais je me trompais : les choses ne se passèrent pas comme je l'imaginais... Je me couche, je m'endors tout de suite, et voilà la vipère qui m'apparaît en rêve : elle essaie de s'enfuir et moi je cours après elle ma canne levée. Je me réveille, trempée de sueur. Il faisait jour ; j'ai pris alors une irrévocable décision : je n'irais voir Evno ni pour le tuer, ni pour fuir avec lui. Je disparaîtrais tout simplement, non seulement de la vie d'Evno, mais de celle de mes camarades du Parti, et aussi de ma propre vie. On peut disparaître de sa propre vie. Moi je l'ai fait.

« Pardon, mais, encore une question, une seule. Les hommes du comité savaient-ils que tu étais la maîtresse d'Evno ?

« Bien sûr qu'ils le savaient mais ils n'y attachaient aucune importance : un révolutionnaire n'a ni mari, ni femme, ni maîtresse, ni père, ni mère, ni parents. Il n'a que le Parti. D'autre part, je crois qu'ils comptaient sur ma rencontre avec Evno pour mettre à l'épreuve, une fois pour toutes, ma foi en la révolution. En somme, ils obéissaient à la logique de la révolution qui est aussi inflexible que celle de la bourgeoisie. Mais moi je ne voulais à présent obéir à aucune logique. J'avais vu le monde divisé entre Dieu et le diable : Dieu était la révolution, le diable, la bourgeoisie. Maintenant je le voyais toujours divisé, mais, autrement : d'un côté, il y avait la bourgeoisie et la révolution... de l'autre il y avait moi et tous les gens comme moi.

« Alors qu'est-ce que tu as fait ?

« Au matin j'ai raconté à ma mère toute la vérité sur ce qui m'arrivait et cette femme, éternellement terrifiée, s'est révélée d'une énergie surprenante. Elle a écrit une lettre à une famille russe qui vivait à Nice, elle m'a donné une somme d'argent, elle m'a aidée à faire ma valise, elle m'a accompagnée le jour même prendre un train à destination de Vienne. À la gare, elle m'a dit qu'elle m'approuvait et qu'elle était fière de moi. Des mots qui m'auraient fait encore plus plaisir s'ils étaient venus de quelqu'un appartenant à une société que je pouvais moi-même approuver. Cette nuit-là, j'ai passé la frontière et la nuit suivante j'étais à Nice dans cette famille, mais comme hôte provisoire en attendant de trouver du travail.

« Quel travail as-tu trouvé ?

« Je te l'ai dit : gouvernante. J'ai été élevée à cette fonction par une famille anglaise qui passait l'hiver sur la Riviera. Un an après je suis passée dans une famille allemande, puis de nouveau dans une famille anglaise, et ainsi de suite, ainsi de suite... À l'époque, dans les familles européennes riches, il y avait une forte demande de gouvernantes. Elles enseignaient les langues aux enfants, elles les promenaient pendant que les mères allaient dans le monde et, occasionnellement, elles se laissaient séduire par les maris. J'avais de bonnes références, je savais l'anglais, l'allemand, le français, le russe, et en ce qui concerne le lit, si c'était nécessaire, je ne faisais pas beaucoup de difficultés pour passer du mien à celui de mon patron. Ce métier de gouvernante, je l'ai fait de 1909 à 1922.

« Pourquoi 1922 ? C'est cette année-là que tu as rencontré Shapiro ?

« Oui, c'est cette année-là que je l'ai rencontré sur la Riviera et c'est lui qui m'a proposé de devenir sa gouvernante dans sa villa d'Anacapri. J'ai accepté, c'est comme ça que j'ai débarqué à Capri. Depuis, je n'ai plus bougé, même pas pour aller à Naples. Voilà, c'est tout. »

« Quel genre d'homme est ce Shapiro ? »

Il est alors arrivé quelque chose d'imprévisible et d'étrange. À ma question Sonia a regardé vers la fenêtre comme si elle réfléchissait. Puis brusquement, elle a dit en retrouvant l'accent de Capri : « Demande-le-lui toi-même. »

Elle me tournait le dos ; j'ai insisté, surpris : « Shapiro et toi avez certainement des rapports qui peuvent expliquer bien des choses. Et puis comment puis-je faire pour lui poser des questions ? Je ne le connais pas.

« Il arrive demain : je te le ferai connaître.

« Mais qu'est-ce que tu as ? »

À présent je ne pouvais plus ignorer ce dos tourné avec ostentation et, hélas, avec coquetterie.

Comme je l'avais prévu Sonia n'a pas bougé. Sans quitter la fenêtre des yeux elle a seulement dit : « Donne-moi la main. »

Je lui ai tendu la main sur le lit juste à l'endroit où s'appuyait la sienne. Elle l'a prise, l'a retournée du côté de la paume et elle l'a approchée de sa bouche. J'ai senti ses lèvres s'écraser contre ma paume et puis glisser jusqu'à mes doigts et sa langue s'introduire entre deux de mes doigts. Je me suis rendu compte que j'éprouvais une sorte de désir différent de celui qu'elle m'avait inspiré tout à l'heure lorsqu'elle me précédait dans l'escalier du jardin. J'avais alors pensé me servir d'elle, qu'à ce moment-là je ne connaissais pas, dont je ne savais rien, pour enlever de sa force à la vitalité qui me faisait accepter ce projet de suicide à deux. À présent, au contraire, que je la connaissais mieux, que je savais tant de choses sur elle, mon désir me proposait quelque chose de très différent : faire l'amour avec une vieille femme libidineuse.

C'était certainement une manière de fuir la logique du désespoir ; mais tout aussi certainement, elle ne m'entraînerait pas à la stabilisation du désespoir, à en faire une condition normale de la vie. Du moment que Sonia n'était plus un moyen pour me débarrasser d'une énergie dangereuse, elle était devenue une personne, précisément la personne qu'elle m'avait décrite en me racontant sa vie. Je me suis vu faisant l'amour avec Sonia dans les petits chemins d'Anacapri ; amant de Sonia dans le musée, sous les yeux du mystérieux Shapiro ; amant de Sonia après qu'elle eut été la maîtresse d'on ne sait combien de domestiques, de voituriers ou de marins. Un sentiment d'horreur mêlé à je ne sais quelle cruauté m'a fait frissonner. J'ai arraché ma main de la langue qui la léchait et je me suis levé pour sortir rapidement de la pièce. J'ai eu le temps de voir que Sonia, peut-être habituée à de pareilles réactions, était restée assise sur son lit, tournée du côté de la fenêtre. En courant à travers les corridors, les cortiles où nous étions déjà passés, je suis sorti du musée. Quelques minutes après j'étais rentré à la pension Damecuta.

Arrivé chez moi, je me suis jeté sur le lit, j'ai éteint l'électricité et j'ai attendu. Je ne sais combien de temps j'ai attendu ; j'aurais voulu savoir l'heure mais je ne voulais pas rallumer la lampe ; l'obscurité me plaisait, la lumière me faisait horreur. Je pensais que Beate pouvait entrer d'un moment à l'autre ; mais je n'arrivais pas à préciser ce moment. J'ai fini par m'endormir et j'ai fait le rêve suivant :

Il me semble être dans une ville étrangère très loin, peut-être New York (où je ne suis jamais allé), peut-être Berlin (où j'ai longtemps vécu). Dans cette ville, j'habite dans un hôtel de luxe ; au moment où le rêve commence, je me trouve dans une très grande salle que je suppose être le hall d'entrée de l'hôtel. D'énormes lustres pendent du plafond, des fauteuils et des canapés, des gens assis, des gens qui vont et viennent. J'éprouve une légère angoisse : pour des raisons que je ne puis expliquer je suis resté dans cette ville plus de temps que prévu ; c'est-à-dire au-delà de mes possibilités financières. Aussi je me trouve actuellement sans le sou, avec à payer la note de l'hôtel, le billet du bateau pour Naples ou peut-être le train pour Berlin ou pour Rome.

La note vient de m'être remise ; assis dans un fauteuil, je l'examine et je pense qu'il ne m'est pas possible de la payer. Le sentiment que j'éprouve à cette idée est davantage de l'étonnement que de l'appréhension : comment ai-je pu me comporter avec autant de légèreté et d'infantilisme ? Il y a quinze jours j'avais l'argent pour payer ma note d'hôtel et le voyage ; comment n'y ai-je pas pensé alors ? Le côté le plus bizarre de l'affaire est que durant ces quinze jours je n'avais eu rien de particulier à faire, je suis resté uniquement par paresse. Mon sentiment de culpabilité est mêlé, comme je l'ai déjà dit, de stupéfaction ; je ne me savais pas aussi étourdi. En attendant il me faut résoudre le problème de la note d'hôtel : je me dis que je dois faire quelque chose pour obtenir un délai, ou bien, plus bêtement, un rabais. Je quitte mon fauteuil, je traverse le hall, je m'approche de la réception. Sans lever les yeux, j'exhibe ma note ; j'explique à voix basse que pour le moment je ne puis pas la payer : je paierai, c'est sûr, mais pas tout de suite ; qu'on me donne le temps de réunir la somme. Alors, à mon grand étonnement, j'entends une étrange voix de femme qui me répond par cette phrase extraordinaire : « Kleist payait toujours rubis sur l'ongle ! » Aussi étrangement, je m'entends m'exclamer : « Kleist ! mais c'était une autre époque ! » Au même instant je lève les yeux et je vois que c'est Beate qui est là, debout derrière le bureau du portier, vêtue d'une espèce de tunique militaire. Elle me dit sévèrement : « Alors êtes-vous prêt à payer immédiatement ? Oui ou non ? » Je réponds que je suis sans argent. Beate insiste : « Vous en êtes sûr ? » Je fais oui de la tête et je réponds que j'en suis tout à fait sûr. Beate continue : « Bon, mais en attendant ne vous semble-t-il pas que vous feriez bien de changer d'hôtel ? Celui-ci est trop cher pour vous. Voilà l'adresse d'un hôtel où vous dépenserez beaucoup moins. » Rapidement elle écrit quelque chose sur un bout de papier puis appuie sur un bouton de sonnette. Un domestique accourt : il charge ma valise sur un petit chariot, je le suis et je sors de l'hôtel.

Brusque changement d'ambiance. J'entre dans la chambre de mon nouvel hôtel, nue, grise, pauvre ; et qui vois-je assise dans un fauteuil, près de la fenêtre ? Beate, en costume d'homme. Elle a posé une jambe sur un des accoudoirs, sa tunique est déboutonnée, on voit ses seins. Toute sa façon d'être est plus simple, plus amicale. Je note mais, en même temps, je m'exclame : « C'est trop tôt pour payer. Est-ce qu'on ne m'avait pas accordé un délai ? » Beate ne me répond pas, elle se contente de me montrer quelque chose sur la table. C'est une pendule très moderne, avec un cadran en cristal qui permet, en transparence, de voir tout le mécanisme. Je m'aperçois alors qu'à travers le cristal on ne voit pas les petites pièces habituelles mais le triangle roux du pubis de Beate. Je crois que Beate est debout derrière le cadran, son ventre écrasé contre le verre. Mais alors, comment les aiguilles font-elles pour tourner ?

C'est très simple : elles sont greffées dans son ventre et elles sont actionnées par ses viscères les plus secrets et les plus intimes. J'entends une voix qui me dit tranquillement qu'il faudra que je paye à midi ; or l'aiguille des minutes indique midi moins une et tourne avec une vélocité angoissante. De nouveau je pense que je n'ai pas d'argent et que je ne peux pas payer ; je m'approche de la pendule, je voudrais l'ouvrir, faire revenir en arrière les aiguilles, en retarder de quelques heures l'inflexible course. On frappe à la porte ; je me dis que c'est Beate, pas celle du rêve, celle qui a promis de venir me voir cette nuit. Je confonds songe et réalité ; soulagé, je me dis que maintenant je vais m'expliquer avec elle, que je lui demanderai une réduction et que même, je m'arrangerai pour ne rien payer du tout... et, brusquement, je me réveille en sursaut dans l'obscurité la plus complète. La porte que j'avais laissée presque fermée est en train de s'ouvrir très lentement sur les ténèbres, et ce que j'avais espéré toute ma vie arrive enfin : Beate, pareille à l'ange de la mort, invisible mais réelle, entre dans ma chambre ; en quelques secondes, tandis que la porte s'ouvrait sans bruit, sans lumière, j'ai vu toute ma vie comme on voit du haut d'une tour un paysage jusqu'au fin fond de son horizon. Très lucide, je me suis dit que je n'avais aucune raison de vivre et que j'étais prêt à me laisser prendre par la main par Beate pour passer avec elle cet autre seuil, au-delà duquel après le plaisir, nous attendait, comme le voulait le poème de Nietzsche, l'éternité. La porte s'est ouverte en plein et j'ai senti au cœur de l'obscurité la présence de Beate ; elle avançait silencieusement vers mon lit. J'ai murmuré : « Beate... » et je me suis réveillé, mais vraiment réveillé cette fois.

Il faisait jour. Un coup d'œil m'a suffi pour voir que la porte de ma chambre était restée entrouverte comme je l'avais laissée la veille au soir. Beate n'était pas venue, ce n'était qu'un rêve ; j'avais rêvé que je rêvais, que je me réveillais, et que je rêvais une seconde fois, et puis ensuite j'avais comme eu une soudaine illumination, quelque chose ou quelqu'un m'avait secoué ou appelé pour me sortir du sommeil. Je n'ai fait qu'un bond et j'ai couru à la fenêtre.

Dans l'aube naissante, le jardin se profilait sur la blancheur du ciel ; les arbres immobiles paraissaient épuisés de fatigue et comme alourdis par des restes de nuit accrochés dans leurs branches. Et voilà qu'apparaît une petite procession qui sort de la porte de la pension : en tête, le bagagiste chargé de valises ; derrière lui, le mari de Beate dans son costume de toile froissé ; enfin Beate, le visage caché par un grand chapeau de paille, en corsage vert et jupe à fleurs : déguisée en paysanne tyrolienne.

Ensemble, ils ont traversé le terre-plein avant de disparaître dans l'avenue. J'ai fermé la fenêtre, je me suis déshabillé, je me suis mis au lit, j'ai avalé trois comprimés d'un puissant somnifère que je tenais en réserve en cas d'insomnie. Presque immédiatement je me suis endormi.

VIII

J'ai dormi d'un sommeil léger, transparent, avec la sensation que doit avoir un veuf dont l'épouse est morte la veille et qui dans son sommeil s'avise de l'absence encore à peine croyable de la femme aimée, chaque fois qu'il avance une main à côté de lui et qu'au lieu d'un corps chaud et vivant il ne trouve qu'un drap froid et inhabité. Beate n'était pas mon épouse ; elle n'était pas morte ; je n'avais jamais dormi auprès d'elle. Et pourtant, dans ce sommeil léger, angoissé, tourmenté par ma conscience, je sentais qu'en s'en allant elle m'avait, comment dire ? coupé en deux, fournissant ainsi une sorte de validité à la formule communément employée par certaines gens qui se servent volontiers du mot moitié pour désigner leur épouse. Lorsque après une vaine tentative de prolongation de sommeil, je me suis définitivement réveillé, Beate était partie et le couple qu'idéalement nous avions formé durant quelques jours – un couple uni par les mêmes mystérieuses et fatales affinités qui avaient lié Kleist et Henriette — s'était défait probablement pour toujours. Et moi, j'étais retombé dans ma solitude désespérée après avoir connu — peu de temps, hélas — le désespoir qu'on vit à deux. Je pensais que je pourrais peut-être reprendre tranquillement mon projet de stabilisation ; mais comment pourrais-je recommencer à vivre à partir du moment où me manquerait Beate qui donnait à ma vie une signification et un but ? Peu importait si cette signification et ce but étaient le suicide. Un projet de mort me semblait préférable à l'absence de projet.

Autre chose : en dehors de notre complicité suicidaire, me manquait, avec cette disparition de Beate, la sensation d'aimer et d'être aimé pour la première fois de ma vie et, pour des raisons qu'il faut bien appeler, à l'opposé de matérielles, disons si vous voulez, spirituelles. En me souvenant qu'au cours des quelques jours qu'avaient duré nos singuliers rapports amoureux il n'y avait jamais eu ni baiser, ni caresse, pas même le frôlement d'un bras ; uniquement des regards et des regards qui n'avaient visé qu'à provoquer un sentiment aussi éloigné que possible de l'amour physique puisqu'il n'était basé, comme je l'avais finalement découvert, que sur nos affinités de caractère, d'idées, de destin. Comme cela arrive généralement lorsque les sentiments sont authentiques, il s'agissait de choses à la fois vagues et tenaces.

Moi j'avais d'abord désiré, puis craint, puis de nouveau désiré, puis de nouveau craint, puis désiré puis craint, et ainsi de suite, d'aimer cette femme que je ne connaissais pas, dont je ne savais rien, avec laquelle je n'avais échangé que des regards. Je me rendais bien compte que le mot *spirituel* est de ceux qu'il ne faut employer qu'avec précaution. Mais comment appeler autrement un rapport dont le but était la destruction de nos corps. En d'autres termes, la destruction de tout ce qui constitue les plaisirs physiques dans l'amour.

Je réfléchissais, affalé sur mon lit, en continuant à me dire qu'il fallait me lever malgré le presque insurmontable écœurement que me donnait cette idée. Je savais que me lever signifiait affronter mon médiocre désespoir, disons de « l'avant Beate », qui n'avait envie que de s'aplatir dans la vie quotidienne comme un fauve s'aplatit dans les hautes herbes de la jungle. Je pensais que tant que je resterais couché, je pourrais rêvasser sur de possibles échappatoires dont la principale était le rêve. Dès mon lever il me faudrait agir, ne serait-ce que pour descendre à la salle à manger prendre mon petit déjeuner. Et je savais qu'alors le fauve inévitablement se jetterait sur moi.

Mais il fallait vivre. J'ai regardé mon réveil posé sur ma table de chevet et je me suis dit que je me lèverais à midi juste. Il était onze heures et demie ; une demi-heure pour me décider me paraissait suffisant. Midi est arrivé sans me voir bouger. À midi vingt, sans aucune raison, presque automatiquement, j'ai posé les pieds par terre. Peu après j'étais déjà à l'arrêt de l'autobus qui allait me descendre à la *Piccola Marina*.

C'est ainsi qu'a commencé ma première journée de « l'après Beate ». Remarquez qu'à peine arrivé à la *Piccola Marina* j'ai fait tout ce que font les gens qui vont à la plage, non seulement avec plaisir, mais je crois même avec joie. J'ai alors découvert un autre aspect du désespoir : désespoir de ne pas être désespéré.

Au moment où, sautant d'une pierre brûlante sur une autre pointue pour me diriger vers le plongeoir, un type, tout dégoulinant, les cheveux trempés cachant à moitié son visage s'est jeté dans mes jambes pour me poser la question classique : « Comment est l'eau aujourd'hui ? » je me suis surpris à lui répondre : « Merveilleuse ! » Et je ne pouvais m'empêcher de penser avec une certaine amertume à tout cela pendant que du haut du plongeoir je regardais la mer trois ou quatre mètres plus bas, scintilante, ondoyant autour des rochers, brillante et lisse.

Ainsi, moi, j'étais en train de faire un troc stupéfiant : j'échangeais le vide où l'on saute pour se suicider contre le vide où l'on se jette dans le style le plus parfait possible, simplement par plaisir. Pourquoi ne pas le reconnaître ? je m'en trouvais très bien.

Après avoir déjeuné au restaurant des bains, mangeant peu et sans appétit, surtout occupé à regarder la mer du début d'après-midi, scintillante et crêpelée par le *maestrale* qui faisait voler mille petites gouttes d'écume blanche, j'ai ressenti un moment de bien-être dont j'avoue avoir eu honte. J'étais assis à ma table, en slip, buste nu, le corps heureux de l'agréable sensation que donne le mélange du sel et du soleil. Alors mon esprit libre de tout souci s'est laissé aller à imaginer de petites histoires sans importance dans le genre de celle-ci : « Je suis certain que c'est ici, près de ce rocher, qu'aborda il y a vingt siècles le navire qui amenait à Capri le vieil empereur Tibère. Mais alors, comment nomme-t-on le siècle où je vis aujourd'hui ? Le temps depuis Tibère s'est-il vraiment écoulé ou est-il resté immobile ? »

Après le déjeuner je suis allé m'étendre sur un rocking-chair, la tête à l'ombre et le corps au soleil pour reprendre au hasard les lettres de Kleist dont, peut-être avec l'espoir d'y trouver l'explication du brusque départ de Beate, j'avais emporté le matin même le recueil. Voilà ce que j'y ai trouvé :

« Il n'y a rien de plus écœurant que la peur de la mort. La vie est le seul bien qui n'a de valeur que si l'on n'y attache que peu d'importance et qu'on ne l'apprécie pas. Il est ignoble de ne pas savoir la quitter pour de grands desseins et seul peut s'en servir celui qui se sent capable de s'en débarrasser aisément et sereinement. Celui qui l'aime trop est déjà moralement mort parce que sa force vitale suprême, je veux dire celle qui lui permettrait le sacrifice de sa vie, pourrit tandis qu'il s'occupe à la cultiver. Mais, oh ! combien la volonté qui nous gouverne est impénétrable ! Cette chose qui nous est donnée nous ne savons par qui, qui nous entraîne nous ne savons où, qui est notre propriété sans savoir si nous en pouvons disposer, propriété qui ne vaut rien lorsque nous lui attribuons une valeur, une chose qui ressemble à une contradiction superficielle et profonde, vide et pleine, digne et indigne, à nombreux sens et sans aucun sens, pourquoi, pourquoi une loi de la nature nous force-t-elle à l'aimer ?

Il nous faut trembler devant un anéantissement qui pourtant est peut-être moins dur à supporter que, si souvent, l'est l'existence d'un homme qui pendant qu'il se plaint du triste don de la vie se doit de la conserver en mangeant et en buvant et de veiller à ce que ne s'éteigne jamais la flamme qui l'éclaire et qui le réchauffe. »

Et puis un peu plus loin : *« La vie n'a effectivement rien de sublime, sinon qu'on peut s'en débarrasser dans un geste sublime. »*

J'ai poursuivi ma lecture en m'arrêtant un peu par-ci un peu par-là ; après l'avoir mis de côté, je suis tombé dans une profonde méditation. Naturellement, me disais-je, en plus de motifs disons privés, de se suicider, il existe aussi des motifs, disons, publics. Or, en Kleist et en moi, les motifs étaient à la fois semblables et différents. Ils étaient semblables parce que Kleist avait trouvé dans les conditions de vie de l'Allemagne de son temps la même justification, valable, quoique générique, pour s'ôter volontairement la vie, que moi je trouvais dans les conditions de l'Italie à l'époque dont je parle. Mais les motifs étaient différents parce que dans toutes les lettres de Kleist on devinait non pas l'amertume tranquille d'une définitive désillusion mais bien plutôt la colère d'une héroïque impatience. Kleist ne voulait plus vivre parce qu'il n'espérait rien, ni pour lui-même ni pour sa patrie ; il n'excluait pourtant pas qu'un jour, après sa mort, l'espoir réapparaîtrait sur la terre ; le sien était un suicide d'impatience. Moi, au contraire, je ne supportais pas le monde dans lequel il m'avait été donné par hasard de naître ; je ne me faisais aucune illusion sur tous les autres mondes possibles menacés par ou promis aux utopies positives ou négatives de mon temps. Il ne me plaisait pas de vivre sous le fascisme ; mais je n'aurais vraiment pas voulu vivre dans aucune autre époque future, parce que j'étais sûr, absolument sûr, que l'espoir d'un monde meilleur ne pouvait être que mensonge ou illusion.

Bizarrement, arrivé à ce point de mes réflexions, je découvrais que le désespoir, tout compte fait, optimiste de Kleist, conduisait droit au suicide. Tandis que mon désespoir pessimiste me permettait de vaguement imaginer cette espèce d'institutionnalisation du désespoir que moi j'appelais stabilisation. Beate m'avait amené au seuil du suicide. Mais Beate avait réussi à me faire désirer la mort justement parce qu'elle avait tiré de mon amour pour elle l'énergie vitale qui lui était nécessaire pour se détruire elle-même. En l'absence de Beate, ma vitalité ne s'exaltait plus dans l'amour ; et moi je ne pouvais que retomber dans mon projet, somme toute raisonnable, de stabilisation. D'autre part, la folie de Kleist aurait-elle été possible sans l'amour qu'il portait à Henriette ? Je veux dire sans cet excès de vitalité puisé dans son amour qui permettait, selon les paroles mêmes de l'écrivain, de se débarrasser de la vie, facilement et sereinement ? Ainsi peu à peu je me rendais compte que mon suicide, si vraiment je m'y décidais, ne pourrait être de toute façon qu'un suicide à deux.

Je me suis soudainement aperçu que pendant que je réfléchissais, le temps passait. Le soleil ne tombait plus à pic sur ma tête ; une lumière indirecte et plus douce s'étendait sur la mer. Il me fallait m'habiller, remonter à Anacapri, trouver de l'occupation pour le reste de la journée. Dans mon plan de stabilisation, le travail avait une part importante ; j'avais trois, quatre heures à ma disposition avant le dîner. J'allais reprendre ma traduction de *Michael Kohlhaas* ; ou peut-être que je chercherais à affronter dans mon roman le thème du suicide puisque j'y avais, en réalité, renoncé pour moi. Après le dîner, je ferais une petite balade nocturne et j'irais ensuite me coucher. La vie continuait même après la disparition de Beate. Et elle continuait justement parce que Beate avait disparu.

Dans le bon parfum de bois mouillé mêlé au sel qui régnait dans la cabine je me suis très vite rhabillé en pensant de nouveau à Beate ; non pas comme on pense à quelque chose qui est fini mais comme à quelque chose qui suit son cours. Pourquoi Beate ne s'était-elle pas rendue la nuit dernière au rendez-vous qu'elle m'avait elle-même fixé ? Pourquoi ne m'avait-elle pas prévenu qu'elle ne viendrait pas ? Pourquoi enfin, et surtout, m'avait-elle laissé chez le portier le recueil des *Lettres* de Kleist en soulignant soigneusement le texte de la dernière lettre d'Henriette Vogel ? Que signifiait cette espèce de semonce sous-entendue dans la lettre d'Henriette puisque c'était elle qui avait décidé de partir et de ne plus nous revoir ?

Quelques instants après, dans l'autobus qui me ramenait à Anacapri, j'ai cru avoir la réponse à ces interrogations. Cette réponse était que si vraiment j'avais besoin de Beate je n'avais pas besoin de dramatiser, d'accentuer cette sensation de « pseudo-veuvage » en renonçant à la chercher ; renoncement qui pouvait surtout dissimuler ma peur du suicide à deux. Beate n'était pas morte et elle n'avait pas disparu : elle était tout simplement rentrée dans son pays. Quant à moi, il fallait que je fasse deux choses, du reste liées l'une à l'autre : la première, comprendre ce qu'avait voulu me dire Beate dans son comportement contradictoire, je veux dire d'une part en ne venant pas à notre rendez-vous, de l'autre en laissant chez Galamini le bouquin de Kleist dans lequel elle avait souligné la macabre lettre d'Henriette. La deuxième, dès que je serais sûr que Beate avait voulu me faire comprendre que nos relations devaient continuer, trouver le moyen de la rejoindre en Allemagne ou ailleurs. J'ai expédié rapidement le problème du sens à donner au recueil des lettres de Kleist : il était clair, presque trop clair, que Beate continuait hardiment à suivre la même ligne : coquetterie, ambiguïté macabre. Il était clair aussi, presque trop clair, que je ne voulais pas relâcher l'emprise qu'elle avait sur moi et que le rendez-vous manqué devait être interprété comme une de ces manœuvres pour m'attirer plus sûrement vers son but final, je veux dire le suicide à deux. Vu sous cet angle, avoir souligné la lettre d'Henriette signifiait : « Rien n'est fini pour nous, nous devons nous revoir, je n'ai pas renoncé au suicide je l'ai seulement remis à plus tard. »

Je dois avouer qu'en pensant à ces perspectives, un frisson m'a couru dans le dos comme un pressentiment funèbre ; je sentais bien que je n'avais aucune envie de résister à Beate, de refuser la mort à ses côtés pour me décider à montrer le sage et très excellent plan de stabilisation du désespoir.

Un plan sage et fort bien conçu.

Il me restait maintenant le problème de la découverte de l'endroit où Beate se trouvait actuellement. Je venais tout juste de m'apercevoir que dans nos nombreux messages réciproques à base d'écrits de Nietzsche et de Kleist, nous avions oublié la chose la plus simple et la plus nécessaire : échanger nos adresses. Peut-être que cet oubli n'était pas dû au hasard, peut-être qu'à l'avance et inconsciemment, je m'étais créé un bon prétexte pour ne pas la suivre en Allemagne au cas où elle disparaîtrait.

J'ai aussi pensé qu'il ne me serait pas difficile d'avoir l'adresse des Müller par le signor Galamini. Lui l'avait certainement puisque les hôtels sont tenus par la loi de la demander à leurs clients dès leur arrivée. Mais à cette solution, pourtant simple, s'opposait ma répugnance à mêler, même indirectement, d'autres gens à ma bizarre aventure. Je me demandais comment je justifierais ma requête. N'importe quelle motivation me paraissait être un si évident mensonge dans lequel tout le monde devinerait facilement cette vérité : je voulais l'adresse de Mme Beate Müller pour la rejoindre en Allemagne et me suicider avec elle.

Ensuite, mais très surpris et inquiet à cause de sa trop grande facilité, la bonne solution m'est sautée à l'esprit : je n'aurais qu'à demander l'adresse au signor Galamini en lui disant que je voulais renvoyer à Beate le livre de Kleist qu'elle m'avait prêté. Cette idée me plaisait parce qu'elle s'accordait avec le genre de rapports que j'avais eus avec Beate ; échange de regards, de livres, de poésies et de passages de lettres.

Mais quelques secondes après j'ai eu l'impression d'avoir mis le doigt dans un piège dont je savais que je ne ferais rien pour me libérer. En tout cas, j'aurais l'adresse de Beate et je partirais pour l'Allemagne. Aller en Allemagne, chercher et revoir Beate m'enchantait. C'était vrai que j'étais tombé dans un piège, mais moi, toujours avec mes façons d'être contradictoires, j'étais content d'y être tombé. En quelque sorte j'y voyais le signe d'une sinistre fatalité, sinistre mais malicieuse, qui me voulait l'amant de Beate en même temps que son compagnon dans la mort.

J'éprouvais un grand trouble en remuant ces idées, un trouble où se mêlaient le désir, l'érotisme et la fascination de la mort. Dans mon esprit, l'idée de piège appelait celle de l'étreinte amoureuse à cause de la ressemblance entre les deux morsures ; celle du piège et celles des jambes de l'amante faisant l'amour. J'ai pensé que je serais heureux de sentir les jambes de Beate se refermer sur mes reins, dans le déclic spasmodique — propre au piège — de l'orgasme. C'est à ce moment que je me suis dit qu'il ne me serait pas difficile d'accepter de mourir avec elle.

L'autobus s'est arrêté ; je suis descendu un peu ahuri ; j'ai pris les petits chemins pour rejoindre la pension. Je suis entré très vite dans le hall, je suis allé droit au signor Galamini occupé à transcrire les coordonnées des passeports de quelques clients et j'ai dit : « Excusez-moi, signor Galamini, mais j'aurais besoin de l'adresse de vos deux clients partis ce matin, M. et Mme Müller, le mari et la femme, des Allemands. » Le signor Galamini a levé la tête et m'a regardé par-dessus ses lunettes. J'ai ajouté très vite : « Voilà ce dont il s'agit. Mme Müller m'a prêté un livre et comme elle est partie précipitamment je n'ai pas eu le temps de le lui rendre. Je voudrais le lui expédier à son adresse en Allemagne. »

Le signor Galamini n'avait pas l'air de très bien compendre ; de toute évidence il pensait à autre chose. Puis brusquement il a dit, mais très vite, comme quelqu'un qui veut se débarrasser d'un importun : « Très bien. Donnez-moi ce livre ; je me charge de l'expédier à votre place. »

Je suis resté extrêmement décontenancé, comme si j'avais pu deviner sous les apparences bénignes la présence d'une forte volonté mystificatrice. La même volonté qui m'avait suggéré de me faire donner l'adresse des Müller par le signor Galamini sous le fallacieux prétexte de renvoyer le livre de Kleist en Allemagne ; et voilà que cette volonté se servait du même prétexte pour ne pas me faire donner l'adresse que j'avais demandée. Que voulait donc me faire faire cette volonté mystérieuse ? Devais-je insister pour avoir l'adresse ? Ou bien remettre mon livre à Galamini et en finir une fois pour toutes avec Beate ?

Je suis resté dans cet état un assez long moment. Puis j'ai stupidement balbutié : « Je vais encore y réfléchir », phrase qui a stupéfié le signor Galamini comme me le fit comprendre son regard interrogateur. D'un pas décidé je me suis dirigé du côté de l'escalier. Enfermé dans ma chambre je me suis jeté sur mon lit pour ouvrir machinalement le livre de Kleist. Je l'ai ouvert à la page de garde. Mon regard est immédiatement tombé sur la dédicace : « *À ma sœur, à ma très chère Beate, sa très affectionnée Trude.* » En lisant ces quelques mots j'ai eu de nouveau la sensation qu'une volonté supérieure et malicieuse disposait de ma vie. Cette dédicace me rappelait l'existence de cette sœur jumelle dont Beate m'avait annoncé l'arrivée prochaine à Capri. Mon problème de l'adresse était donc résolu. Je la demanderais à la sœur ; ce serait même un excellent prétexte pour me présenter à elle.

Cette décision prise je me suis senti plus tranquille, plus libre en somme ; et cela peut-être justement parce que j'avais renoncé à ma liberté. J'ai encore parcouru rapidement les lettres de Kleist et j'ai relu l'une de ses dernières :

« *Cette décision, formée dans son âme, de mourir avec moi, m'attira contre son sein et tu ne peux savoir avec quelle indicible et irrésistible force... Un tourbillon de béatitude encore jamais ressentie m'a bouleversé tout entier et je dois t'avouer que sa tombe est plus chère à mon cœur que le lit de toutes les impératrices du monde.* »

Je me suis arrêté longuement sur cette lettre. Kleist y disait que la tombe d'Henriette lui était plus chère que le lit d'une impératrice, mais il le disait, c'est ainsi que je l'ai compris, parce que lui, dans le lit de l'impératrice, c'est-à-dire dans celui d'Henriette, il y était déjà entré et il y avait déjà connu l'orgasme, cette autre mort qui ressemble tant à la mort, la vraie. Ainsi, finalement, il fallait reconnaître que dans son projet de suicide à deux, Beate s'en tenait strictement à son modèle, avec la mystérieuse fidélité qui est propre à toute identification totale. D'abord, le lit de l'impératrice, c'est-à-dire le sien, dans lequel nous nous unirions et où se consommerait notre première et dernière étreinte ; ensuite, la tombe, sans laquelle nos étreintes n'auraient pu exister, avec « ce plaisir qui veut éternité » dont parlait Nietzsche dans son poème.

Le bruit infernal du gong sur lequel un *cameriere* tapait avec une violence, je dirais volontiers vindicative, le long des trois étages de l'hôtel, m'a arraché à mes réflexions. J'ai envoyé mon livre promener pour me précipiter dans le couloir. J'ai pris l'escalier et en suivant un groupe important de touristes je suis entré le dernier dans la salle à manger.

En attendant que le premier groupe se dispersât, j'ai eu le temps de regarder du côté de ma table et de celui où, jusqu'à hier, se trouvait celle des Müller pour voir si la mère et la sœur de Beate étaient arrivées. Oui, elles étaient arrivées, comme j'ai pu le constater tout de suite ; mais seule la mère était arrivée, pas la sœur, parce que sans aucun doute la personne qui était assise en face de la mère, c'était Beate.

J'ai regardé plus attentivement : je ne m'étais pas trompé. C'était Beate avec sa grosse tête de cheveux roux, son visage triangulaire de félin, ses yeux verts, sa grande bouche, son nez minuscule. Il m'a même semblé reconnaître sa robe brodée de grosses perles vertes qui se gonflait visiblement sous la proéminence des seins.

J'étais tellement surpris que je n'ai eu le temps d'être ni content ni mécontent de cette présence que durant toute la journée j'avais à la fois regrettée et redoutée. Automatiquement je me suis représenté les deux seules hypothèses qui pouvaient expliquer cette apparition imprévue et incroyable : a) Beate n'était pas partie et Trude pas arrivée ; seul le mari était parti ; seule la mère était arrivée.

b) J'étais victime d'une hallucination.

Entre ces deux hypothèses, la première parfaitement rationnelle, la seconde basée sur une donnée irrationnelle était celle que je préférais. Après une minute de réflexion, j'ai compris pourquoi : au fond, je ne désirais pas vraiment que ce personnage féminin fût Beate, peut-être parce que je ne désirais pas la revoir, peut-être parce que j'avais fait le projet de la revoir en Allemagne, mais pas à Anacapri. En somme, l'hallucination me convenait dans tous les cas, mais l'hypothèse d'un mirage n'a duré qu'un instant. Puis, à un

140

mouvement de la femme aux cheveux roux consistant à appuyer son menton entre ses mains croisées, j'ai encore reconnu Beate non pas à cause d'une ressemblance physique mais à celle d'un geste. Alors je suis revenu à ma première hypothèse : oui, c'était elle ; elle n'était pas partie ; elle avait seulement accompagné son mari jusqu'à Naples, elle était revenue avec sa mère.

Cette fois je me rendais compte que j'éprouvais, intacte, la joie de l'homme qui retrouverait sans s'y attendre la femme qu'il aime toujours et qu'il croyait perdue. Cette joie a été si forte que, bizarrement, l'incroyable présence de Beate a, pour ainsi dire, déteint sur la personne qui était en face d'elle ; durant quelques secondes, avec l'automatisme de l'habitude, j'ai imaginé qu'à la place de la mère se trouvait le mari, exactement comme à la place de la sœur il y avait Beate. Cette méprise due à mon trouble a fait qu'arrivé près de leur table je me suis rappelé que le premier jour, le mari m'avait obligé, à la fin du dîner, à faire le salut fasciste. C'était la première des « leçons » que l'inquiétant époux de Beate m'avait infligées pour me punir de faire la cour à sa femme. Aussi, tout naturellement, en continuant d'agir dans ce même état de trouble, j'ai pensé qu'il me fallait saluer Müller bras levé. J'ai fait un demi-tour sur moi-même, j'ai joint les talons, j'ai fait le salut fasciste. À l'instant même, mon trouble dissipé, j'ai vu que sans aucun doute Beate était assise à sa table et que l'autre personne n'était pas Müller mais une dame, la mère justement.

Je l'ai regardée pendant que je tendais mon bras en l'air dans mon absurde salut fasciste. C'était une femme entre quarante et cinquante ans, au teint mat, au visage maigre, dur, aux beaux yeux noirs, un peu égarés, étonnamment inquiets et fixes. Le nez grand et droit, les lèvres épaisses et dédaigneuses aux coins tombants, les cheveux coupés très courts, dont deux mèches en forme de virgule entouraient les oreilles (c'était la coiffure à la mode à l'époque en Allemagne où on l'appelait Bubikopf) donnaient à tout son visage une sorte de virilité. Son veston noir, très masculin, son nœud papillon, noir lui aussi, sous le col empesé d'une chemise blanche, accentuaient encore ce côté. J'ai pensé que la mère de Beate portait une espèce d'uniforme ; en la regardant j'avais l'impression du déjà-vu comme cela arrive souvent avec les uniformes qui ne présentent rien de particulier en dehors de leur nombre de petites étoiles et de galons. J'ai tout de suite eu envie de comparer ce visage à ceux de ces généraux prussiens qui apparaissent de temps en temps photographiés dans les journaux illustrés allemands, debout sur une tribune regardant défiler un régiment. La mère de Beate ne s'est pas étonnée de mon salut fasciste ; en le prenant pour un geste normal, elle y a répondu par un signe de tête bien marqué, mais, au même moment, il s'est passé quelque chose qui a fait chavirer ma conviction de me trouver en face de la femme que j'aimais. Je voyais Beate ou plutôt celle que j'avais prise pour Beate, m'observer d'un air bizarre pour ensuite mettre sa main devant sa bouche afin de cacher qu'elle riait de moi. Elle riait de moi comme Beate ne l'aurait jamais fait, sans rien de mélancolique, les yeux brillants de malice. Alors l'idée qu'elle ne pouvait pas être Beate s'est installée en moi. C'était sûrement une étrangère, ou bien Trude, la sœur jumelle de Beate.

Le rire ne cessait pas, mais plus joyeux que moqueur. Ensuite, j'ai vu Trude (désormais je l'appellerai par son prénom) pencher la tête du côté de sa mère en murmurant quelques mots à son oreille. La mère alors m'a dit, sur un ton sec mais poli, en italien dur mais correct : « Vous êtes peut-être le signor Lucio ?

« Oui, Lucio c'est moi.

« Moi je m'appelle Paula. Je suis la mère de Beate et de Trude. Ne vous fâchez pas du rire de Trude, elle ne rit pas de votre salut mais du fait que, apparemment, vous l'avez prise pour Beate. Cela arrive souvent, vous n'êtes pas le premier, elles se ressemblent beaucoup et votre erreur est tout à fait normale. »

Je n'ai pas pu m'empêcher de demander plutôt bêtement : « Mais alors, Beate ? Où est-elle ? »

Trude est alors intervenue en parlant italien. Sa connaissance de ma langue, que Beate ne m'avait jamais dit avoir, m'a surpris, en me faisant ainsi comprendre qu'en ce moment, et selon l'expression consacrée, j'aurais pu affirmer que je n'en croyais pas mes yeux.

« Beate est en Allemagne. Pourquoi ? Vous auriez peut-être préféré voir ma sœur au lieu de moi ?

« Non, mais... c'est vrai... je vous avais prise pour Beate.

« Pourtant nous ne sommes pas tout à fait identiques. Par

142

exemple, regardez ce grain de beauté que j'ai là ; Beate ne l'a pas. »

C'était vrai, au coin de la bouche Trude avait un grain de beauté très visible qui accentuait le côté félin de son visage triangulaire. Trude a repris sur le même ton aimable et gai : « Beate n'a pas de grain de beauté. Moi j'en ai un autre mais sur un endroit qu'il est difficile de voir sinon en faisant un gros effort. »

La mère est intervenue rapidement comme pour faire taire sa fille : « Beate nous a beaucoup parlé de vous... » En riant, sa fille a tout de suite protesté : « Ma mère a peur que je dise que mon autre grain de beauté se trouve sur mon *popo*. »

La mère a dit d'un ton à la fois de prière et de reproche : « Oh, voyons, Trude ! » puis elle a repris en finissant sa phrase : « Beate nous a dit que vous parliez très bien l'allemand. »

Et de nouveau Trude est intervenue : « J'ai encore autre chose que Beate n'a pas. C'est un grand désir de profiter du soleil, de la mer, de l'Italie ! »

Elle riait en me regardant, les yeux brillants de joie, si différents de ceux de Beate, malheureux, sombres, désespérés. J'ai un peu bafouillé : « En tout cas, toutes les deux vous parlez très bien l'italien. Beate, elle, ne le parlait pas du tout.

« C'est vrai. Pendant des années j'ai dirigé un hôtel à Lugano. Lorsque j'ai divorcé mes filles étaient encore petites. J'ai gardé Trude près de moi à Lugano. Beate est allée vivre avec son père à Munich. Ce qui vous explique l'italien de Trude. »

Je me suis assis, toujours aussi troublé, avec une sensation de gêne. J'étais en colère contre moi d'avoir fait une deuxième fois le salut fasciste. En second lieu, je me sentais frustré par l'extraordinaire ressemblance physique entre les deux sœurs, ressemblance qui ne semblait pas exister dans leurs caractères. Pourquoi cette ressemblance m'irritait-elle ? Pourquoi le caractère de Trude me paraissait ainsi fait, tout au moins sur ce que j'en pouvais juger, que chacune de ses manifestations équivalait à une profanation de l'image idéale que je m'étais fabriquée de Beate ; par exemple ce mot de *popo* accompagné d'un rire malicieux, mot que Beate n'aurait jamais prononcé, m'avait fait un drôle d'effet : comme si mystérieusement il avait changé le dessin et la couleur de ces lèvres qui l'avaient prononcé, de lèvres qui avant étaient celles de Beate pour devenir à présent complètement différentes.

Ces réflexions sur ma frustration devant cette Trude si pareille à Beate et si différente d'elle, m'ont amené à l'observer avec plus d'attention. Si je réussissais à noter une à une les différences, je serais sûr que les deux sœurs étaient absolument différentes en tout l'une de l'autre et je ne ressentirais plus ce sentiment de frustration. Du reste, et très vite, j'ai découvert avec un grand soulagement, une différence fondamentale : Trude, rivalisant sans le savoir avec Beate, avait organisé le même dialogue à distance, en se servant non pas de mots mais de comportements. Mais de quels comportements ! Beate, par ses attitudes pleines de sombre et néfaste désespoir, m'avait suggéré la comparaison avec l'ange triste de la *Melencolia* de Dürer ; Trude, elle, évoquait pour moi ces femmes d'une vitalité extraordinaire, d'une ambiguïté inquiétante que des peintres expressionnistes de l'école de Kirchner ou de Müller avaient peintes tout de suite après la Grande Guerre. Par exemple, Beate avait toujours mangé très peu, avec l'air de le faire par force et même avec dégoût. Trude, au contraire, venait de remplir jusqu'au bord son assiette de spaghetti et s'était mise à les avaler avec les gestes exagérés que, parce qu'il est difficile de ne pas se montrer maladroit avec ce genre d'aliment, les étrangers attribuent aux Italiens. Elle les enroulait autour des dents de sa fourchette, en pelote, mais trop grosse pour qu'elle pût entrer dans sa bouche, cette bouche qu'elle ouvrait grand pour attraper au vol les spaghetti récalcitrants qu'elle suçait bruyamment en barbouillant les alentours de ses lèvres de sauce tomate qu'elle tentait ensuite de nettoyer en tirant une énorme langue qui me rappelait celle de Sonia. Pour finir, elle a ramassé les bribes restant au fond de son assiette avec ses doigts qu'elle a ensuite léchés scrupuleusement tous les cinq, les uns après les autres. Pendant toute la scène elle n'a cessé de me regarder en dessous, sournoisement mais non sans malice.

Après, ce fut le tour des poissons que les serveuses promenaient autour des tables sur de grands plats ovales.

Il s'agissait de mulets au court-bouillon, accompagnés de citron et de mayonnaise. La mayonnaise était présentée à part dans une saucière. J'ai vu alors Trude mettre une cuillerée de cette mayonnaise dans son assiette, y enfoncer son index, puis le retirer portant à son extrémité une sorte de grosse bouclette jaune. Elle a introduit ce doigt dans sa bouche, lentement, petit à petit ; ensuite elle l'a retiré tout aussi lentement et toujours petit à petit ; ensuite pendant quelques secondes elle l'a examiné puis elle a recommencé encore et encore... Elle continuait à me regarder pour voir sans doute si je devinais le sens de sa mimique — pas vraiment difficile à comprendre — qui faisait allusion à la pénétration sexuelle. Mais en revanche, ce qui m'a été difficile à comprendre c'était comment nous en étions déjà arrivés à ce genre d'allusion. Que s'était-il passé pour qu'elle ait cru avoir le droit de me dire, sans prononcer un mot, qu'elle était prête à faire l'amour avec moi ? Très gêné j'ai baissé les yeux. Lorsque j'ai pu les relever, Trude qui, pour ainsi dire, m'attendait au tournant s'est dépêchée de me faire un clin d'œil en souriant, très sûre d'elle-même.

J'ai regardé la mère. Elle, elle semblait mettre un point d'honneur à manger correctement, les coudes serrés contre elle, les yeux baissés, fourchette et couteau tenus au bout de ses longs doigts maigres. Elle fronçait les sourcils mais elle faisait certainement exprès d'ignorer le comportement de sa fille. Trude s'est alors bruquement tournée vers elle pour lui dire quelque chose d'une voix faible mais fiévreuse. Alors est survenu un changement étonnant. Pendant quelques minutes, la mère a continué à manger de cette manière super bien élevée mais cependant, très vite, elle a posé fourchette et couteau à côté de son assiette vide, elle a fouillé dans son sac accroché à sa chaise, elle en a retiré un paquet de cigarettes, elle s'est tournée vers moi et, avec un bizarre sourire trop exagéré, elle m'a demandé du feu.

Je me suis levé précipitamment, je lui ai donné du feu. La mère m'a remercié avec un deuxième sourire tout aussi exagéré que le premier, puis sous le regard complice et solidaire de sa fille, elle a ajouté une phrase qui sentait l'hypocrisie à plein nez : « Ma fille et moi sommes très heureuses d'avoir un voisin de table comme vous. » J'ai hésité un instant ; je m'attendais à être invité à m'asseoir à leur table. Il n'en a rien été ; je suis retourné à ma place. À présent, je recommençais à me poser la question : que me voulait la sœur jumelle de Beate ? Apparemment ce que les hommes ont l'habitude de vouloir. Pourquoi voulait-elle cette chose ? Comme tout à l'heure, deux hypothèses :

1) Parce que c'était une fille du Nord, venant d'Allemagne en Italie avec le désir, pas inconscient du tout, de satisfaire son goût pour le soleil et les hommes chauds, donc assez mal vu et réprimé dans son pays d'origine.

2) Parce que, à Naples, Beate s'était confiée à elle et lui avait parlé de moi et qu'elle, Trude, poussée par une quelconque idée de rivalité, avait décidé de la supplanter auprès de moi.

Ces deux hypothèses formulées, vraisemblables mais banales, m'ont paru insuffisantes. Entre autres, elles ne m'expliquaient pas l'impatience de Trude ; à peine arrivée elle cherchait à se substituer à sa sœur et justement avec un comportement dont le moins qu'on puisse dire était qu'il produisait l'effet contraire de celui qu'elle envisageait. De plus, il ne fallait pas oublier l'attitude de la mère, étonnamment semblable à celle de Müller à l'égard de Beate, je veux dire à la fois complice et hostile.

Le dîner s'est terminé par une banane avec laquelle Trude a répété sa mimique de pénétration sexuelle, déjà exécutée tout à l'heure ; en dépouillant petit à petit la banane de sa peau, en l'introduisant lentement et sans la mordre dans sa bouche, elle répétait son geste. Trude ne cessait de me couler des regards par lesquels elle me paraissait vouloir exprimer l'appétit quasi gastronomique qu'elle éprouvait pour ma personne. Elle a fini sa banane, elle a laissé tomber la peau molle et vide dans son assiette, elle a réfléchi un moment, puis brusquement elle s'est approchée de sa mère pour lui parler à mi-voix ; en même temps elle me lançait des coups d'œil comme pour me dire : « Je suis en train de parler de toi, ne bouge pas, attends que j'aie fini. » Devant elle il y avait un verre plein de vin et tout en parlant elle en prenait de temps en temps une gorgée ; encore une chose qui la différenciait de Beate que j'avais toujours vue ne boire que de l'eau. La conversation entre les deux femmes a été longue. Apparemment Trude demandait quelque chose à laquelle sa mère opposait un refus catégorique. La demande était faite gentiment et malgré cela le refus était sec. Comme cela se passe quelquefois entre une mère sévère et une fille capricieuse. Trude parlait, pour ainsi dire de bas en haut, le buste replié sur la table ; la mère l'écoutait la tête basse en fumant par petites bouffées rapides une cigarette méditative.

Finalement le sens de cette scène est devenu plus clair pour moi. Brusquement la mère s'est tournée de mon côté et m'a dit d'un ton froid et distant de censeur : « Trude me dit que vous lui avez proposé de faire un tour au clair de lune. Allez-y. Mais je tiens à vous dire que je ne me fie pas aux Italiens et que ce doit être une promenade au clair de lune et rien de plus. Vous, les Italiens, vous en êtes toujours à prendre des privautés avec les femmes. Avec Trude, non. Vous devez vous rappeler qu'il faut la respecter : c'est une jeune fille allemande. »

Je suis resté tellement abasourdi par le mensonge de Trude affirmant que je l'avais invitée (mais quand ? mais comment ?) à faire une promenade au clair de lune qu'il ne m'est pas venu à l'idée de me vexer du ton prétentieux et des appréciations racistes de sa mère.

Une autre pensée m'a aussi empêché de réagir au mensonge de Trude et au mépris de la mère : cette promenade était, au fond, ce que je désirais le plus en ce moment. Ne devais-je pas demander à Trude l'adresse de sa sœur ? Et puis j'ai pensé tout d'un coup qu'en parlant avec Trude de sa sœur je pourrais peut-être enfin apprendre ce qu'était « vraiment » Beate. Je me suis donc contenté de faire semblant de n'avoir pas entendu les phrases désagréables de la mère. Je me suis levé, je me suis approché de la table de ces dames et j'ai dit : « Je suis prêt pour cette promenade. Soyez tranquille, madame, je suis un Italien peu traditionnel, j'ai fait mes études en Allemagne où j'ai passé mes examens. »

J'espérais par ces mots tempérer l'hostilité de la mère mais je me trompais. Elle a continué, inflexible, à insister : « Vous dites que vous n'êtes pas un Italien traditionnel ? Pourtant, votre façon de regarder Trude pendant le dîner prouverait le contraire. »

Je me suis dit que si Beate avait à ses trousses un mari jaloux, Trude, elle, était surveillée par une mère qui me détestait. Je me suis incliné cérémonieusement et j'ai riposté avec ironie : « Vous avez, madame, une piètre opinion des Italiens.

« Oh ! je vous connais, vous êtes tous pareils. Le premier jupon qui passe vous fait perdre la tête. Dans la rue, les Italiens se retournent pour regarder les fesses des femmes qui passent. C'est indécent. En Allemagne, cela n'arrive jamais.

« Chaque pays a ses défauts et ses qualités.

« Ce n'est pas pour rien que Casanova était Italien.

« C'est vrai, mais Don Juan était Espagnol. »

Trude est intervenue bruyamment : « Oh ! ça suffit, maman, ne maltraite pas le signor Lucio. Pour le juger, attends de l'avoir mis à l'épreuve. Alors, Lucio, on y va ? »

Je me suis incliné affirmativement ; les femmes se sont levées de table ; la mère m'a dit en souriant avec une curieuse amabilité tout à fait inattendue : « Je vous demande de ne pas me ramener Trude trop tard ; demain nous nous lèverons de bonne heure pour aller à la *Grotta Azzura*. »

Nous sommes sortis tous les trois ensemble de la salle à manger et Trude a demandé à sa mère : « Et toi, qu'est-ce que tu vas faire ? »

Maussade, la mère a répondu : « J'irai écouter la radio au salon.

« *Povera Mamma !* Je te laisse toujours seule », a dit Trude en se jetant au cou de sa mère pour l'embrasser tendrement. Puis, sans transition, elle s'est tournée vers moi, elle m'a pris la main et en se dirigeant vers la sortie elle a dit : « Allons, allons maintenant. »

Nous sommes passés par le jardin et j'ai demandé à Trude : « Où allons-nous ? Vers la campagne ou au village ?

« Allons au village. À la campagne il fait nuit et je ne voudrais pas que l'Italien traditionnel se réveille tout d'un coup en vous.

« Alors, pourquoi ne pas retourner au salon tenir compagnie à votre mère ?

« Comme vous êtes susceptible ! Allons au village, mais allons-y par les jolies petites routes mal éclairées. Vous voyez que je me fie à vous ! »

Nous avons marché en silence dans l'avenue avant de prendre une ruelle encaissée entre des murets de pierre sèche qui, je le savais, aboutissait à la place du village. Poursuivant le cours de mes pensées, j'ai demandé : « Pourquoi avez-vous dit à votre mère que je vous avais invitée à faire une promenade au clair de lune ? Vous saviez bien que je ne l'avais pas fait.

« Parce que je pressentais que vous le feriez, et puis parce que je voulais rester seule avec vous.

« Pourquoi vouliez-vous rester seule avec moi ?

« Quelle question ! Parce que vous me plaisez. »

Je suis resté un moment muet. La franchise de Trude me sidérait ; pas tellement à cause de sa spontanéité et de sa verdeur que par le je ne sais quoi d'effronté que j'y devinais. Comme si tout avait été décidé par elle à l'avance. Avec précaution j'ai continué : « Je vous plais ? Mais en quoi ? »

Elle s'est mise à rire : « Pourquoi est-ce qu'un homme plaît à une femme ?

« Mais... je ne sais pas.

« Pensez-y un peu mieux.

« Pour faire l'amour ?

« Aussi. Je dirais même surtout. »

Alors j'ai risqué : « Pour le faire maintenant, tout de suite ? »

Devenue soudain sérieuse, son front s'est plissé : « Quelle hâte ! Non, j'ai parlé, comment dire, théoriquement. »

Nous étions donc déjà plongés dans une conversation aux sous-entendus érotiques. J'éprouvais à la fois de l'excitation pour la faveur qu'elle me faisait, explicite, complète, et un sentiment mal défini de frustration. Beate ne m'avait jamais laissé espérer, pas même la moindre caresse, et sa résistance m'avait charmé et impressionné. La soumission de Trude, au contraire, me dégoûtait. Elle mêlait à l'excitation quelque chose de moralisateur ; peut-être que j'aurais pu faire l'amour avec elle, mais seulement pour me confirmer une fois de plus dans l'idée qu'elle était une mauvaise imitation de Beate. En cherchant à changer de conversation j'ai dit : « Votre mère serait étonnée de vous entendre parler de cette manière.

« Ma mère ne me connaît pas, du reste, comme toutes les mères du monde.

« Votre mère aime-t-elle Beate plus que vous ?

« Beate et moi sommes si différentes ! Elle nous aime toutes les deux pour des raisons différentes.

« C'est-à-dire ?

« Eh bien, ma mère pense que Beate est plus cultivée, plus

artiste, plus intellectuelle que moi, et elle l'aime pour ces qualités supposées. Moi, elle m'aime, au contraire, parce qu'elle me considère comme plus affectueuse, plus semblable à elle, plus comme doit se comporter une véritable fille. Et surtout plus positive, plus humaine que Beate.

« Pourquoi avez-vous dit " qualités supposées " ?

« Parce que ma mère n'est pas un bon juge en cette matière. C'est une femme qui croit aux valeurs traditionnelles : figurez-vous qu'elle appartient à une famille d'officiers, elle ne comprend rien à tout ce qui est culture et prend pour art ce qui n'est que snobisme, cabotinage et pseudo-culture. »

Surpris je l'ai regardée : « Il me semble que vous n'avez pas beaucoup de sympathie pour votre sœur.

« J'en avais. Elle a été la personne que j'ai le plus aimée au monde. Mais quand je me suis inscrite au Parti je l'ai vue sous un jour différent. Alors tout ce qui en elle constituait matière à admiration m'est devenu odieux.

« Par exemple quoi ?

« Je vous l'ai déjà dit : sa pseudo-culture, son snobisme, son cabotinage. J'ai surtout compris une chose : il existe en Beate une très forte tendance à la destruction. »

En entendant parler ainsi de Beate je me suis dit que mes découvertes n'étaient pas très heureuse ; j'avais voulu en savoir davantage sur la mystérieuse Beate, j'étais servi. J'ai tout de même objecté : « Destruction ? N'est-ce pas un mot un peu trop fort ?

« Jugez-en vous-même. N'y a-t-il pas quelque chose de destructif dans une personne qui prétend se mettre au-dessus de tout le monde et qui a raté tout ce qu'elle a fait ?

« Vous avez dit raté ?

« Bien sûr. À neuf ans, Beate croyait avoir la vocation de la danse. Cinq ans après, elle y a renoncé pour se donner à la poésie. Elle a gribouillé des poèmes entre quatorze et dix-sept ans. Ensuite, elle s'est découvert un talent de peintre. Deux ans après, la voilà comédienne. Maintenant, elle joue dans les cantines et dans les petits théâtres de province, elle continue à écrire de mauvais vers et à peindre d'horribles tableaux. Eh oui, parce que la spécialité de Beate est de ne jamais s'arrêter d'accumuler les fausses activités artistiques. Finalement, qu'est-ce qu'il reste de tout cela ? Rien, rien d'autre que son orgueil. Savez-vous ce qu'est Beate en réalité ?

« Je ne sais pas mais je dirai avant tout votre sœur.

« Hélas ! Mais encore en plus, une intellectuelle. Ce sont les intellectuels et les juifs qui ont ruiné l'Allemagne. »

Ainsi, quelques gouttes d'antisémitisme et d'anticulture complétaient le tableau peu réconfortant de ce qui différenciait Trude et Beate.

Nous venions de sortir du petit chemin pour déboucher sur la grand-route. Du coin de l'œil j'ai regardé Trude : une excitation insolite colorait ses joues et faisait briller ses yeux. C'était clair : parler du caractère de sa jumelle lui tenait particulièrement à cœur. J'ai pensé qu'après tout, sa polémique contre Beate ne m'indignait pas trop parce qu'il s'agissait d'une vision moins différente que réductive ; là où j'avais vu l'ange métaphysique et hypocondriaque de la *Melencolia* de Dürer, Trude, elle, mettait une des nombreuses petites Madame Bovary qui peuplent l'Europe ; mais le désespoir qui était à l'origine de mes relations avec Beate n'en était pas modifié et encore moins démenti. J'ai prudemment demandé : « Vous venez de dire que Beate prétendait se mettre au-dessus des autres. Qu'avez-vous voulu dire exactement ?

« Quelque chose de précis pouvant se résumer en quelques mots : moi j'ai adhéré au Parti et elle non. Lorsque je dis Parti, je dis tout le monde, je dis les autres, ou si vous voulez, le peuple allemand. De quel droit Beate se met-elle au-dessus de ceux qui ont rejeté tous les intellectualismes, qui ont adhéré sans réserve au Parti, qui ont retroussé leurs manches, qui sont devenus des constructeurs ? Elle affirme détester la politique ; je crains qu'au lieu de la politique, ce ne soit le Parti qu'elle déteste. Elle ne le dit pas parce que je ne le lui laisserais pas dire ; mais cela se voit, se sent, je dirais : se renifle, il est impossible de ne pas s'en apercevoir. »

Je n'ai pas résisté à la tentation de reprendre sa phrase : « Alors vous, vous avez retroussé vos manches et vous êtes devenue un constructeur ? »

Elle a deviné l'ironie : « Moi aussi, autrefois, je souriais de cette formule. Même depuis que je suis entrée au Parti j'ai découvert que peut-être on pourrait dire mieux mais qu'on ne pourrait pas le dire différemment. Beate, elle, ne sait pas ce que veut dire adhérer au Parti. C'est pourquoi elle se sent supérieure à moi et qu'elle me méprise. À présent, moi je me dis : je suis sans doute méprisable parce que je n'ai pas voulu devenir une ratée chronique comme elle.

« Certainement pas, mais qu'est-ce que vous voulez dire par ratée chronique ?

« Ce que représente Beate : quelqu'un qui a tout essayé sauf la chose qui pourrait la sauver.

« L'adhésion au Parti, n'est-ce pas ? »

Elle s'est arrêtée en me regardant dans les yeux, très décidée : « Oui, exactement. »

C'était à mon tour de l'affronter, tout aussi décidé : « Savez-vous ce que vous venez de dire ? Que le Parti est fait de ratés chroniques. Eh oui ! pour s'en tenir à vos propres paroles, si Beate ne voulait pas devenir une ratée chronique, elle aurait dû adhérer au Parti. C'est bien cela, n'est-ce pas ? »

Elle a deviné le piège et elle a répondu : « Le Parti c'est comme une église à l'intérieur de laquelle se trouvent ceux qui étaient déjà dedans même lorsqu'ils étaient dehors ; et ceux qui doivent tout changer en eux-mêmes pour y entrer. Si Beate avait adhéré au Parti, elle aurait appartenu à la seconde catégorie. »

En me remettant en marche, j'ai dit : « Vous, n'est-ce pas, vous appartenez à la première catégorie ?

« Je vous en prie, ne parlons pas de moi. » Après un bref silence, j'ai repris : « Il me semble que vous nourrissez envers votre sœur une grande hostilité.

« Je vous l'ai déjà dit : autrefois elle était la personne que j'admirais le plus au monde. Et puis j'ai ouvert les yeux. Son " histrionisme " ne me tient plus sous le charme.

« Qu'est-ce qui vous a fait ouvrir les yeux ? Votre entrée au Parti ?

« Pas vraiment. Mon adhésion fut la conclusion d'une longue marche intérieure.

« Et si, après tout, Beate avait raison ? »

152

Elle m'a répondu avec calme, sûre d'elle-même : « Elle ne peut pas avoir raison.

« Peut-être que Beate cherche sa vérité. Dans ce genre de recherche, les erreurs sont inévitables.

« Beate ne cherche pas la vérité. Elle cherche la mort. Il y a en elle une tendance autodestructrice qui, un jour ou l'autre, la mènera au suicide.

« Mais peut-être que la vérité, c'est, justement, la mort. Ne vous semble-t-il pas que vous exagérez un peu ? »

Elle s'est arrêtée au milieu de la route en me regardant avec un demi-sourire : « Beate vous a-t-elle, par hasard, parlé de Kleist et de son double suicide ? »

Je n'ai pas pu m'empêcher de me sentir déconcerté. Ainsi, ce que je croyais être un secret entre Beate et moi était, au contraire, quelque chose de connu et de prévu, du moins à en juger par le ton de Trude ; un ton fait d'indulgence ironique qu'adoptent souvent les gens d'une même famille en parlant des manies d'un de leurs parents. Je bredouillai : « Oui, elle m'en a dit quelque chose. »

Trude a éclaté d'un rire féroce : « Ne vous a-t-elle pas dit qu'elle cherchait de par le monde quelqu'un qui penserait comme Kleist, qui accepterait de se tuer avec elle ? Beate, mais je me demande pourquoi, se confond avec Kleist. Malheureusement elle n'a pas encore trouvé la personne qui jouerait le rôle d'Henriette Vogel. Mais je parie qu'à vous aussi elle l'a demandé.

« Demandé quoi ?

« De mourir avec elle. »

Résolument j'ai menti : « Elle ne m'a rien demandé.

« Elle ne vous a pas parlé de Kleist ?

« La thèse que j'ai présentée était sur Kleist, et actuellement je traduis une de ses nouvelles. Oui, nous en avons parlé mais, comme on dit, académiquement. »

Elle me fixait d'un air malicieux, insoutenable, dans lequel je lisais de l'ironie et de l'incrédulité.

« Et pourtant je l'aurais juré.

« Pourquoi ?

« Parce que vous êtes exactement le type qu'il faut.

« Le type de quoi ?

« Vous êtes un intellectuel. Est-ce que vous n'écrivez pas ? Est-ce que vous ne lisez pas ? Est-ce que vous ne pensez pas ? Est-ce que, comme elle, vous ne cherchez pas la vérité ?

« Et alors ?

« Alors, il me semblait tout à fait vraisemblable que Beate vous ait demandé de faire un beau suicide à deux, à la Kleist. »

J'ai préféré me taire. Le ton de Trude était si sarcastique qu'il ne méritait pas une réponse agressive. Nous avons marché un moment sans parler. Puis je lui ai demandé, curieux et irrité à la fois : « Pardon, mais peut-on savoir pourquoi vous avez voulu faire cette promenade avec moi ce soir ? Moi j'étais bien tranquille tout seul et si j'avais prévu que vous me parleriez aussi mal de quelqu'un qui m'est cher, je ne serais pas sorti avec vous.

« Et vous ? Pourquoi avez-vous accepté de faire cette promenade ? »

Je me suis demandé si je devais lui dire que j'avais accepté la promenade pour obtenir l'adresse de Beate. Et puis j'ai décidé que, du moins pour le moment, il était inutile d'apprendre à Trude que je voulais rejoindre Beate en Allemagne. J'ai répondu : « Probablement parce que je désirais vous entendre parler de Beate : je la connais à peine et je voudrais la connaître mieux.

« Je vous en ai parlé, non ?

« Oui, mais de quelle façon ! »

Nouveau silence. Finalement elle a continué : « Comme je vous l'ai déjà dit, c'est à Naples que Beate m'a parlé de vous.

« Qu'est-ce qu'elle vous a dit ?

« Elle m'a tout dit.

« Tout sur quoi ?

« Sur vous deux.

« Nous deux ? Mais nous ne nous sommes parlé qu'une seule fois.

« J'avais promis à Beate de garder le secret mais c'est peut-être mieux que vous le sachiez : Beate m'a dit que vous lui aviez fait une grande impression.

« Quel genre d'impression ?

« En d'autres termes, Beate est tombée follement amoureuse de vous. »

154

Surpris, ému, j'ai demandé : « Elle a vraiment dit ça ?

« Oui, elle m'a dit qu'elle craignait d'être amoureuse de vous. En somme, elle a eu ce qu'on appelle habituellement le coup de foudre. »

Elle riait d'un rire ambigu, moqueur et envieux. Mais moi j'étais loin d'elle, loin de Capri, loin de l'Italie. J'étais à Berlin, dans la salle de séjour d'un appartement où Beate avait coutume de travailler, d'écouter de la musique, de lire. Il y avait une grande baie vitrée comme on en voit dans les immeubles de construction récente. La baie ouvrait sur le jardin avec pelouse verte, un seul arbre au milieu : un grand cèdre bleu de Californie aux branches tendues comme des bras dans un geste de mélancolique prière. Beate est debout derrière la baie vitrée, elle regarde le cèdre avec le même regard désespéré qu'elle avait pour me regarder tous les soirs à Anacapri. À quoi pense Beate ? Certainement à ce plaisir qui appelle, qui veut l'éternité, comme l'écrivit Nietzsche. Ce plaisir auquel elle aspire et que je ne suis pas capable de lui procurer.

Je me suis réveillé de cette espèce de rêve éveillé en entendant Trude me demander : « Et vous ? Vous êtes amoureux de Beate ? »

J'ai préféré être prudent : « Je ne sais pas si je suis amoureux. Ces choses-là on ne les sait qu'après. Mais si être amoureux veut dire se sentir capable de faire des folies pour celle qu'on aime, alors je dirais oui.

« Quelles folies ? Dites ? Par exemple, le suicide à la Kleist ? »

Sans savoir pourquoi j'ai admis la vérité que je venais à peine de nier : « Oui, le suicide à la Kleist. Mais ne parlons plus de ces choses. Vous ne pouvez pas les comprendre. »

Nous étions arrivés dans un coin particulièrement désert et sombre de l'avenue. Trude a regardé autour d'elle puis elle s'est rapprochée de moi pour me demander en baissant la voix : « Mais, un baiser ? Un seul ? Beate ne te l'a-t-elle pas donné ? »

Je l'ai regardée, surpris, avec la sensation d'un brutal et soudain changement. Troublé, j'ai répondu : « Non, entre Beate et moi il n'y a jamais rien eu, même pas un baiser.

« Tu serais heureux d'être embrassé par Beate ? »

Elle continuait à me tutoyer et cela me faisait un drôle d'effet, comme si j'étais observé à travers une longue-vue. J'ai répondu en la tutoyant à mon tour : « Quelle drôle de fille tu fais. Pourquoi me poses-tu cette question ?

« Pense seulement à me répondre. Tu serais heureux, oui ou non ?

« Oui, certainement.

« Alors je vais te donner un baiser ; mais pense que c'est Beate qui te le donne. Beate et moi nous nous ressemblons tellement que l'illusion sera totale. »

Elle parlait à voix basse, son visage proche du mien. J'ai dit : « Beate ne m'a jamais embrassé, comment faire la comparaison ?

« Tu ne feras pas de comparaison. Tu penseras tout simplement que c'est Beate qui t'embrasse. Viens ici. »

Nous étions au milieu de l'avenue. Trude m'a poussé dans un petit chemin dans l'ombre. Dans le petit chemin il y avait une porte encastrée dans un coin de mur en retrait. Trude m'y a attiré et a murmuré : « Toi tu ne fais rien. Laisse-moi faire. » Puis sans attendre, immédiatement, elle a mis ses bras autour de mon cou. J'ai senti sa main sur mon épaule et ses ongles s'enfoncer dans ma nuque. Sa bouche s'est rapprochée de la mienne. Elle s'est attardée un instant, comme pour mêler son haleine à la mienne puis ses lèvres se sont écrasées sur mes lèvres, mais en se déplaçant dans un mouvement giratoire jusqu'à créer un trou de chair humide et avide au fond duquel allait, venait, sortait une langue infatigable. Je n'ai pas pu m'empêcher de penser que c'était, avec plus ou moins de plaisir, plus ou moins d'habileté, la façon dont toutes les femmes du monde embrassent leur amant. Ce qui rendait le baiser de Trude plus émouvant, plus excitant, c'était justement son manque d'originalité. Derrière cette technique, disons d'amateur, si commune, j'ai senti une passion en quelque sorte mortelle, mais personnelle qui ne concernait que la femme qui était en train de m'embrasser et qui me semblait chercher, comme dans le poème de Nietzsche, au fond du plaisir l'éternité du rien et de l'oubli. Maintenant se posait la question essentielle : Trude ou Beate ?

En me souvenant de l'innocente, de la fade vulgarité de Trude, je n'ai plus eu de doute : c'était Beate qui m'embrassait, ce ne pouvait être qu'elle. Cette idée, ou plutôt cette impression troublante, a été suivie d'une tentative de ma part de compléter l'illusion par un contact direct du corps de Trude, exactement pareil à celui de Beate. Je l'ai prise dans mes bras, mes mains se sont emparées de ses flancs maigres et durs, pour attirer son ventre contre le mien. Alors l'illusion a été vraiment complète : c'était le bassin de Beate, large et osseux, qui adhérait au mien ; c'était son pubis dur et proéminent qui se projetait contre le mien. J'étais sur le point de murmurer : « Beate », avec la presque certitude que j'allais l'entendre me répondre : « Oui, je suis Beate. Tu ne te trompes pas », lorsqu'il est arrivé quelque chose d'imprévu mais qui, en y pensant mieux, était prévisible.

Au moment où son baiser semblait être arrivé au maximum d'intensité, voilà que Trude a placé sa langue entre ses dents et qu'elle s'est mise à souffler en produisant, sur ma propre bouche, un bruit obscène et ridicule. Indigné mais n'osant pas comprendre j'ai fait un grand et rapide saut en arrière. Trude riait à n'en plus pouvoir, ses deux mains comprimant sa poitrine. J'étais furieux et j'ai hurlé : « Alors quoi ? Mais qu'est-ce qu'il te prend ?

« Il m'a pris que lorsque je t'ai vu fermer les yeux j'ai compris que tu t'imaginais embrasser Beate et j'ai été jalouse d'elle et j'ai voulu détruire ton illusion. Voilà ce qu'il m'a pris. C'est tout.

« Eh bien, tu as réussi à la détruire, mon illusion, bravo. Ce n'est pas beau ce que tu as fait. Quelle vulgarité !

« Mais moi je ne suis pas une intellectuelle raffinée. Je suis une fille simple, vulgaire. Comme il y en a tant.

« Tu n'es pas vulgaire, tu as voulu l'être. »

Elle n'a pas répondu et c'est en silence, à côté l'un de l'autre, que nous sommes arrivés sur la place. Comme d'habitude, le café semblait vide. À travers les vitres j'ai vu le patron, debout derrière son comptoir. J'ai dit, sur un ton plus conciliant : « Tu veux boire quelque chose ?

« Pourquoi pas ! Est-ce que ce n'est pas le café où tu as fait la cour à Beate à distance ?

« Comment le sais-tu ?

« Je t'ai dit que Beate m'a tout raconté. »

Nous sommes entrés ; Trude a demandé une anisette, moi j'ai

commandé une *grappa*. Brusquement Trude a interpellé le patron :
« Vous me reconnaissez, n'est-ce pas ? »

Le patron a répondu tout de suite : « Bien sûr. Vous êtes venue
avec un gros monsieur qui avait une cicatrice sur la joue. »

Trude s'est tournée vers moi : « Tu vois ! », puis de nouveau vers
le patron : « Vous ne m'avez jamais vue. Je suis arrivée aujourd'hui.
Vous avez vu ma sœur jumelle.

« Il me semblait bien pourtant...

« Je vous répète que vous avez vu ma jumelle. »

Étonné, le bonhomme est revenu vers son percolateur. Trude a
levé son verre en disant : « Buvons à notre santé. À propos, toi,
est-ce que tu vas boire à la santé de Beate ou à la mienne ?

« À la santé des deux.

« Tu es malin, toi, tu ne veux pas te compromettre. »

J'ai posé sur le comptoir mon verre vide en disant : « Ce n'est pas
vrai qu'elle a une sœur jumelle, elle a dit ça pour voir si vous la
croiriez. »

Le patron a souri, embarrassé. Peut-être se sentait-il mêlé à un
jeu qui ne le regardait pas : « Pour moi, vous êtes des clientes,
jumelles ou pas jumelles... »

Nous sommes ressortis du café. Trude m'a demandé : « Pourquoi
as-tu dit au patron que j'étais Beate ?

« J'ai dit la vérité. Ton baiser m'a fait un curieux effet. Au
moment où tu l'as interrompu j'avais vraiment l'impression que
c'était Beate qui était là.

« Passons par là. Nous rentrerons à la pension par de beaux petits
chemins. »

Mais nous avions fait à peine quelques pas, elle devant, moi
derrière, sur l'ancienne petite route pavée entre les murets de pierre
sèche, Trude s'est retournée pour me demander : « Et si j'étais
véritablement Beate ? »

En m'éloignant un peu d'elle j'ai dit : « Tu n'es pas Beate mais tu
voudrais me le faire croire.

« Pourquoi ? Pour quelles raisons ? »

J'ai un peu hésité, puis j'ai répondu : « Tu l'as dit toi-même :
parce que je te plais. Et comme tu penses justement que je veux

rester fidèle à ta sœur, tu espères, en me donnant l'illusion d'être Beate, me rendre infidèle. »

Et puis j'ai ajouté : « Ce qui est curieux, c'est que moi aussi je voudrais croire que tu es Beate.

« Pourquoi ? »

J'ai répondu sans mentir : « Eh bien, je ne peux pas le nier : Beate voudrait que nous fassions l'amour et que tout de suite après nous mourions ensemble. Si tu arrives à me faire croire que tu es Beate, je pourrais obtenir de faire l'amour sans tout de suite après m'entendre proposer de mourir.

« Tu es malin, toi, je le répète. Et quand je pense que Beate, en me parlant de toi, m'avait dit qu'elle était sûre d'avoir rencontré un homme aussi désespéré qu'elle. »

J'ai tout de suite corrigé mais sans enthousiasme : « Je suis désespéré, oui, mais au sujet du désespoir je n'ai pas les mêmes idées que Beate.

« Quelle est ton idée ?

« Mon idée est que le désespoir devrait être la condition normale de l'homme ; donc il ne sert à rien, on n'a pas besoin d'en arriver au suicide. » À sa façon distraite et interrogative de me regarder, j'ai vu tout de suite qu'elle ne comprenait pas. Elle a dit : « Si je continuais à faire semblant d'être Beate, ce ne serait pas une raison pour que je veuille faire l'amour avec toi. Pour Beate l'amour et la mort ne font qu'un, on ne peut pas les séparer. En tant que Beate, je devrais obligatoirement t'envoyer promener.

« Et en tant que Trude ?

« Qui sait ? Mais toi tu veux rester fidèle à Beate, n'est-ce pas ? Alors, deux hypothèses : ou tu t'imagines que Trude est Beate et tu ne fais pas l'amour ; ou tu ne l'imagines pas et tu le fais. Ou plutôt tu ne le fais pas parce que Trude n'a aucunement l'intention de mourir.

« Mais tu pourrais pousser la fiction jusqu'à feindre aussi le suicide.

« Comment fait-on pour feindre le suicide ? On ne peut se suicider que " pour de vrai ". »

Ainsi, avec sa façon de rire de tout, elle me mettait en face d'un choix : ou m'imaginer qu'elle était Beate et ne pas aller au-delà des limites que Beate elle-même avait fixées, ou me laisser prendre par la séduction, chose en vérité déjà faite, de la sœur de la femme que j'aimais, et m'embarquer avec elle dans une banale aventure de vacances au bord de la mer. J'ai tout de même insisté : « Tu as raison, je voudrais que tu sois Beate mais que tu veuilles te comporter comme Trude.

« Ah ah ah ! Tu voudrais manger ton gâteau tout en le conservant pour demain ! » Puis subitement sérieuse : « Si tu faisais l'amour avec moi tu le ferais avec un des meilleurs spécimens de la race germanique, avec une fille saine, propre, honnête, simple, franche ; si au contraire tu t'obstinais à me demander de faire semblant d'être Beate, tu te trouverais dans les mains d'une pseudo-artiste, d'une cabotine, d'une intellectuelle décadente. Et de plus, tu n'obtiendrais rien sur le plan physique, étant donné qu'elle ne veut pas en entendre parler, sauf aux conditions que tu sais. »

Évasivement j'ai dit : « En réalité tu hais ta sœur. Tu es venue à Naples avec l'idée de la supplanter.

« Non, je ne la hais pas. Je ne peux pas supporter le cabotinage.

« Au fond, qu'est-ce que tu crois ?

« Je ne crois rien.

« Tu crois qu'elle t'aime vraiment ?

« Non, elle s'aime elle-même, déguisée en Kleist. Pour elle, tu n'es qu'une quelconque Henriette Vogel, c'est-à-dire un éventuel compagnon de suicide. Et elle, elle jouera avec toi la comédie du suicide, jusqu'à un certain point, comme tous les cabotins.

« Jusqu'à quel point ?

« Jusqu'à la mort, naturellement pas la sienne, mais la tienne. Parce que, peut-être que tu l'ignores, mais Beate est lâche, très lâche. Elle parle de la mort mais en a peur. Du reste, les comédiens ne meurent pas : bien sûr ils se laissent tomber sans vie sur la scène, mais dès que le rideau est baissé ils époussettent leurs habits et leurs costumes et ils s'en vont dîner avec leurs amis.

« C'est le métier de tous les comédiens.

« Au théâtre, c'est un métier ; mais dans la vie, c'est du cabotinage. Tu défends Beate, mais je sais pourquoi tu la défends.

« Pourquoi ?

« Parce que l'idée du suicide à deux t'excite sexuellement. Toi aussi tu es un intellectuel décadent comme Beate, tu voudrais que je te donne non seulement l'illusion de l'amour mais aussi celle de la mort.

« Cette illusion, tu pourras me la donner dans un seul cas : en me demandant vraiment de mourir avec toi.

« Vraiment ? Que veut dire ce vraiment ?

« Ce sont des choses qu'on ne peut pas expliquer. Elles se sentent, voilà tout. »

Elle s'est mise à rire, un peu méchamment : « C'est difficile de faire semblant de se suicider mais je pourrais m'exercer. Qui sait ? Peut-être que je réussirais. »

Nous étions arrivés devant la grille de la pension dans une obscurité presque complète : un nuage avait caché la lune. Tout d'un coup, voilà au milieu de tout ce noir que j'entends, venant du village, l'horloge du campanile de l'église. Je me suis arrêté pour écouter et compter les coups. Au même moment la lune est sortie du nuage pour éclairer un visage qui nous regardait, les yeux écarquillés, derrière les barreaux de l'entrée. C'était la mère de Trude qui criait : « Vite, Trude, vite, un coup de téléphone de Beate, de Munich. »

Trude n'a pas paru émue de ce téléphone de sa sœur : « Beate est déjà au téléphone ?

« Non, on m'a prévenue qu'elle serait là dans cinq minutes. Bonsoir, signor Lucio. Alors, Trude, qu'est-ce que tu attends ?

« C'est à moi qu'elle voulait parler ?

« Oui, oui, à toi. »

La porte s'est entrebâillée, Trude est entrée pour disparaître en courant. La mère est venue à ma rencontre : « Vous avez fait une bonne promenade ?

« Très bonne.

« Je parie que vous avez parlé de Beate.

« Qu'est-ce qui vous fait penser cela ?

« Être jumelles est une situation très particulière. Quelquefois elles pensent et sentent les mêmes choses, quelquefois non. Et si l'une vit une aventure il peut arriver que l'autre, de loin, la vive aussi. En somme, les jumelles sont un jour amies, un jour ennemies, un jour complices et un jour antagonistes.

« Et dans le cas de Trude et de Beate, que se passe-t-il ?

« Vous en voulez savoir des choses, vous ! On m'avait dit que les Italiens étaient très entreprenants mais j'ignorais qu'ils étaient aussi indiscrets. Au revoir, et bonne nuit. »

C'est sur ce « bonne nuit » vaguement ironique qu'elle m'a tourné le dos, qu'elle a disparu derrière le portail dans l'ombre de la grande allée.

IX

Pourquoi Kleist s'était-il suicidé ? La question m'a occupé l'esprit toute la matinée du lendemain. C'était du reste une question moins inutile qu'elle pouvait le sembler. Étant donné que Kleist était le modèle, dont, selon Trude, sa sœur s'inspirait, ma question en prévoyait inévitablement une autre et c'était celle-ci : Kleist s'était suicidé pour des motifs personnels auxquels, à un certain moment, s'étaient joints des motifs, eux aussi certainement personnels, d'Henriette. C'est pourquoi finalement leur double suicide avait été, en réalité, la rencontre de deux suicides absolument distincts. À moins que les amants se soient suicidés pour un seul motif les concernant tous les deux ?

Je répète : ma question n'était pas vraiment inutile comme elle en avait l'air : en deux mots, Trude accusait sa sœur de chercher un homme pour le mêler à un destin qui réellement ne regardait qu'elle. Et moi, si j'avais accepté le suicide à deux, je ne serais pas mort à cause de mon propre désespoir mais à cause de celui de Beate, je veux dire que je serais mort pour lui faire plaisir à elle. La preuve : mon désespoir ne m'entraînait pas vers le suicide à deux — mais à présent j'en étais tout à fait sûr — vers la stabilisation du désespoir. Seul mon amour pour Beate pouvait me faire changer d'idée aussi bien que me faire abandonner mon projet pour celui de la femme que j'aimais.

Mais tout ceci n'était pas absolument sûr. C'était vrai, Beate et moi avions une conception différente du désespoir. Mais le fait que j'aimais Beate et que Beate m'aimait constituait l'unique raison de mourir ensemble, sans aucune restriction mentale, dans le cas où la volonté de Beate prévaudrait sur la mienne. Du reste, moi j'aimais Beate et Beate m'aimait surtout parce qu'au fond de notre amour il y avait la perspective, voulue ou refusée — c'était sans importance —, de la mort à deux, et c'était tellement vrai que bien que je me sois senti attiré par Trude, à cause de sa ressemblance avec sa sœur, l'attirance rencontrait ses limites dans le fait que Trude aurait pu imiter sa jumelle en tout, à part se donner la mort en même temps que moi.

Arrivé là, le serpent se mordait la queue ; après de longs détours, je revenais à mon point de départ, c'est-à-dire qu'à travers Trude je pouvais avoir l'illusion d'aimer Beate mais au bout de l'illusion, il y avait ce suicide à deux qui, ne pouvant être ni imité ni simulé, finirait par détruire l'illusion elle-même. Alors il valait mieux avoir une aventure avec Trude pour voir s'il m'était possible — à travers Trude — d'avoir une aventure avec Beate sans être obligé de la conclure par un suicide à deux. Kleist n'était pas mon modèle ; je n'étais pas allemand ; vis-à-vis du romantisme germanique, il me semblait que je devais m'en tenir au sage, quoique médiocre, stoïcisme méditerranéen.

Hypothèse possible et vraisemblable plus que véritable projet. À la fin je me suis dit que je devais rester fidèle à Beate pour la raison banale que je l'aimais et que je n'aimais pas Trude. En outre, si je l'avais trompée avec sa sœur, même si je m'imaginais faire l'amour avec elle, quelle figure ferais-je en me présentant devant elle en Allemagne ? En face de Beate en chair et en os, les sophismes inspirés par la ressemblance se seraient révélés être ce qu'ils étaient : de présomptueux prétextes pour mener à bien une conquête facile.

J'ai passé la journée entre les multiples et habituelles occupations des vacances au bord de la mer. Les deux femmes étaient allées ce matin à la *Grotta Azzurra* ; j'eus un début d'angoisse à l'idée que de toute la journée je ne verrais pas Trude et que je ne pourrais pas avoir l'illusion d'aimer à travers elle Beate. Je rejetai l'angoisse en me disant qu'après tout il ne s'agissait que d'un seul jour. Mère et fille descendraient certainement le soir à la salle à manger de la pension.

Elles ne sont pas venues. Leur table est restée tristement inoccupée avec, selon l'habitude des pensions de famille, leurs deux serviettes de table enroulées sur elles-mêmes posées sur la nappe à côté des bouteilles de vin et d'eau minérale inégalement pleines. Tout le temps du dîner, j'ai gardé les yeux fixés sur la chaise qu'avait occupée l'une ou l'autre des sœurs. Aujourd'hui leur absence les unissait et les confondait l'une et l'autre. Lequel des deux fantômes me regardait sans que je puisse le voir, mais pourtant réel, assis sur une chaise vide ? Celui de Beate ? Celui de Trude ? J'avais parfois l'impression d'être regardé par des yeux sombres et malheureux, parfois par les mêmes yeux brillants de joie animale. Par moments ce fantôme ne touchait pas à la nourriture, parfois il dévorait, tête baissée. Beate hochait la tête comme pour me dire qu'entre nous il ne pouvait y avoir d'amour sans la mort. Trude enfonçait un doigt dans sa bouche comme un pénis dans un sexe pour me faire comprendre que je pouvais faire l'amour avec elle à n'importe quel moment, qu'il suffisait que je le veuille.

Après dîner j'ai fait ma promenade nocturne et je me suis aperçu que la solitude me pesait. De nouveau j'ai éprouvé le désir de m'occuper de Trude pour retrouver Beate. De nouveau j'ai eu la très réelle impression que Beate était la seule femme que j'avais aimée dans ma vie et la seule qui m'ait aimé. Je ne pouvais pas faire joujou trop longtemps avec cette illusion d'aimer Beate à travers Trude. Je devais absolument avoir son adresse et partir au plus tôt pour l'Allemagne.

Le lendemain je suis descendu de bonne heure à la *Piccola Marina* et comme il était tôt je me suis assis, sans me déshabiller, sur une chaise-longue pliante, à la terrasse de l'établissement. J'avais en poche le recueil des lettres de Kleist et j'ai commencé à lire. Brusquement deux mains se sont posées sur mes yeux, la voix de Trude a dit avec sa bien reconnaissable bonne humeur : « Devine qui c'est ? » j'ai répondu : « Trude.

« Tu te trompes, je ne m'appelle pas Trude, je m'appelle et je suis une certaine Beate. »

Je n'ai pas pu m'empêcher de penser que le jeu consistant à se servir de la ressemblance pour créer l'illusion continuait. J'ai eu un mouvement d'impatience. J'ai attrapé les mains qui me rendaient aveugle, je les ai détachées de mes yeux, j'ai obligé Trude à tourner autour de ma chaise-longue et je lui ai dit brutalement : « Arrête ces bêtises : donne-moi l'adresse de Beate en Allemagne.

« Qu'est-ce que tu veux faire de cette adresse ?

« Je veux partir et aller la voir. Je partirai bientôt, peut-être demain. Alors ? Et cette adresse ? »

Elle me regardait, ses prunelles curieusement attentives ; elle m'observait. Finalement elle a dit : « De toute façon, l'adresse je ne te la donnerai pas.

« Pourquoi ne veux-tu pas me la donner ? »

Simplement, elle a répondu : « Parce que je ne veux pas que tu partes.

« Mais moi je veux revoir Beate. »

Elle a dit avec un léger ton de prière : « Reste ici et contente-toi de moi qui lui ressemble tant. Lorsque nous nous en irons tu viendras avec nous et, ensemble, nous irons voir Beate en Allemagne. »

C'était une proposition raisonnable et acceptable, mais j'ai été frappé du fait que je n'éprouvais pas devant cette proposition l'impatience d'un homme qui désire revoir à tout prix la femme qu'il aime ; cette impatience je l'ai éprouvée, mais à un seul moment : tout de suite après la phrase de Trude me disant que je devrais me « contenter » d'elle en attendant de revoir Beate. En même temps, une sorte de trouble, fait à la fois de curiosité, de tentation et d'incrédulité, m'a envahi. J'ai demandé : « Jusqu'à quand devrai-je m'en contenter ?

« Tant que tu voudras.

« En tout ? Pour tout ?

« Oui. »

Que voulait-elle dire ? Que pourvu que je fasse l'amour avec elle, elle serait disposée à pousser la fiction jusqu'au suicide ? Bizarrement, tandis que je fixais ses magnifiques yeux verts si semblables à ceux de Beate, j'ai senti que, dans le fond, je ne voulais pas savoir trop précisément ce qu'elle avait voulu dire en employant ce verbe ambigu de « contenter ». J'ai dit, recourant moi-même à l'ambi-

166

guïté : « Si tu veux que je reste, donne-moi d'abord cette adresse. Après, on verra.

« Qu'est-ce qu'on verra ?

« Je ne veux pas tomber chez Beate sans la prévenir. Si tu me donnes son adresse, je lui écrirai pour lui exposer mon projet.

« Et quel est ton projet ? »

J'ai répondu fermement mais aussi presque trop violemment : « Je veux lui proposer de vivre avec moi ici, en Italie, loin de la patrie de Kleist.

« Ah bon ! Qu'est-ce que tu crois ? Qu'elle acceptera ?

« Je ne sais pas. Et toi, qu'est-ce que tu crois ?

« Qu'elle n'acceptera pas. Elle est trop attachée à son mari et à Kleist.

« Nous verrons bien. Et attendant, donne-moi l'adresse. »

Elle m'a regardé sans mot dire puis elle a ajouté : « Je te donnerai son adresse si tu me promets que tu resteras ici et que tu partiras en Allemagne en même temps que nous.

« Combien de temps avez-vous l'intention de rester ici ?

« Une semaine. »

J'ai fait un rapide calcul. Une semaine passe vite. J'en profiterais pour tirer de Trude le plus possible d'informations sur Beate. De plus, je ne devais pas me mettre mal avec Trude ; si je voulais revoir Beate sans que son mari le sache, il me fallait faire de Trude ma complice. J'ai dit : « D'accord. Je te promets d'attendre une semaine. »

Dans une joie sincère et infantile, elle a battu des mains ; puis elle a jeté ses bras autour de mon cou pour m'embrasser sur les deux joues : « Bravo. Je vais t'écrire tout de suite son adresse sur ce livre. » Elle a tiré de son sac un stylo et, après avoir installé le Kleist sur ses genoux, elle l'a ouvert aux premières pages. Tout de suite, étonnée, elle s'est écriée : « C'est moi qui ai fait cadeau de ce livre à Beate. Comme se trouve-t-il entre tes mains ? »

J'ai répondu : « Tu t'étonnes de le voir entre mes mains ?

« Dans un certain sens, oui.

« Pourquoi ?

« Parce que ce livre était quelque chose de très intime, secret même, entre nous deux.

« Alors, regarde ici pourquoi elle me l'a donné. » Je lui ai indiqué la lettre dans laquelle Henriette Vogel annonçait sa propre mort et celle de Kleist. Trude a lu avec attention, puis elle a secoué la tête, elle a appuyé son index contre sa tempe : le geste que les gens adoptent communément pour faire allusion à la folie des autres : « Toujours Kleist ! Toujours Kleist ! Mais qu'est-ce que ce grand écrivain mort depuis plus d'un siècle a à faire avec cette incorrigible dilettante, cette cabotine qu'est ma sœur ? Attends, je vais t'écrire l'adresse. »

Elle a baissé sa grosse tête rousse, elle a écrit rapidement l'adresse. Elle m'a restitué le livre. J'ai dit : « Je voulais le lui expédier mais maintenant je le lui rendrai moi-même dans une semaine, en Allemagne. »

D'un air légèrement méprisant elle a dit : « Tu n'as plus besoin de le lui rendre. Ne t'inquiète pas, elle en a un autre exemplaire. »

Elle a ajouté : « Maintenant, ça suffit avec Beate. Si nous allions un peu nous promener en barque. Qu'en dis-tu ? Nous nous baignerons dans une grotte quelconque et puis nous reviendrons à l'établissement pour y déjeuner. C'est un endroit très agréable. »

C'était tout un programme qu'elle me proposait avec des yeux brillants d'impatience. J'ai répondu sur un ton faussement décontracté : « C'est une excellente idée.

« Alors, allons-y. Où est ta cabine ?

« Vous n'avez pas de cabine ? Ta mère n'est pas là ?

« Elle est restée à la pension ou plutôt, c'est moi qui l'ai obligée à y rester. Elle voulait venir mais je lui ai dit que j'avais envie d'être seule avec toi. Bouge-toi un peu ! Allons nous déshabiller dans ta cabine. »

Je me suis levé, je l'ai précédée vers l'endroit réservé à la promenade. À cette heure matinale il n'y avait encore personne. Arrivé devant ma cabine j'ai ouvert la porte et j'ai dit : « Entre d'abord, toi, j'irai après. » Elle m'a regardé, elle a regardé la porte ouverte. Brusquement une lueur de malice s'est allumée dans son regard : « J'ai une idée ; il n'y a personne et puis on pensera que nous sommes mari et femme. Viens avec moi, nous nous déshabillerons ensemble. »

Brusquement elle s'est reculée au fond de la cabine en me clignant de l'œil comme une gamine. Alors sans dire un mot je suis entré et j'ai fermé la porte. À présent nous étions serrés dans l'espace étroit de la cabine dans une bonne odeur de bois imprégné de saline et réchauffé par le soleil ; je me sentais plus gêné que troublé ; je me demandais pourquoi Trude avait voulu entrer en même temps que moi dans ma cabine. Je subodorais un motif qui dépassait une coquetterie un peu trop osée. Mais lequel ? Je n'arrivais pas à le définir. Tout en réfléchissant, j'enlevai mon maillot de corps en le passant par ma tête. Au moment où j'en sortais, torse nu, j'ai vu Trude, encore tout habillée, qui me regardait. J'ai dit : « Alors, qui va se déshabiller le premier ? Nous n'avons qu'une serviette éponge pour nous cacher. Qui va s'en servir d'abord ? »

Elle a vite répondu : « Déshabille-toi le premier. »

Elle a un peu hésité avant d'ajouter d'une manière surprenante, sans coquetterie et sans la moindre gêne : « Si tu veux, tu n'as pas besoin de te servir de ta serviette. Tu ne seras pas le premier homme que je vois nu. Nous, les Allemands, nous n'attribuons pas au nu ce caractère défendu que lui attribuent les Italiens. L'année dernière j'ai fait partie d'un camp de nudistes sur la mer du Nord. »

Elle était assez convaincante d'indifférence objective mais j'ai toutefois senti dans son explication quelque chose comme une idée, un choix mal défini mais réel, une sorte de prétexte pour agir comme elle l'entendait. J'ai dit malicieusement : « Dans ce cas, je te propose de nous déshabiller en même temps. Sans serviette éponge. Dans le fond, nous sommes entrés dans ma cabine pour nous regarder l'un l'autre. Quel mal y a-t-il à cela ? Je te regarderai et tu me regarderas. D'accord ? »

Aussitôt elle a protesté, agressive : « Si tu étais allemand j'accepterais mais je vous connais, vous, les Italiens. Non, non, je ne veux pas que tu me regardes pendant que je me déshabille. Je le ferais si nous étions amants, mais nous n'avons jamais couché ensemble et toi tu es italien. »

Plutôt déçu j'ai demandé : « Mais alors peux-tu me dire pourquoi tu as voulu que nous entrions ici ensemble ? »

Elle a haussé les épaules : « Comme ça, pour faire plus vite. »

J'ai dit sur un ton à la fois arrogant et piqué : « Eh bien moi, je suis justement ce genre d'Italien qui aime bien regarder les femmes.

Et si je suis entré avec toi dans ma cabine, c'était dans l'idée de voir si tu es différente de Beate. Non pas de visage, je le vois, il est identique, mais de corps. » À ma grande surprise, Trude ne s'est ni scandalisée ni offensée. Avec une sorte de curiosité elle m'a demandé : « Comment feras-tu pour voir si mon corps est différent de celui de Beate ? Tu ne l'as jamais vue nue.

« Bien sûr que je l'ai vue. Son mari est tellement fier de sa beauté qu'un jour, sur une plage solitaire, il l'a obligée à se laisser photographier toute nue par moi.

« Vraiment ? Et qu'est-ce que tu as pensé ?

« J'ai pensé que Beate est très belle et que son mari est très amoureux d'elle.

« C'est la vérité. Il est fou d'elle. » Après un instant de silence, elle a dit sur un ton habituel et résigné : « Bon. Si tu y tiens beaucoup, je me déshabillerai devant toi. Je me dirai que tu es allemand et que tu me regardes seulement pour savoir si je ressemble à Beate, mais il faut que toi aussi tu te déshabilles. »

Elle revenait à la charge ; elle voulait se montrer nue à condition que moi aussi je sois nu. De nouveau son insistance m'a paru n'être qu'un prétexte ; j'ai dit, mais cette fois sur un ton définitif : « Non, non, rien à faire. J'avais voulu te mettre à l'épreuve. Tu as été très bien. Ça suffit. Maintenant je sors, tu enfiles ton maillot, et quand tu sortiras, j'entrerai.

« Tu es le premier homme que je rencontre qui ne veut pas se montrer nu devant moi.

« Peu importe ! Peut-être que les Italiens sont des voyeurs. Mais il est rare qu'ils soient des exhibitionnistes. »

Ma voix vibrait d'une sorte d'amour-propre patriotique ; pourtant je me rendais très bien compte que la raison de mon irritation était tout autre. À son tour, et tout aussi hypocritement que moi, Trude s'est mise en colère : « Tu as honte de te montrer nu parce que tu es un Italien plein de préjugés ; pour nous, Allemands, la nudité est quelque chose de sain, de propre, de vrai. Moi je n'ai pas peur qu'on me regarde. Regarde-moi. Examine-moi bien, contrôle si je ressemble bien à Beate. »

Tout en parlant elle a enlevé sa robe par la tête avec des gestes brusques. J'ai vu qu'elle ne portait rien sous sa robe, probablement dans l'idée de pouvoir se dévêtir rapidement n'importe où pour se baigner. Toute nue, sans faire attention à moi, comme si je n'existais pas, elle a sorti de son sac son maillot, elle s'est baissée pour l'enfiler par les jambes. Tout ceci sans jamais s'arrêter pour se laisser regarder ; exactement comme on fait lorsqu'on est seul. Elle s'est ensuite redressée pour dire d'un voie ironique et cassante : « Alors, comment me trouves-tu ? Est-ce que je suis plus rousse ou moins rousse que Beate ? Plus ou moins frisée ? » Alors j'ai haussé les épaules et je suis sorti de la cabine.

Elle ne s'est pas fait longtemps attendre. Très vite, calme et sereine, elle est revenue pour dire : « Je suis prête ; passe ton maillot et allons-y. » Je n'ai pas répondu, je suis entré dans la cabine, j'ai passé rapidement mon maillot de bain. Dix minutes après nous étions loin du petit port *delle Sirene* et en pleine mer.

La mer était plus agitée qu'il m'avait semblé quand je l'avais observée depuis l'établissement. Trude, blottie à l'avant, les mains agrippées au bastingage et les jambes croisées, montait et descendait au rythme des vagues avec pour fond de décor la muraille rouge de Capri ; et moi, tout en ramant de toutes mes forces, je me sentais obligé de regarder comment se croisaient sous son ventre concave ses cuisses maigres d'un blanc de lait, marquées de taches de rousseur et raides comme des bouts de bois. J'avais vu Beate assise de la même manière à la proue de la barque, en face de Müller ; et elle n'avait pas semblé différente aux yeux de son amoureux de mari. Dans l'idée d'éloigner cette image d'elle dans la barque qui me donnait quelque chose en commun avec Müller, j'ai demandé brusquement : « Ça t'embêterait si je te posais quelques questions sur Beate ?

« Pourquoi m'embêter ? Demande-moi tout ce que tu voudras.

« Je voudrais savoir ce qu'elle t'a dit très précisément sur moi, à Naples, lorsque vous vous êtes rencontrées. »

Elle m'a regardé un peu sournoisement tandis que le rocher de Capri montait et descendait derrière elle dans le balancement des vagues : « Tu le sais déjà, elle a dit qu'elle avait peur d'être amoureuse de toi.

« Pourquoi avait-elle peur ? »

Elle m'a regardé d'une drôle de façon : elle m'étudiait. « Elle avait peur parce qu'elle n'avait pas envie de voir se répéter avec toi ce qu'il lui était arrivé avec un pianiste qui avait été son amant avant son mariage.

« Que vient faire cette histoire de pianiste ici ?

« Il était juif.

« Et alors ? »

Après quelques secondes de silence elle s'est décidée : « Beate ne veut plus avoir quoi que ce soit en commun avec les juifs. C'est pour cela qu'avant de s'embarquer dans une affaire de cœur, elle doit être sûre que l'homme est aryen. »

J'ai alors éprouvé un sentiment fait de surprise, de défiance et d'indignation comme en face d'une calomnie injustifiée et gratuite. Je me suis écrié : « Il me paraît impossible que Beate prenne ce genre de précaution, c'est toi qui la lui as suggérée.

« Non, c'est elle qui y a pensé et c'est elle qui me l'a dit ; mais pour être tout à fait franche, hier soir, dès que je t'ai vu, moi aussi, je me suis dis que tu pourrais être juif.

« Qu'est-ce qui te l'a fait penser ?

« D'abord tu es un intellectuel et presque tous les intellectuels, du moins en Allemagne, sont juifs ; et puis parce que tu en as l'air.

« Quel air ?

« Tu es brun, tu n'es pas grand, tu as les yeux noirs, les cheveux frisés.

« Mais la majorité des Italiens sont comme tu dis.

« Et puis il ne s'agit pas de deviner mais d'être sûr.

« Sûr de quoi ?

« Sûr de se trouver en face d'une personne à laquelle on peut se fier. »

Elle a ajouté : « Il est certain que pour Beate le fait que tu sois juif ou non n'a pas le même genre d'importance que pour moi. Beate n'est pas au Parti. »

J'ai demandé : « Admettons un instant que je sois juif. Que ferais-tu ?

« Je te prierais de me ramener à l'établissement de bains. »

Je l'ai attentivement regardée pour voir si elle parlait sérieusement. Oui, elle parlait sérieusement. Les traits de son visage s'étaient comme durcis, tout en conservant leur expression enfantine. J'ai dit : « Beate ne se comporterait pas de cette manière.

« Beate et moi sommes deux personnes différentes, je te l'ai déjà dit. »

Alors, froidement, j'ai conclu : « Bon, très bien. Retournons à l'établissement. » Sans rien dire de plus je me suis mis à faire manœuvrer mes rames pour changer de direction.

Elle s'est alors visiblement alarmée : « Es-tu juif, oui ou non ? »

J'ai répondu : « Je suis allé dernièrement en Allemagne ; je connais ce genre de chose. Si quelqu'un me pose une pareille question, quelquefois je dis la vérité, c'est-à-dire que je ne suis pas juif, mais après je préfère n'avoir plus rien à faire avec ce genre d'individus. »

Je me suis tu, puis j'ai repris : « Je partirai demain pour l'Allemagne et j'irai voir Beate : elle au moins ne me posera pas ce genre de question. »

Trude me considérait un peu perplexe et indécise. Puis elle a dit : « Je ne veux pas que tu partes. Tu m'avais promis que tu partirais avec nous dans une semaine. Si tu n'es pas juif, qui t'empêche de me le prouver ? Tu dis connaître l'Allemagne alors tu dois savoir que notre Führer nous interdit de fréquenter des juifs. Moi je veux te garder. Qu'est-ce que ça peut te faire ? Je ne te demande rien d'extraordinaire, seulement de me rassurer. »

J'ai cessé de ramer pour lui demander : « En somme, que veux-tu de moi ?

« Que tu me donnes la preuve que tu n'es pas juif.

« Mais quelle preuve ?

« Tout à l'heure j'ai cherché par tous les moyens à obtenir cette preuve. Et tu n'as rien fait pour me la donner. »

J'étais interdit : « Mais où ça ?

« Dans ta cabine. Je t'ai proposé de nous déshabiller ensemble parce que je voulais voir si tu étais circoncis. Mais toi, tu ne m'as rien laissé voir. »

Une immense stupeur s'est entièrement emparée de moi. Ainsi cette étrange et troublante proposition de ce réciproque exhibitionnisme n'était vraisemblablement qu'une sorte de requête « bureau-

173

cratique » de quelqu'un qui m'aurait demandé de voir mes *documenti razziali* pour savoir si j'étais en règle. Je me suis exclamé avec force : « Ah, c'était ça ! Maintenant je comprends pourquoi tu voulais me voir tout nu. J'ai raison, n'est-ce pas, c'est ça que tu veux ? Que je te fasse voir mon membre ? »

Très sérieusement, très poliment — on aurait dit un médecin auquel son patient demande s'il doit se déshabiller entièrement — elle m'a répondu : « Oui, si ça ne t'ennuie pas. »

Immédiatement j'ai fait un rapide calcul de tête. Si, comme j'en étais tenté, je refusais de fournir cette fameuse preuve et raccompagnais Trude à la plage, il me semblait inévitable de ne pas rompre mes relations avec Trude et par conséquent, plus tard, avec Beate ; on ne pouvait séparer complètement les deux sœurs l'une de l'autre. Il me convenait donc de faire contre mauvaise fortune bon cœur, c'est-à-dire d'exhiber devant Trude mon certificat racial, comme on montre son passeport aux policiers des frontières. Il restait tout de même au fond de moi une ultime curiosité, presque une attirance pareille à celle que ressent quelqu'un qui se penche au-dessus d'un abîme pour en mesurer du regard la profondeur : comment pouvait-on en arriver à demander ce que Trude me demandait ? Comment pouvait-on arriver à faire une semblable requête ? Sur le ton mélancolique et affectueux d'un inquisiteur bien intentionné, j'ai dit : « Es-tu absolument et véritablement sûre de vouloir cette preuve ? »

Une vague a pris d'assaut la barque du côté de la proue. Trude s'est presque envolée haut dans le ciel ; à peine redescendue elle a dit : « Je suis certaine d'aimer mon pays. Mon pays exige que je veuille cette preuve, alors je te la demande, c'est tout. »

J'ai insisté : « Faut-il aimer son pays toujours et dans tous les cas ?

« Je crois que oui. »

Sans rien ajouter, j'ai repris mes rames et j'ai ramé. Puis j'ai repris : « Mais moi, je ne suis pas allemand : dans mon pays, pour le moment du moins, il y a certaines choses qui ne se demandent pas.

« Oui, je sais que tu n'es pas allemand.

174

« Et puis, finalement, pourquoi serais-je obligé de te fournir cette preuve ?

« Je te l'ai déjà dit, pour me rassurer.

« Mais dans quel but ? Moi, c'est Beate que j'aime, pas toi. Et Beate ne me demande aucune preuve. Entre toi et moi il n'y a rien et il ne peut rien y avoir ; alors pourquoi cette preuve ? » Je lui ai parlé sans la regarder, les yeux baissés sur le fond de la barque. Après un bref silence, j'ai entendu sa voix qui prononçait humblement : « Tu as raison, rentrons. » Et alors j'ai levé la tête.

Son changement d'expression m'a étonné. Toujours blottie à la proue, elle me regardait avec des yeux subitement angoissés. La même angoisse impuissante, désespérée, que j'avais lue chaque soir dans les yeux de Beate pendant que nous dînions à la salle à manger. À présent, ce n'était plus Trude ; c'était elle, Beate, malgré cette absurde histoire de preuve que Beate ne m'aurait jamais demandé de fournir et qui, justement, parce que Beate ne l'aurait jamais demandée, me troublait comme une déclaration d'amour que je n'attendais plus. Alors je me suis dit que c'était Trude qui avait demandé à voir mon membre mais que c'était Beate qui le verrait. Cette distinction paraîtra subtile, mais évidemment, elle ne l'était pas pour mon désir toujours présent et toujours aux aguets. J'ai demandé doucement, à voix basse : « Alors ? Vraiment ? Tu veux ? »

Je l'ai vue faire de la tête un geste d'affirmation ; c'était encore Beate, pas Trude, celle qui me faisait ce geste de consentement et à présent je sentais cette requête non plus comme une absurde exigence bureaucratique mais comme une flatteuse et mystérieuse curiosité érotique. J'ai porté mes deux mains à ma ceinture, j'ai relâché l'élastique de mon caleçon de bain, je l'ai fait glisser lentement le long de mes jambes. J'ai murmuré à voix basse, sans lever la tête, en regardant mon bas-ventre : « Voilà le *documento* que tu demandais à voir, mes papiers sont en règle ; mais tu aurais dû m'éviter cette épreuve. » J'ai fait alors le geste de remettre tout en place dans mon caleçon mais j'ai entendu la voix de Trude, implorante : « Non, je t'en prie, reste comme ça, encore un peu. »

« Mais pourquoi ?

« C'est si beau la mer, le vent, le soleil, les rochers, et toi, toi au milieu, qui me désires.

« Je ne te désire pas toi, mais Beate.

« Oui, je le sais, mais c'est pareillement beau. »

J'ai dit, brusquement furieux : « Ce n'est pas beau, c'est une honte, une bassesse, une indignité.

« Pourquoi une bassesse ? »

J'ai un peu réfléchi puis, calmement, je me suis expliqué : « Parce que c'est une bassesse que de se mentir à soi-même pour faire plaisir à un autre. » J'allais ajouter encore une fois : « Beate ne me l'aurait jamais laissé faire », mais je me suis mordu les lèvres. Beate, lorsqu'elle m'avait encouragé par ses regards à répondre au salut fasciste de Müller, m'avait fait faire une bassesse semblable, sinon pire.

Il y eut un instant de silence. Je regardais mon ventre et je ne le voyais pas. Puis j'ai, de nouveau, entendu sa voix : « Si tu veux, imagine que moi je suis Beate et que je t'ai demandé cette preuve parce que je veux faire l'amour avec toi.

« Beate ne veut pas faire l'amour avec moi.

« Qui sait ? Essayons. »

Comme sa voix était douce ; de cette douceur complice et provocante du désir qui se nourrit du désir de l'autre. Et subitement j'ai éprouvé une formidable colère, mais contre moi-même ; ou plutôt contre la partie de mon corps qui mettait en balance sa propre excitation, confuse, stupide et sauvage avec la vérité du sentiment amoureux. J'ai crié : « Tu n'es pas Beate, tu ne peux pas comprendre ce que Beate est pour moi, tu n'as jamais été désespérée, tu n'as jamais désiré mourir, tu n'as jamais eu horreur de la vie. Tu n'es rien d'autre qu'une fille du Nord tombée à Capri avec l'envie d'avoir une stupide et vulgaire aventure de vacances. »

Pas du tout fâchée, elle s'est mise à rire. Elle a dit en indiquant mon membre toujours en érection : « Cette chose-là ne pense pas comme toi » et, en voyant que je faisais le geste de me couvrir : « Non, ne te couvre pas, j'adore le regarder. Et maintenant, écoute ce que je vais te proposer. Toi, tu aimes Beate, d'accord ; et moi je ne veux pas que tu la trompes mais j'ai une terrible envie de faire l'amour. Peut-être est-ce la faute de ce soleil, de cette mer ? Alors écoute-moi : tu restes comme tu es mais tu tends la jambe, c'est ça, et maintenant, le pied. Rien. Ne fais rien. Ton pied et *basta*.

« Que veux-tu faire ?

« Attends, tu vas voir. »

Elle me regardait d'un air sérieux, impérieux même, comme s'il s'agissait d'une chose normale et justifiée. Machinalement j'ai levé ma jambe droite, je lui ai tendu mon pied. Trude a pris mon pied entre ses deux mains et en le tenant par la cheville, elle a commencé par le faire aller et venir lentement entre ses jambes. Sous ma plante de pied j'ai senti son sexe mou et pourtant résistant et élastique s'ouvrir, se détendre en bougeant doucement comme ces sortes de longs appendices charnus et glissants de certains animaux marins qui s'agrippent fermement aux rochers, que les courants maltraitent doucement et sans trêve mais sans jamais rompre leurs points d'attache. J'ai levé les yeux et je l'ai regardée. Sa tête était penchée sur son épaule et ses yeux à demi fermés. De temps en temps, sa langue rose et pointue dardait entre ses lèvres comme mue par un mécanisme mytérieux et en quelque sorte moqueur. Ce mouvement de mon pied guidé par ses mains, allant de bas en haut contre son sexe a duré longtemps. Puis elle a poussé un profond soupir et dans un spasme son corps s'est détendu tout entier ; il a glissé au fond de la barque. Mais elle n'a pas lâché pour autant mon pied qu'à présent elle serrait contre ses seins comme un trésor très cher. Tout d'un coup je me suis rendu compte du silence et j'ai entendu tout près de nous le ressac des vagues contre les rochers. Notre barque allant à la dérive se trouvait maintenant presque à côté, vraiment tout près du petit promontoire. Très vite, j'ai saisi les rames tout en laissant mon pied dans les mains de Trude et en quelques coups de rames je nous ai amenés loin des rochers. Puis j'ai tiré de nouveau les rames au sec dans la barque et j'ai regardé Trude. Elle a dit tout de suite lorsque nos yeux se sont rencontrés : « Encore. »

J'ai dû la laisser s'installer de nouveau sur son siège et remettre mon pied contre elle. Tout s'est répété : les yeux fermés, la langue dardant entre les lèvres, le soupir, la glissade au fond de la barque. À la fin elle est restée presque immobile comme savourant son plaisir. Elle s'est relevée pour revenir s'asseoir à l'avant. J'ai remonté mon caleçon, j'ai repris les rames. Elle m'a demandé, satisfaite et ironique : « Alors ? Qui j'étais pour toi pendant que tu me caressais ? Beate ou Trude ?

« Beate ne voulait pas être caressée.

« Tu en es sûr ? Les belles âmes du genre de Beate ont de formidables appétits. »

Elle a sorti de son sac un bonnet de caoutchouc blanc ; elle l'a enfoncé sur sa tête en y engouffrant ses cheveux rebelles et elle a dit : « Je vais plonger. » Rapidement elle est montée sur le banc et s'est jetée à l'eau.

Je suis resté dans la barque, mes mains posées sur les rames, la regardant nager sans trop s'éloigner. Les vagues désormais ne semblaient pas la toucher tant étaient sûrs et rapides les mouvements de ses bras tandis qu'elle glissait d'une vague dans l'autre pareille à un long poisson luisant et noir à la tête blanche. Elle a fait le tour de la barque puis elle s'est hissée d'un seul mouvement du bras jusqu'au milieu de sa poitrine et, en donnant à son corps un second élan, elle a dégringolé près de moi. Elle était là, toute luisante dans son maillot collé au corps, assise à la proue. Elle a dit en retirant son bonnet et en secouant la tête pour faire sortir toute l'eau de ses oreilles : « Et maintenant allons manger. Je meurs de faim. Je veux manger, manger, manger, manger. Toutes les bonnes choses de la cuisine italienne. Je ne veux plus parler de Beate et de ses complications tant que je n'aurai pas mangé à satiété. »

X

Trude avait dit vrai quand elle s'était exclamé qu'elle mourait de faim. À la terrasse du restaurant de l'établissement de bains elle a prouvé que sa faim n'était pas une vantardise inspirée peut-être par la rivalité avec sa sœur qui était sobre jusqu'à l'anorexie. Elle a beaucoup mangé mais ce qui m'a le plus impressionné c'est qu'elle a commandé et englouti deux fois le même plat, comme dans la barque elle avait voulu faire deux fois de suite l'amour. Je l'ai vue dévorer deux premiers plats (une soupe aux moules et des spaghetti aux fruits de mer), deux seconds plats (une langouste et des rougets), deux garnitures (une salade et des pommes frites), deux desserts (une glace et une tranche de gâteau). En même temps que cette double ration de nourriture, je l'ai vue boire une quantité analogue de vin. Elle ne faisait que remplir très vite son verre et le vider aussi vite ; à cause de l'exagération de ses gestes et de ses discours, on comprenait qu'elle était ivre.

De mon côté je me sentais une fois de plus dans un état d'âme déconcertant mais pas nouveau chez moi : être désespéré de ne pas être désespéré. Je veux dire que, comme toujours, le désespoir couvait au fond de moi-même mais que cela ne m'empêchait pas d'apprécier la belle journée, le magnifique paysage, le bon repas et, naturellement, la beauté piquante et ambiguë de Trude. C'était peut-être cela ladite stabilisation que je poursuivais depuis long-temps ? Un désespoir stable et normal qui permettait de prendre son propre plaisir dans la vie et même de le prendre plus que jamais, étant donné qu'on n'espérait plus rien. Mais à la place de la stabilisation, tout ceci ne risquait-il pas de m'entraîner dans une espèce de vie hypocrite ? C'est-à-dire de me sentir désespéré et au même moment manger et boire avec plaisir, faire l'amour sans remords, m'exalter sur un mode lyrique avec la nature ?

C'est peut-être pour éloigner ces pensées fastidieuses que j'ai voulu penser à Beate ; et de nouveau je l'ai vue avec les yeux de l'imagination, dans sa salle de séjour, en Allemagne, qui regardait, rêveuse, l'arbre qui était là, dehors dans son jardin. J'ai demandé brusquement à Trude : « Dans l'appartement de Beate, à Berlin, y a-t-il une grande baie vitrée qui donne sur le jardin, et dans le jardin, y a-t-il un très gros arbre ? » Trude s'est mise à rire aux éclats : « Tu ne peux donc jamais rester une minute sans parler de Beate ! Bon, heureusement que j'ai fini de déjeuner. Si tu veux, parlons encore un peu d'elle. C'est exact, dans le living il y a une baie qui donne sur le jardin et dans le jardin il y a un gros cèdre de Californie. Mais comment le sais-tu ?

« Beaucoup d'appartements modernes ont des baies qui donnent sur des jardins. Il est grand, l'appartement de Beate ?

« Oui, plutôt, c'est une villa à deux étages.

« Où se trouve la chambre de Beate ? Je veux dire, où dort-elle ?

« Elle dort avec Aloïs dans une pièce du deuxième étage.

« Qui est Aloïs ?

« Je croyais que tu le savais. C'est Müller, son mari.

« Est-ce qu'ils dorment ensemble, je veux dire dans le même lit ?

« Naturellement.

« Pourtant, dans le peu de mots que nous avons échangés, Beate m'a fait comprendre que son mari la dégoûtait.

« C'est vrai, elle ne lui permet pas de la toucher.

« Dans un lit c'est difficile, pour ne pas dire impossible, de dormir ensemble sans se toucher. »

Elle m'a regardé les yeux brillants de malice : « Bon, alors, parlons encore de Beate. Mais il faut que tu me dises ce que tu veux vraiment savoir. Qu'est-ce que cela peut bien te faire si en dormant la main d'Aloïs se glisse entre les cuisses de Beate ? Ce n'est pas important. » Furieux, rageur, j'ai répondu : « Eh bien, voilà, je veux savoir pourquoi Beate a accepté de devenir la femme d'Aloîs. »

Elle a paru réfléchir un moment, puis elle a dit : « Veux-tu que je te parle d'abord de moi ou d'abord de Beate ?

« Que préfères-tu ?

« C'est à toi de répondre. Je parle d'abord de moi ou d'elle ?

« D'abord de Beate. »

Elle a un peu hésité avant de répondre : « Tout vient de ce que j'appelle le cabotinage de Beate qui est une irrésistible tendance à se regarder elle-même et donc à se comporter comme une héroïne de roman ou de théâtre. À quinze ans, Beate jouait déjà sur cette idée du double suicide de Kleist avec un de ses copains de classe qui s'appelait Rudolph. Un jour ils ont décidé qu'ils feraient l'amour ensemble et qu'après ils fermeraient toutes les fenêtres et ouvriraient le robinet du gaz. Ils voulaient qu'on les trouve nus enlacés sur un lit avec plein de fleurs dans la chambre et, bien en évidence sur la table, une lettre adressée à la mère de Rudolph, entièrement recopiée sur celle qu'Henriette avait écrite avant de mourir avec Kleist. Mais la mère de Rudolph est rentrée plus tôt que prévu de la campagne. Elle les a trouvés nus sur un lit, mais elle n'a pas trouvé la lettre, elle n'a pas senti l'odeur du gaz qui commençait à peine à s'échapper du tuyau et elle a fait une scène terrible et pleine de morale surtout pour dire que c'était une honte que des gosses fassent déjà l'amour, que son fils ne devait penser qu'à étudier, et des tas de choses du même acabit. Pendant que le discours continuait, Beate a raflé furtivement sa lettre ; elle a pris ses vêtements sous son bras, elle est allée dans la cuisine fermer le robinet du gaz, elle s'est rhabillée dans l'antichambre et elle a décampé.

Malgré ce fiasco Beate n'a pas cessé de penser à Kleist et à son double suicide. Pour elle, cette tentative ratée n'avait été qu'une manière de se familiariser avec l'idée de la mort à deux. À dix-sept ans, deux ans après, il lui a semblé avoir trouvé le partenaire idéal en la personne d'un jeune écrivain de théâtre nommé Sébastian qui avait pris comme modèle, non pas Kleist, mais Dostoïevski ou plutôt un personnage de Dostoïevski dans *Les Possédés*, celui qui se suicide pour des raisons philosophiques. Beate s'est mise facilement d'accord avec Sébastian, parce qu'il ne lui importait pas tant que son modèle fût Kleist lui-même mais que toute son entreprise baigne entièrement dans une atmosphère littéraire. Que trouver de plus littéraire qu'une entreprise rassemblant deux écrivains comme Kleist et Dostoïevski ?

« Ils décidèrent alors de se suicider ensemble, mais avec deux modèles différents. Cette fois, Beate choisit le pistolet ; comme choisirent le pistolet Kleist et Dostoïevski. Mais quelques jours avant le suicide, Sébastian confia le secret de sa décision à un ami, un certain Gottfried ; celui-ci, profitant d'une absence du couple, s'introduisit, sous un prétexte quelconque, dans la chambre de la pension où habitait Sébastian ; il chercha et trouva le pistolet, en extraya le chargeur, le mit dans sa poche et s'en alla. Mais maintenant, imagine ce qui s'est passé deux jours après, quand Sébastian et Beate se préparèrent à se suicider. Eux, sur le lit, après avoir fait l'amour et avoir bu énormément d'un mauvais cognac allemand. Sébastian prenant le pistolet sur la table de chevet ; le dernier baiser ; Sébastian qui pointe son pistolet contre la tempe de Beate, parce qu'on avait décidé qu'elle serait la première à mourir ; le doigt de Sébastian qui appuie sur la gâchette et... le petit bruit sec de l'arme qui claque à vide. Naturellement, Sébastian a tenté de tirer une deuxième fois, mais avec le même résultat. Alors il a regardé le pistolet, il a vu qu'il n'était pas chargé et s'est écrié : « Ce doit être Gottfried ! » Mais Beate, énervée par ce second suicide manqué, l'a insulté en lui disant en face que c'était lui, terrifié à l'idée de mourir, qui avait déchargé le pistolet ; Sébastian a protesté ; Beate a riposté encore plus fort ; et à la fin le suicide « à la Kleist » s'est transformé en vulgaire bagarre. Beate s'est rhabillée en vitesse, elle est sortie de la pension, elle n'a plus jamais voulu revoir Sébastian. »

J'ai interrompu Trude : « Tu répètes continuellement que Beate est une cabotine. Mais où se niche le cabotinage dans ce que tu rapportes ? Il me semble que dans ces deux tentatives Beate a agi honnêtement. Elle voulait vraiment mourir ; le hasard l'en a empêchée. Ceux que nous appelons cabotins ou histrions n'agissent pas honnêtement. Ils tiennent toujours en réserve quelque échappatoire. »

Immédiatement, elle a protesté violemment : « Tu te trompes. Infatué par le rôle qu'il joue, le cabotin est capable de faire n'importe quoi. Le cabotin est un cabotin dans l'âme ; même lorsqu'il croit jouer sérieusement, il ne réussit qu'à être un cabotin. » Elle s'est tue quelques secondes puis : « Arrivons-en à sa troisième tentative de suicide. Cette fois, elle a choisi un pianiste juif, un homme encore plus raté qu'elle, si cela est possible. Raté comme pianiste parce que médiocre. Raté comme mari parce que séparé de sa femme. N'était-il pas le type idéal pour tenter un suicide à la Kleist ? »

J'ai protesté : « Kleist n'était certainement pas un raté, c'était un grand écrivain ! » Elle a répondu en souriant : « C'est exactement cela le cabotinage : être Beate Müller et se prendre pour Heinrich von Kleist ! »

J'ai demandé : « Et que s'est-il passé avec le pianiste juif ?

« Il s'est passé que Beate était décidée, sans doute parce qu'elle est une vraie cabotine, à vraiment mourir, tandis que le pianiste, lui, tergiversait.

« Pourquoi tergiversait-il ?

« Parce qu'il avait peur, parce qu'au fond, il était moins cabot que Beate, donc moins courageux. En réalité, lui n'était pas un désespéré poussé par des motifs littéraires comme Beate ; il était désespéré parce qu'il était juif allemand. Ce qui en Allemagne est un motif sérieux pour se suicider ; mais tout de même pas aussi sérieux que l'idée fixe d'imiter Kleist. En somme, tout en étant juif, il lui restait un tout petit espoir ; tandis que Beate, elle, n'avait pas ce tout petit espoir, du moins était-elle sûre de ne pas l'avoir. Beate et lui ont traîné avec eux et pendant quelques mois leur projet suicidaire. Finalement, Emil (c'était le prénom du pianiste) a appris que pour des causes raciales son contrat était rompu ; c'est alors qu'il a décidé d'agir.

« De quelle façon ?

« De la plus mauvaise façon du monde ; en se pendant avec le cordon des rideaux de la chambre meublée où ils habitaient. Beate devait aider Emil à se passer le cordon autour du cou, à monter sur une chaise et à retirer la chaise sur laquelle il était monté. Ensuite, elle aurait procédé pour elle de la même manière. Mais la chambre meublée qu'ils habitaient se trouvait dans un vieil appartement du siècle dernier. La barre du rideau était en mauvais état ; Emil était très gros, la barre a craqué ; Emil est tombé maladroitement par terre et s'est cassé le bras.

« Un suicide tragi-comique !

« N'est-ce pas ? Comme, du reste, tout ce qui arrive à Beate. Alors, renonçant provisoirement au suicide, Beate a aidé Emil à sortir de l'appartement. Elle l'a installé dans sa propre voiture, elle l'a amené dans une clinique privée où on a mis son bras dans le plâtre. Puis elle a quitté la clinique pour aller directement chez celui qui est aujourd'hui son mari, Aloïs Müller. Aloïs est un personnage important dans le Parti et Beate savait qu'il était follement amoureux d'elle. Elle lui a fait la proposition suivante : on m'a fait savoir qu'Emil allait être arrêté par la police. Tu vas l'aider à s'enfuir à l'étranger ; et moi je te donne ma parole d'honneur que le jour où il passera la frontière je t'épouserai.

Je me suis exclamé : « Mais étant donné qu'Aloïs était amoureux fou, n'aurait-il pas suffi que Beate promette de coucher avec lui une fois seulement sans être obligée de l'épouser ?

« Eh non ! Beate ne voulait pas faire l'amour avec Aloïs. L'épouser oui, mais faire l'amour, non. Elle ne le lui a pas caché : " Je me marie avec toi mais tu ne me toucheras pas, pas même du bout des doigts. "

« Et lui ?

« Naturellement, il a accepté avec joie. »

J'ai dit : « Après tout, dans cette histoire Beate a été admirable. Elle a cherché à se tuer vraiment ; elle a épousé un homme qu'elle n'aimait pas pour sauver un homme qu'elle aimait.

« Voilà, nous y sommes. Beate n'aimait pas Emil. Figure-toi que lorsque la barre du rideau s'est rompue et que lui, gros comme il l'est, est tombé par terre, l'air stupéfait, Beate n'a pas pu s'empêcher d'éclater de rire. Elle voyait Emil dans toute sa médiocrité mais elle voulait, comme d'habitude, jouer le rôle de l'héroïne. En somme, une fois de plus, sa conduite était guidée par son cabotinage.

« Pour toi, quoi qu'elle fasse, Beate reste une cabotine.

« C'est seulement si l'on est cabot jusqu'au fond de l'âme qu'on peut penser sérieusement au suicide.

« Ah bon, alors, à ton avis, tous les suicidés sont des cabotins ?

« Oui, certainement.

« Kleist aussi ?

« Oui, probablement. Lorsqu'il écrivait, non, mais lorsqu'il s'est suicidé, oui. »

J'étais fou de rage : « De toute façon, ne continue pas à me parler en mal de Beate, c'est plus fort que moi, je ne le supporte pas. »

Elle s'est mise à rire : « Mais ce sont les faits qui en disent du mal. De toute façon, pour en revenir à Emil, il a reçu son passeport et il est parti pour Paris : Aloïs et Beate se sont mariés le lendemain de son départ. La nuit même, à deux heures du matin, on frappe à ma porte si violemment que je crois qu'on veut l'enfoncer. Je vais ouvrir, c'est Aloïs. Mets-toi à ma place, il était mon beau-frère, Beate était sa femme ; je ne savais rien de leur pacte. Je m'attendais à tout sauf à le voir tomber chez moi la nuit de ses noces. Sans dire un mot il m'attrape par les cheveux et me traîne avec une force terrible à travers tout l'appartement, il me jette contre un mur et m'ordonne de remonter ma jupe. Je ne dois pas parler, je ne dois rien faire, seulement lui faire voir mon pubis qui est aussi roux que celui de Beate. Terrorisée, je lui obéis. Il s'assied sur une chaise, il passe ses bras autour du dossier et il regarde intensément mon triangle de poils fauves qui, pour lui, est évidemment le symbole de tout ce qu'il adore mais ne peut obtenir de Beate. Cette contemplation me paraît si comique que je ne peux m'empêcher d'éclater de rire. Alors, pris subitement d'une rage folle, il s'avance vers moi, il me gifle, il me renverse sur le lit, il se jette sur moi et cherche à décharger sur mon corps le désir que Beate se refuse à satisfaire. Mais moi je réagis, je me débats ; finalement il a raison de ma résistance. Mais il avait besoin de ma résistance obstinée pour compléter la ressemblance physique et psychologique avec Beate ; il avait l'illusion de se trouver non pas en face de moi mais de Beate qui... »

C'est moi qui ai terminé ce récit dans un murmure : « ... qui avait horreur de lui parce qu'il avait du sang sur les mains. »

Tranquillement elle m'a corrigé : ... qui l'avait épousé à condition qu'il ne la toucherait pas... mais au moment où il réussit à me soumettre voilà qu'il m'appelle Beate d'une voix haletante. Et moi je sais que dorénavant il en sera toujours ainsi, si je veux que nos étranges rapports continuent : coups, lutte, bagarre, stupre et le nom de Beate sangloté sur ses lèvres, dans les convulsions de l'orgasme. »

J'ai dit, stupéfait : « Si tu veux que nos rapports continuent... ? Que veux-tu dire ? De quels rapports parles-tu ? »

Elle m'a regardé, stupéfaite elle aussi ; on aurait dit que je ne savais pas ce qui se cachait derrière sa phrase dont en réalité elle ne m'avait pas informé. Puis sur un ton ingénu elle s'est écrié : « Ah ! mais c'est vrai ! je ne te l'avais pas dit ? Avant qu'il connaisse Beate, Aloïs était mon amant. Beate en se faisant épouser par lui me l'avait volé. Cette nuit-là c'est moi qui l'ai volé à Beate. » Elle s'est arrêtée quelques instants de parler, puis elle a ajouté, sans doute par scrupule : « C'est vrai qu'il est revenu à moi parce que je ressemble à Beate. Après tout c'est avec moi qu'il fait l'amour, pas avec Beate. »

Elle a tendu une main pour saisir son verre. J'ai serré son poing très fort : « Cesse de boire. Bientôt tu ne comprendras plus rien.

« Ah ! tu me fais mal. Pourquoi es-tu tellement en colère ?

« Je ne suis pas en colère.

« Tu es en colère et je te dis pourquoi. Ça ne te plaît pas de ressembler à Aloîs et pourtant c'est vrai, tous les deux vous cherchez à vous illusionner : vous êtes avec moi parce que vous voudriez être avec Beate, c'est bizarre, non ? »

L'ivresse faisait passer l'expression de ses yeux de la malice à une sorte d'égarement et de celui-ci à la sévérité. Je lui ai demandé : «Qu'est-ce qui te fait croire que moi avec toi je suis en train de me comporter comme Aloïs ? »

Elle s'est mise à rire : « Ça t'embête de ressembler à un autre, hein ? Et surtout que cet autre soit Aloïs ! Et pourtant je suis sûre qu'un de ces jours si nous continuons à nous voir, tu me feras exactement ce que me fait Aloïs.

« Quoi, par exemple ?

« Tu te jetteras sur moi, tu me battras, tu me violeras et au moment suprême tu m'appelleras Beate.

« Tu ne m'as pas encore dit pourquoi je ferais tout ça ?

« Parce que Beate se refuse à toi comme elle se refuse à Aloïs. Parce que la raison de ce refus est mystérieuse, c'est une réalité spirituelle, le contraire de matérielle. Aujourd'hui, le refus basé sur le spirituel, de la part de la femme, est ce qui provoque le sadisme chez les hommes.

« Mais moi je ne suis, en rien, un sadique.

« Tu le deviendras, tu le deviendras. »

De la main elle m'a caressé la tête qu'obstinément je tenais baissée sans même lever les yeux. Les dents serrées j'ai dit : « Si tu veux, mais à présent revenons en arrière. Revenons à Aloïs. Qui est Aloïs ?

« Un fonctionnaire du Parti.

« Et dans la vie privée ?

« Il possède un élevage de chiens-loups aux environs de Berlin.

« Aloïs s'occupe beaucoup de cet élevage ?

« Non, il y passe de temps en temps pour voir comment vont les choses. C'est moi qui m'en occupe.

« Il y vient de temps en temps et alors il te saute dessus en t'obligeant à jouer le rôle de Beate ?

« Oui.

« Beate m'a très peu parlé de son mari. Mais le peu qu'elle m'en a dit m'a donné l'envie d'en savoir davantage.

« Qu'est-ce qu'elle t'a dit ? Qu'elle l'a en horreur parce qu'il a du sang sur les mains ?

« Comment le sais-tu ?

« Je suis ivre mais je ne suis pas sourde, tu l'as dit toi-même tout à l'heure.

« Eh bien ?

« Eh bien c'est une phrase sensationnelle faite exprès pour t'impressionner. Peut-être pour justifier son propre dégoût vis-à-vis de lui. Mais il n'y a rien de vrai là-dedans.

« Alors, quelle est la vérité ?

« Toujours la même : que Beate est une cabotine. De toute manière elle a tort de salir Aloïs. Elle est sa femme, qu'elle le veuille ou non : quant à lui, il l'adore, il n'y a pas d'autre mot. Si Aloïs lui faisait tellement horreur, elle devait abandonner son pianiste à son sort et ne pas épouser Aloïs.

« Elle n'est pas une épouse mais une prisonnière, la victime d'un chantage.

« C'est ce qu'elle voudrait faire croire mais c'est plus compliqué que cela.

« Par exemple ?

« Beate a toujours su mes rapports avec Aloïs et pourtant, dès leur nuit de noces, c'est elle qui a poussé Aloïs à venir chez moi. Elle lui a dit : " Puisque tu as tellement envie de faire l'amour, va chez Trude, c'est ma sœur jumelle, nous sommes pareilles, tu verras qu'elle ne te repoussera pas. "

« Comment pouvait-elle savoir cela ?

« Elle savait que j'aimais encore Aloïs puisqu'elle a même ajouté : " Non seulement elle ne te repoussera pas mais elle fera semblant d'être moi sous tous les aspects. "

« Que voulait-elle dire ?

« Elle voulait dire que je ferais semblant d'être elle sous notre aspect le plus différent, celui de la politique.

« Je regrette, mais je ne comprends pas bien.

« C'est pourtant simple : avec Aloïs je devais faire semblant d'avoir horreur de lui parce que, comme elle le disait, il avait du sang sur les mains.

« Que veux-tu dire par là ? Que tu devais manifester des sentiments anti-nazis ?

« Précisément. Pour créer en lui l'impression qu'il faisait l'amour avec Beate, je devais lui résister non seulement physiquement mais aussi politiquement.

« Politiquement ?

« Je devais parler contre le Parti et contre le Führer, comme il pensait que Beate devait parler si elle était sincère. Plus je disais du mal du Parti et du Führer, plus il s'excitait. Lorsque finalement il s'est jeté sur moi et m'a giflée, sa violence était en quelque sorte sincère : il était véritablement indigné, véritablement hors de lui. Au moment de l'orgasme, il exigeait de moi que je crie : Vive le Führer ! Ce devait être le cri de Beate terrassée par les coups. Tout de suite après, pris de peur, il me faisait jurer de ne jamais révéler à personne ces rites blasphématoires.

« En somme, tu devais en tout et pour tout jouer le rôle de Beate. Vous continuez encore cette comédie ?

« Oui. Par exemple, l'autre nuit à Naples, à l'hôtel, il est entré dans ma chambre et il a voulu que nous fassions l'amour en nous inspirant de l'idée fixe de Beate, du suicide à deux à la Kleist.

« Aloïs sait-il que Beate a pris Kleist pour modèle ?

« Comment ne le saurait-il pas ? Mais la nuit de Naples, il m'a paru encore plus fou que d'habitude. Il a voulu que tout de suite après avoir fait l'amour je lui dise en balbutiant : « Suicidons-nous ensemble, comme l'ont fait Kleist et Henriette. » À peine avais-je terminé la phrase qu'il a sauté du lit pour fouiller dans la poche de sa veste pour en sortir une petite boîte en argent et me dire : « Ce sont des comprimés de cyanure. Alors, tu es prête ? » Je te jure qu'il m'a fait très peur. Oui, nous étions encore dans cette fiction où moi j'étais Beate avec laquelle il faisait l'amour ; mais si le cyanure était du vrai cyanure et si la comédie était allée jusqu'au bout on nous aurait trouvés morts dans un hôtel de Naples : magnifique scandale. Je lui ai dit : « Avec qui crois-tu parler ? Moi je suis Trude, ta belle-sœur, et je n'ai pas envie de mourir. » Alors il s'est mis à rire en disant: « Ce cyanure n'est pas du cyanure, mais de la saccharine que je mets dans mon café à cause de mon diabète. » Il disait vrai : mais il le disait sur un ton qui a accru ma frayeur. Aussi, à un moment où il ne faisait pas attention à moi, j'ai glissé ma main dans la poche.de sa veste et je lui ai volé sa boîte de saccharine. Je l'ai ici, dans ma chambre, je voudrais que quelqu'un de compétent me dise exactement ce que c'est.

« Au fond tu croyais qu'Aloïs ne plaisantait pas ?

« Il ne plaisante jamais. C'est pourquoi j'ai eu si peur.

« Mais à la fin, Beate et toi, que savez-vous d'Aloïs ?

« Nous savons que tous les matins il va à son bureau, à la direction du Parti et qu'il ne rentre que le soir. Nous savons que c'est un homme très organisé, qu'il aime la musique classique, surtout Bach, et qu'il est gourmand de gâteaux et que son *hobby* est la photographie. »

J'ai dit en reprenant ce qu'on appelle le fil du discours : « Tu ne sais rien de lui en dehors du fait que c'est un fonctionnaire membre du Parti. Mais la phrase de Beate au sujet de ses mains qui sont tachées de sang laisserait supposer qu'elle doit en savoir davantage.

« Qu'est-ce que tu veux qu'elle sache ? Si c'est vrai, comme il est vrai qu'Aloïs est fonctionnaire, membre du Parti, elle ne peut absolument rien savoir de plus.

« En Italie, nous arrivent tous les jours d'Allemagne des nouvelles d'incidents où la violence joue un rôle. Toi tu ne sais rien de la vie publique d'Aloïs. Pourrais-tu affirmer qu'Aloïs n'a jamais participé à des incidents de ce genre ?

« Oui. Il est peu probable qu'un chef relativement important comme Aloïs prenne part personnellement et directement à ce genre d'actes de violence.

« Et impersonnellement et indirectement ?

« Alors tout le monde en Allemagne pourrait avoir du sang sur les mains.

« Maintenant je comprends pourquoi Beate désire se suicider. »

Trude a tout de suite protesté : « Beate voulait se suicider bien avant de connaître Aloïs. Mais toi, tu te refuses encore à comprendre une chose.

« Quelle chose ?

« Toujours la même : que Beate est une comédienne. »

J'ai riposté, furieux : « La vérité est que chez Beate, peut-être inconsciemment, il y a toute la douleur du monde. Cette douleur que tu n'es capable ni de ressentir et moins encore d'imaginer. »

Elle n'a rien répondu. Elle s'est contentée de me regarder avec une remarquable placidité. J'ai repris : « Beate est la seule femme que je puisse aimer, avec laquelle je voudrais vivre. J'irai en Allemagne et la convaincrai de venir vivre avec moi en Italie.

« Que peux-tu proposer à Beate ?

« Tu veux parler des côtés, disons, matériels ?

« Naturellement. »

J'ai alors récité scrupuleusement : « Je suis fils unique. Mon père est un propriétaire foncier de moyenne importance. Il habite une petite ville de province et exerce la profession de médecin. Moi je vis à Rome et mon père me verse des mensualités suffisantes pour vivre modestement à deux. Du reste, je gagne un peu d'argent avec mes traductions, mes articles dans les journaux littéraires, mes rapports de lectures. Ce n'est pas la richesse, mais Beate ne manquerait de rien. »

Elle me regardait avec un vague sourire, moqueur peut-être. Puis elle a dit sans hausser le ton, d'une voix très douce : « Mais tu refuses de comprendre que Beate ne veut vivre ni avec toi ni avec personne : elle veut simplement mourir.

« Lorsque cela t'arrange, tu dis qu'elle est une cabotine ; lorsque cela ne t'arrange pas, tu dis le contraire.

« Pas du tout. Je dis toujours la même chose : c'est une cabotine, donc elle veut mourir. »

Dans l'hostilité de Trude envers sa sœur il y avait quelque chose d'obscur, d'indéchiffrable que je n'arrivais pas à saisir. En voyant que je ne disais rien, elle a ajouté : « Tu prends vraiment Beate au sérieux ? Alors dis-moi, s'il te plaît, ce que tu attends d'elle quand tu seras en Allemagne ? Elle, ce qu'elle veut de toi, je te l'ai déjà dit ; si tu la prends au sérieux, tu dois être sûr qu'elle ne changera pas d'un iota sa proposition. De toute manière, il est certain qu'elle n'acceptera pas de devenir ta femme. De cela, au moins, tu devrais être certain. Alors, je répète, que vas-tu faire en Allemagne ? Faire l'intellectuel italien, le fils d'un petit propriétaire terrien qui veut épouser une belle Allemande ! »

Son ton froid, méprisant et coupant m'a fait courir un frisson dans le dos. J'ai répondu, rageur : « Il est facile de te moquer de mon plan de sauvetage parce que tu n'y vois que ce que j'ai voulu te laisser voir : le petit appartement de trois-pièces-cuisine, la petite voiture minable, le couple petit-bourgeois, mais le fait de ne t'avoir parlé que de cela ne veut pas dire qu'il n'y ait pas autre chose.

« Autre chose ? Et quoi ?

« Si tu me promets de ne pas te moquer de moi, de ne pas dire du mal de Beate, je tâcherai de te l'expliquer. »

Elle s'est mise à rire : « Pourquoi détestes-tu tellement qu'on se moque un peu de toi ? D'accord, je promets. »

J'ai réfléchi un moment puis, à cause de sa promesse, j'ai pris mon courage à deux mains : « Sais-tu ce qui me fait tant aimer Beate ?

« Je ne sais pas. Comment pourrais-je le savoir ?

« C'est parce que nous avons quelque chose en commun.

« Et c'est quoi ?

« Le désespoir. Nous sommes tous les deux désespérés.

« Qui te dit que Beate le soit ? C'est peut-être elle qui te l'a dit ?

« Tu m'as dis toi-même qu'elle voulait mourir.

« Elle veut mourir pour des raisons esthétiques : pas par désespoir.

« Esthétiques ?

« Oui, théâtrales. Elle veut jouer jusqu'au bout un certain personnage.

« Je t'avais demandé de ne pas dire du mal de Beate.

« Je n'ai rien dit de mal. Cette fois-ci je n'ai pas dit qu'elle était une cabotine. J'ai dit seulement qu'elle voulait jouer le rôle d'un certain personnage. Tu dis que vous avez en commun le désespoir, laissons de côté celui de Beate. Mais le tien ? Qu'est-il vraiment ? Es-tu toi aussi à la recherche de quelqu'un qui voudrait se suicider avec toi ? Ou penses-tu mourir tout seul ?

« Tu vois bien que tu ne sais pas renoncer à l'ironie !

« Excuse-moi encore une fois, mais ne t'occupe pas de moi. C'est à toi de parler : parle. »

Après quelques secondes de réflexion, j'ai repris en soupirant : « Nous sommes tous les deux désespérés : mais nos désespoirs sont différents. Beate voudrait suivre la logique du désespoir jusqu'au bout, c'est-à-dire jusqu'au suicide. Moi au contraire, je refuse d'être logique.

« Tu ne voudrais pas te suicider, n'est-ce pas ? »

J'ai répondu sur un ton de sincérité en quelque sorte un peu comique : « Si cela était possible, je préférerais l'éviter. »

Elle s'est mise à rire puis elle a avancé sa main pour me caresser gentiment la joue : « Au moins, toi, tu es sincère, et vive la sincérité ! »

Bizarrement je ne me sentais pas offensé par son ton ironique : peut-être parce que, une fois encore, il s'y mêlait je ne savais quelle douceur et quelle gentillesse. J'ai insisté : « Laisse-moi t'expliquer ma théorie du désespoir.

« Vas-y !

« Entendons-nous bien, ma théorie n'est pas très compliquée. Je pense, je suis convaincu, j'ai l'absolue certitude que la condition normale de l'homme devrait être le désespoir. Un désespoir aussi naturel que l'air que nous respirons. La seule différence c'est que nous respirons sans en avoir conscience ; tandis que nous ne pouvons nous empêcher d'être conscients de notre désespoir. Aujourd'hui j'en suis arrivé à conclure que, tandis que d'un côté nous devons refuser fermement toutes les illusions que la nature nous propose, de l'autre, nous devons stabiliser le désespoir, je veux dire que nous devons en accepter les normes, comme dans la vie sociale nous acceptons les lois. Nous vivons dans un monde désespéré, mais nous devons nous plier à ses lois. »

Elle avait été très attentive, aussi m'a-t-elle fait tout de suite remarquer : « Mais qui te dit qu'après avoir renoncé à la mort, le désespoir ne perdrait pas sa force et qu'il ne se transformerait pas en alibi pour mieux jouir de la vie ? »

J'ai répondu, très sûr de moi : « On n'est pas désespéré par moments, de temps en temps : on est désespéré pour toujours quel que soit le plaisir que l'on retire de la vie. »

Après avoir entendu ce que je venais de lui dire, elle est restée pensive, distraite. Puis elle a repris : « Alors ce serait ça ton amour pour Beate ? Un amour fait de mathématiques ; calculé, comme on calcule la portée d'un pont sur lequel devrait passer toute la circulation ? Mais il s'agit toujours ici de ce côté de l'amour qu'il faut bien appeler intellectuel. Tu ne m'as rien dit de son côté, disons, matériel. Beate est une femme faite de chair et d'os : qu'est-ce que tu éprouves pour cette femme en chair et en os ? »

J'ai répondu un peu gêné : « J'éprouve une attirance normale. »

À ces mots, je l'ai vue devenir, sans raison apparente, folle furieuse : « Eh bien, aussi vrai que nous sommes sur la terrasse de l'établissement de bains, je peux te dire que toi tu n'obtiendras rien d'elle, absolument rien, pas même un baiser sur le front. Tu peux toujours aller en Allemagne, te rouler à ses pieds, la supplier, elle ne te donnera rien, rien, même pas ça ! » Elle a fait claquer un ongle contre une de ses dents.

« Mais moi, je...

« Et tout ça parce que Beate est frigide, totalement, irréparablement frigide. Tu ne le savais pas peut-être ? Maintenant tu le sais. »

J'ai objecté, mais pas très sûr de ce que j'avançais : « Il n'y a pas de femmes frigides, il n'y a que des femmes qui n'ont pas rencontré l'homme qu'il leur faut.

« Vous les Italiens, vous êtes toujours très sûrs de vous ; vous croyez avoir entre vos cuisses la baguette magique qui fait des miracles à volonté. Mais il peut arriver que la femme soit insensible à votre magie et qu'elle ne sache que faire de votre baguette.

« Que veux-tu dire ?

« Tu ne sais pas tout au sujet de Beate.

« Je sais seulement que je ne sais rien.

« Je vais te dire la raison de la frigidité de Beate.

« Il y a une raison précise ?

« Très précise. Écoute-moi bien, je te la dirai sous forme d'histoire, comme Beate me l'a racontée plusieurs fois. Et puis parce que sous cette forme certains détails importants ressortent mieux, plus clairs, plus significatifs.

« Alors voilà : Beate, qui a neuf ans, sort un jour de notre maison de campagne, près de Munich, où elle vit avec sa famille. Devant la maison il y a un très grand pré, en pente douce, qui descend jusqu'à la rivière. La rivière est proche mais ne se voit pas parce qu'elle est cachée par une rangée d'arbres. C'est le mois de juin, il fait chaud, l'herbe du pré est haute et bien fournie, elle arrive aux genoux de Beate qui marche vers la rivière. Elle a l'intention de se baigner. Machinalement, tout en marchant, elle cueille une longue tige d'herbe, elle la mâchouille, elle aime le goût de l'herbe. Mais en la tenant maladroitement, elle se coupe le doigt comme si elle avait serré dans sa main une lame de rasoir. Beate dit à haute voix : "méchante " ! Elle presse la coupure, le sang coule abondamment. Alors Beate entend une voix qui dit : " Elle est méchante, hein, cette herbe ! Fais-moi voir. " Beate lève les yeux et voit un homme d'une quarantaine d'années, brun, aux yeux clairs, très pâle, habillé

194

en tyrolien, avec des culottes et une veste de cuir. Il sourit et insiste gentiment : " Laisse-moi voir si tu t'es fait mal. " Beate tend sa main et lui, après avoir examiné son doigt dit : " Ce n'est rien, nous allons mettre dessus un petit baiser et tu n'auras plus mal. " L'homme porte la main de Beate à sa bouche et suce rapidement le sang ; puis il dit : " Voilà, c'est fait. Mais où allais-tu ? À la rivière ? Donne-moi la main, allons-y ensemble. " Il lui prend la main. Beate n'a pas le courage de la lui refuser. Mais au moment où ils commencent à marcher vers la rivière, au milieu des hautes herbes, la main de l'homme devient glacée et mouillée de sueur. Beate a besoin d'exprimer ce qu'elle éprouve et elle répète à haute voix : " J'ai peur, j'ai peur. " L'homme la gronde : " De quoi as-tu peur, nigaude, nous allons arriver à la rivière et nous prendrons un bon bain. " Alors, l'une va répétant : j'ai peur, j'ai peur, tandis que l'autre cherche à la tranquilliser. L'un tirant l'autre par la main, tous deux disparaissent derrière le rideau d'arbres.

Une demi-heure après, Beate débouche au milieu de la rangée d'arbres en courant vers la maison. L'homme aux culottes de cuir n'est pas avec elle, il est resté au bord de l'eau. Beate court et pense au mal qu'elle vient d'éprouver ; tout à fait semblable à celui qu'elle a senti lorsqu'elle s'est coupé le doigt avec l'herbe, une douleur pénétrante comme celle que ferait un rasoir bien effilé. Toujours courant et pensant sans cesse au mal dont elle souffre, elle regarde ses jambes, elle voit que du sang a coulé sur la partie interne de sa cuisse et alors elle décide de rentrer à la maison par une petite porte ; par l'escalier de service, elle pourra monter dans sa chambre au deuxième étage sans qu'on la voie. »

Trude s'est tue et en me regardant d'un air interrogatif : « Qu'en penses-tu ? » Alors c'est moi qui ai demandé : « Ce serait la raison de la frigidité de Beate, cette histoire ?

« Oui, c'est du moins le motif qu'elle invoque. »

L'histoire de Beate violée m'avait donné l'impression de malaise quasi incrédule que l'on éprouve en découvrant l'origine sordide du comportement anormal d'une personne chère. Aujourd'hui cette impression avait tout de suite été effacée par ce « du moins » prononcé du bout des lèvres par Trude. J'ai demandé : « Pourquoi dis-tu " du moins " ? L'histoire pourrait donc ne pas être vraie ? »

Elle m'a répondu sur un ton mi-figue mi-raisin : « Avec Beate tout est possible. Tu me diras que certaines choses ne s'inventent pas, par exemple la ressemblance entre la douleur qu'on ressent lorsqu'on se coupe et celle du viol. Eh bien, non, les détails les plus vraisemblables dans les histoires des mythomanes comme Beate sont inventés. »

Curieux cette fois, j'ai demandé : « Et toi, qu'en penses-tu ? Que c'est une invention ou non ? »

Elle ne m'a pas répondu tout de suite, puis elle a dit : « Tout compte fait, je dirais qu'il s'agit d'une invention. Sais-tu ce qui me le fait croire ?

« Et quoi donc ?

« La description de l'homme qui l'aurait violée : brun, pâle, yeux clairs, habillé comme les Tyroliens...

« Et alors ?

« Alors, ajoute à ce portrait une mèche de cheveux au milieu du front et tu auras... Hitler. » Elle souriait malicieusement. J'ai répété : « Hitler ? Mais pourquoi Hitler ?

« Parce que Beate, de manière obsessive, est contre le Führer. Voilà pourquoi. Note bien que le viol a peut-être eu lieu. C'est la description de l'homme qui ne correspond pas à la réalité. Beate a senti le besoin de dépeindre sous les traits du Führer l'homme qui venait de la violer. Je te l'ai dit, une véritable obsession. C'est plus fort qu'elle. » Puis elle a ajouté : « De toute façon, peu importe. Ce que toi tu dois avoir besoin de savoir c'est autre chose.

« Quelle chose ?

« Qu'en tout cas, moi, la frigidité, connais pas. »

Alors j'ai été franchement étonné : « Mais qu'est-ce que tu dis ?

« Je dis la vérité, une vérité que tu ne veux pas admettre mais que malgré cela tu ne peux ignorer. Aujourd'hui, quand tu m'as caressée dans la barque, n'as-tu pas eu la sensation de caresser Beate ? Ne dis pas non, je l'ai lu dans tes yeux, tu me regardais mais tu voyais Beate.

« Donc ?

« Donc je peux t'assurer qu'aucun homme ne m'a violée quand

j'avais neuf ans et que par conséquent je ne suis absolument pas frigide. En d'autres termes : feu vert, voie libre. »

Que pouvais-je dire ? J'étais étonné et un peu scandalisé par la brutalité de cette proposition. Au bout d'un moment elle a repris : « Écoute-moi bien. Tu es pris dans une contradiction. D'un côté tu es certain que Beate ne se laissera pas toucher par toi à moins que tu ne lui promettes de mourir avec elle. D'un autre, tu voudrais faire l'amour avec elle et tu t'imagines que lorsqu'elle aura couché avec toi elle renoncera à son projet de suicide. C'est vrai, n'est-ce pas ? »

J'ai admis : « C'est vrai.

« Eh bien je te propose un moyen très simple pour résoudre la contradiction : la comédie.

« Quelle comédie ?

« Je ferai semblant d'être Beate, une Beate qui ne te repoussera pas, qui n'est pas frigide, qui est prête à faire l'amour avec toi. Mais pourtant une Beate qui a sérieusement l'intention de mourir avec toi. Aujourd'hui en barque, hier sur la route, tu as accepté l'illusion ; je me débrouillerai pour que ton illusion soit encore plus parfaite, jusqu'à dépasser l'amour, jusqu'à effleurer la mort. Si je ne réussis pas à te tromper, tu seras autorisé à arrêter la représentation, exactement comme on interrompt une répétition lorsqu'on s'aperçoit que les comédiens n'ont pas appris leurs rôles.

« Que veux-tu dire par " effleurer la mort " ?

« Tu dois avoir confiance en moi. Nous l'effleurons ; cela dépendra de toi que la comédie reste une comédie. »

Je n'ai pas pu m'empêcher de lui demander : « Excuse-moi mais je ne comprends pas pourquoi tu ferais tout cela ? Seulement pour me prouver que tu es le sosie parfait de Beate ?

« Quelle question ? Parce que tu me plais et pour que j'arrive à te plaire il faut que je fasse semblant d'être ma sœur.

« Tu n'arriveras jamais à m'en donner tout à fait l'illusion. »

Elle s'est mise à rire avec un air si sûr d'elle-même qu'elle en était déconcertante : « Veux-tu que j'essaie pendant quelques minutes d'être Beate ? Regarde. »

Elle a appuyé son menton entre ses mains réunies, elle m'a regardé fixement : sombre, malheureuse, obstinée, dure ; le regard qu'on ne pouvait confondre avec aucun autre et que je connaissais si bien, l'a transformée d'un seul coup en Beate. Je n'ai pas pu m'empêcher de crier ma surprise. Sans rire, Trude a ajouté : « Et à présent, voilà Trude. » Le regard désespéré a disparu, remplacé par une expression provocante et féline. En même temps elle glisse jusqu'au bout de sa chaise ; alors j'ai senti son pied déchaussé qui s'introduisait sous le tapis de la table entre mes jambes et remontait jusqu'à mon ventre. Trude dit, parlant d'elle à la troisième personne, comme une petite fille : « Tu vois, maintenant Trude te rend la caresse que tu lui as faite en bateau. Ça te plaît, non ? Mais toi tu voudrais que ce pied soit celui de la triste Beate, de la désespérée : eh bien, sois content. À présent, Beate te regarde avec tout le désespoir possible en même temps qu'elle te masturbe. »

Elle a battu des paupières comme on remue un kaléidoscope pour modifier la composition des petits morceaux de verre colorés, et voilà de nouveau le regard sombre, malheureux de Beate ; mais au même moment le pied qui montait entre mes cuisses a atteint son but. La pression, les frôlements, les grattements, les griffures des orteils, j'ai senti la chaleur, le fourmillement, le gonflement de l'érection. Trude m'a demandé avec insistance : Qu'en dis-tu ? Tu dois reconnaître que ton rêve est en train de se réaliser. Beate et Trude réunies en une seule et même personne. »

Son pied s'appuyait très fort avec une douce violence qui répandait en moi une autre douceur ardente et épuisante. Ma chaise et moi nous sommes tirés en arrière et j'ai demandé : « Quand commencera la représentation ?

« Cette nuit. Je viendrai dans ta chambre, je ne sais pas à quelle heure mais ce sera après minuit. Maintenant, *ciao,* je suis fatiguée et soûle. Ne me suis pas. J'ai besoin de rester seule. »

Elle s'est levée brusquement de table et elle s'est dirigée vers la sortie du restaurant. Je suis resté à ma place, j'ai appelé le *cameriere* et j'ai demandé l'addition.

XI

Je suis remonté plus tard à Anacapri. Dès que je suis entré dans le hall de la pension, je suis allé directement dans le coin où se trouvait le signor Galamini lisant son journal. A brûle-pourpoint je lui ai dit : « Je viens vous prévenir que je pars par le bateau de neuf heures.

« Demain ?

« Non, aujourd'hui, ce soir.

« Alors je vous demanderai de payer votre chambre ainsi que la nuit prochaine, je vous ferai moitié prix.

« Merci.

« Vous prendrez l'autobus ou une *carrozza* ?

« Une *carrozza*. En même temps, vous pourriez vous renseigner pour savoir s'il existe une correspondance entre le *vaporetto* et le train qui va directement de Naples en Allemagne ?

« Certainement, je vais m'en informer. »

Ce dialogue de manuel de conversation à l'usage des touristes s'est terminé par une phrase – elle aussi sortie tout droit du même manuel – le signor Galamini s'est tourné vers ses casiers en disant : « Ah, il y a une lettre pour vous. »

Une lettre ? Pour moi ? Qui pouvait bien m'écrire à Anacapri ? Peut-être ma mère ? Qui d'autre ? J'ai pris l'enveloppe, j'ai fait deux pas dans le hall, je l'ai ouverte et j'ai lu : « Mon amour, le seul amour de ma vie, je viendrai cette nuit dans ta chambre. Attends-moi après minuit. Ta Beate qui voudrait vivre et mourir avec toi. »

À la lecture de cette lettre je me suis mis à faire des mouvements qui devaient ressembler assez à ceux qu'exécutent les marionnettes à fils mal manipulées. J'ai tourné les talons et j'ai dit au signor Galamini : « J'ai réfléchi, je ne pars plus. Je partirai... un autre jour.

« Très bien. Mais dans votre intérêt, je vous prierais de m'avertir à temps. Autrement je serais obligé de vous faire payer la totalité du prix de la chambre. »

J'ai regardé le signor Galamini avec un air si ahuri qu'il s'est senti le besoin d'ajouter : « Nous sommes en pleine saison et nos chambres sont très demandées. » Alors mes lèvres ont brusquement laissé échapper la question que je n'étais pas encore arrivé à formuler : « Pardon, mais cette lettre, quand vous a-t-elle été remise ? Comme j'ai vu il y a peu de temps la personne qui l'a écrite, je m'étonne qu'elle ne m'en ait rien dit. »

Le signor Galamini a refusé l'embryon de conversation que je proposais. Il m'a répondu brièvement : « Cette dame a laissé la lettre ce matin, avant de partir pour la plage. »

J'ai fait un rapide calcul. Trude était descendue à la mer après moi : donc cette lettre avait été remise au bureau après ma sortie de la pension mais avant celle de Trude. Donc, et ceci était la chose importante : Trude, ce matin, encore avant de me voir, avait décidé de prendre, dans la comédie qu'elle avait organisée pour moi, le rôle de Beate ; une comédie que, évidemment, elle était sûre de me faire accepter. Et effectivement, comme je me le disais en me dirigeant du côté de l'escalier, lettre en main, je l'avais acceptée.

De toute évidence, la lettre de Trude portant la signature de Beate m'avait obligé à renoncer à mon voyage parce qu'elle avait créé d'un seul coup l'atmosphère d'un spectacle ou d'une représentation, exactement comme le coup de gong qui, dans les théâtres, annonce la reprise du spectacle, après une interruption due, comme on dit, à des incidents techniques. Pourquoi les spectateurs restent-ils d'habitude à leur place ? Pourquoi ne s'en vont-ils pas après un raisonnable temps d'attente ? Pour trois raisons possibles : parce qu'ils sont curieux de voir comment va se terminer la pièce ; parce qu'ils ont dépensé de l'argent pour le billet ; parce que n'étant ni curieux, ni avares, ils s'intéressent à l'auteur. De ces trois raisons, les deux premières ne me semblaient pas valables : je n'étais pas curieux de voir comment finirait la pièce ; entre Trude et moi il y avait maintenant un accord tacite : la comédie se terminerait par ce rapport physique que Beate, depuis le commencement, avait complètement refusé. La deuxième raison avait encore moins de fondement : effectivement, en renonçant à aller en Allemagne, je refusais de payer le prix du billet, je veux dire qu'en acceptant la comédie, je refusais le projet de suicide à deux, en d'autres termes et en substance, j'assistais gratuitement au spectacle. Restait la troisième raison qui me semblait la seule qui tenait debout : en renonçant au voyage en Allemagne, en acceptant de jouer le jeu, je prouvais que j'étais intéressé par la valeur de l'auteur, c'est-à-dire que je n'étais amoureux ni de Trude ni de Beate, mais d'un fantasme qui, au cours de la comédie, s'interposerait entre les jumelles et moi. Ce fantasme n'était ni Trude ni Beate, mais une troisième femme qui tenait un peu de l'une, un peu de l'autre puisqu'elle était disposée à faire l'amour à la manière charnelle qui plaisait à Trude mais en conservant, même dans l'amour physique, la spiritualité désespérée propre à Beate. Et tout ceci sans me demander d'amener le désespoir jusqu'au suicide ni l'amour physique jusqu'à la vulgarité d'une aventure de vacances à la mer. Mais qui avait inventé ce personnage aux deux visages ? À première vue, Trude ; c'était à elle qu'on devait l'idée de la comédie. Mais après, en réfléchissant mieux, je me suis aperçu que pour beaucoup de raisons l'auteur aurait pu être moi. Cette femme imaginée, qui était à la fois Trude et Beate, avec laquelle je faisais l'amour, avec laquelle je partageais le désespoir, sans pour autant arriver jusqu'au suicide, cette femme n'était-elle pas la compagne que je voyais à mes côtés dans ce monde de vie que j'appelais le désespoir stabilisé ? Mais d'autre part, il dépendait de moi que la représentation se monte, je veux dire qu'entre Trude et Beate prenne corps la troisième femme qui, en réalité, était la seule que je sentais aimer. Mais oui, parce qu'à la fin il s'avérait que grâce à la représentation, j'obtiendrais ce quelque chose que ni Trude ni Beate n'étaient capables de me donner.

Et cette chose, je recommençais à me le répéter (la répétition, en ce cas, était inévitable, parce que, en me répétant, j'arriverais à me convaincre de la validité de ma solution au problème), c'était le désespoir sans la mort ; en d'autres termes, c'était la réponse à la question qu'en arrivant à Capri, j'avais cru lire inscrite sur la banderole qu'une immense chauve-souris, comme dans la gravure de Dürer, tenait suspendue dans le ciel au-dessus de l'île : « Peut-on vivre dans le désespoir sans désirer la mort ? » Parce que cette réponse, que je prévoyais affirmative, avait une telle importance pour moi, je me consolais du caractère privé et intéressé de notre comédie en me disant qu'en elle, il y avait quelque chose d'imper-sonnel et de désintéressé. Grâce à cette comédie, non seulement j'arriverais à faire l'amour avec Beate mais encore j'affirmerais une vérité universelle, bonne non seulement pour elle, pour moi, mais pour tout le monde.

Au milieu de ces réflexions je me suis endormi sur mon lit tel que j'étais, tout habillé. Et j'ai fait un rêve : je suis assis devant une fenêtre fermée qui donne sur une terrasse ou sur une galerie : derrière les vitres voici qu'apparaît Trude et qu'elle me parle. Je n'entends pas sa voix à cause des fenêtres fermées ; je lui fais signe que je ne la comprends pas. Alors elle recourt à une mimique éloquente : elle s'indique elle-même en touchant sa poitrine avec une main ; et puis elle fait le geste de marcher sur la galerie et d'entrer dans ma chambre par la porte que j'ai moi-même fermée à clé. Naturellement, je fais « non » de la tête. Je ne veux pas que Trude pénètre dans ma chambre parce que j'attends quelqu'un, précisément la femme imaginaire qui est à la fois Trude et Beate. Trude proteste ; debout derrière la vitre de la fenêtre elle fait des gestes provocants : elle cligne de l'œil, elle tire la langue, elle se lèche les lèvres, elle ouvre sa blouse et elle me montre ses seins. Mais je dis non, toujours non. Alors, à la place de Trude, voici Beate. Comme d'habitude son visage est volontairement sombre et malheureux ; à l'inverse de Trude, elle ne fait aucun geste, elle ne bouge pas, elle attend. Qu'attend-elle ? Il me semble qu'elle attend que je l'invite à entrer dans ma chambre par la porte qui se trouve derrière moi. Mais encore une fois je fais « non » de la tête, mais pas sans regret parce que Beate est la femme que j'aimais jusqu'à aujourd'hui. Je dis « non » et Beate s'en va comme Trude s'en est allée tout à l'heure. Brusquement on frappe à ma porte. Cette fois-ci je suis sûr que la personne qui frappe n'est ni Trude ni Beate mais la troisième femme que j'attends en ce moment. Alors je lui crie d'entrer. Je n'ai pas dû crier assez fort puisqu'on continue à frapper de manière à la fois insistante, prude, prudente. Alors, dans l'idée de voir ce qui se passe réellement, je me lève.

Eh bien, quelqu'un frappait réellement à la porte : avec insistance mais aussi, comme je l'avais remarqué dans mon rêve, avec discrétion, presque avec timidité. Je ne rêvais plus : comment ai-je pu penser que, logiquement, c'était Trude qui était là ? Trude qui, pour une raison quelconque, venait plus tôt qu'elle ne l'avait dit. Bizarrement cette supposition ne m'a pas fait plaisir : je n'étais pas encore prêt à assister à la représentation. Pourtant, je me suis levé et je suis allé ouvrir la porte. À mon étonnement je me suis trouvé en face, non pas de Trude, mais de sa mère.

Paula était vêtue d'un pyjama chinois en soie noire ; un dragon multicolore était brodé au bas de sa veste. Ses bras maigres couverts de lentilles brunes semblaient, en sortant des larges manches évasées, encore plus minces. Une fois de plus j'ai été frappé par sa tête de type masculin : cheveux très courts, noirs et brillants avec deux mèches en forme de virgule autour de grandes oreilles cartilagineuses ; nez droit et dominateur ; bouche lourde, sensuelle, dédaigneuse. Comme si je m'en apercevais pour la première fois, j'ai été ce jour-là frappé par la différence entre la partie supérieure de son corps et la partie inférieure ; la première plate sous la soie du pyjama, la seconde, musclée à partir des hanches : ses cuisses étaient si fortes qu'à chacun de ses mouvements elles semblaient vouloir crever le tissu du pantalon. Ses muscles avaient dû forcir parce qu'elle montait beaucoup à cheval : l'équitation était, je le savais, le sport favori de Paula. Et en regardant ces fortes cuisses habituées à serrer de près les selles des chevaux, j'ai eu un moment l'impression qu'elles étaient là peut-être, disons pour faire allusion au véritable caractère de Paula apparemment très maternelle, très affectueuse avec Trude, mais en dessous, autoritaire, exigeante et possessive. En employant l'allemand, elle a commencé tout de suite : « Je suppose que vous attendez Trude bien que votre rendez-vous soit seulement pour cette nuit. Mais comme Trude m'a dit que vous avez l'intention de partir avec nous pour l'Allemagne, je suis venue vous parler. Ne serait-ce que pour vous épargner un voyage inutile. »

J'ai pensé que Trude, à cause de la jalousie qu'elle ressentait pour sa sœur, avait prié sa mère d'intervenir pour me dissuader d'entreprendre ce voyage. Supposition logique justifiée par cette phrase : « Ne serait-ce que pour vous épargner d'entreprendre un voyage inutile. » Tout de suite je me suis dit qu'il fallait résister, ne céder à aucune condition, aucune amabilité, aucune menace. Du reste, que pouvait bien me dire la mère de Beate ? Que sa fille aimait son mari et que je ne l'intéressais pas ? Que tout cela n'était qu'une aventure de vacances que je ne devais pas prendre au sérieux ? Que le mari, grâce à sa situation, pouvait me faire expulser d'Allemagne ? Que dans tous les cas en allant retrouver Beate je m'exposerais à un refus humiliant ? Je me suis incliné devant elle pour l'inviter à entrer chez moi. Elle est entrée et s'est dirigée tout de suite vers le fauteuil au pied du lit ; elle s'y est installée en croisant ses jambes avec la désinvolture d'une vraie femme du monde. J'ai remarqué qu'une petite chaîne d'or entourait sa cheville droite. Je me suis alors souvenu, comme d'une coïncidence qui avait peut-être une signification, qu'une même chaînette entourait la cheville de Beate. Paula a commencé à parler extrêmement poliment : « Je vous prie de m'excuser d'être venue sans vous prévenir. Une femme ne va pas dans la chambre d'un homme à moins d'avoir des motifs d'ordre, disons, sentimentaux. Mais moi je suis une femme un peu spéciale. Et puis, comme vous l'avez probablement deviné, je suis venue vous parler à cause de ma chère Trude. »

Une femme un peu spéciale ! Ma chère Trude ! Cela ne ressemblait pas au langage d'une mère. Paula a ajouté, confirmant ainsi ma gêne : « En tout cas, croyez bien que je ne serais pas là si je n'avais pas pensé aussi à vous. C'est surtout pour vous que je suis venue ce soir. »

Ce soi-disant altruisme m'a indigné comme un trait d'hypocrisie ridicule et facile. Je m'étais assis au bord de mon lit. Je me suis levé : « Ah ça non ! qu'est-ce que je viens faire dans cette histoire ? Et en quoi cela regarde-t-il Trude ? Vous êtes ici à cause de Beate, inutile de le nier. Mais qu'il soit bien entendu que rien ni personne ne m'empêchera d'aller retrouver Beate en Allemagne. »

Elle ne m'a pas paru vraiment décontenancée par ma nervosité ; tout de même elle m'a regardé avec une certaine curiosité puis elle a dit sur un ton assez bienveillant : « Calmez-vous, asseyez-vous, écoutez-moi. »

« Je suis très calme, et avec tout le calme possible, je vous informe que j'ai l'intention de partir demain pour l'Allemagne. »

Elle a fait avec la main un geste indulgent : « Allons, allons allons allons ! »

Je me suis rassis sur mon lit et j'ai dit en cherchant à retrouver un ton normal : « Pardonnez-moi mais il m'est difficile de conserver mon calme lorsqu'on me parle de Beate.

« Je ne suis pas venue pour parler de Beate, mais de Trude, et seulement de Trude. »

Je me suis senti un peu soulagé ; mais je me suis aussi rendu compte que je ne comprenais rien : Paula voulait m'éviter un voyage inutile, et en même temps elle m'assurait qu'elle n'était pas venue pour me parler de Beate, à moi qui aurais fait ce voyage uniquement pour rejoindre Beate ; alors pourquoi Paula était-elle ici ? Cette contradiction m'a donné l'idée de prouver une bonne volonté, en réalité inexistante : « Je comprends ; vous êtes aussi la mère de Trude. Mais tandis que vous ne pouvez rien me reprocher en ce qui regarde Beate, je suppose que vous avez beaucoup à dire sur mes relations avec Trude. Eh bien, je suis prêt à vous fournir toutes les explications que vous désirez. En revanche je voudrais vous demander de me donner à moi aussi l'explication de pas mal de choses. »

Sur un ton prometteur et sans chaleur elle m'a répondu en retirant de son sac un long fume-cigarette d'écaille et d'argent : « Ne craignez rien, tout sera expliqué. S'il vous plaît, passez-moi une cigarette. »

Je lui ai tendu mon paquet, elle en a allumé une pour en tirer tout de suite une bouffée, puis elle a dit : « Je ne suis pas la mère de Trude. »

J'ai balbutié : « Vous n'êtes pas la mère de Trude ? Que voulez-vous dire ? Vous-même vous vous êtes présentée comme la mère de Trude et de Beate. »

Calmement elle a repris : « Je vous répète que je ne suis pas la mère de Trude. Je suis seulement une amie. Je suis comédienne et je travaille dans la même compagnie que Trude.

« Je continue à ne pas comprendre. J'ai toujours su que la comédienne c'était Beate et que Trude s'occupait de l'élevage de chiens de Müller. Qu'est-ce que c'est que cette histoire ? »

Elle a hoché la tête : « Il est temps que vous le sachiez : Beate n'existe pas et n'a jamais existé. Trude a fait semblant devant vous d'être Beate. »

Là, je suis resté stupéfait, profondément stupéfait mais lucide. J'avais l'impression de tomber, tomber interminablement mais sans cesser de réfléchir. J'ai fini par penser que je pouvais la croire ; et je me suis aperçu qu'à mon étonnement se mêlait à présent une méfiance imprévisible jusque-là. Il me venait l'idée que les deux inexistences de Paula comme mère, et de Beate en tant que jumelle, n'étaient que deux ridicules mensonges fabriqués pour se débarrasser de moi. C'était une supposition encore plus difficile à croire que le mensonge qui entendait me démasquer. Après tout, pourquoi pas ? Je n'ai rien trouvé de mieux tant j'étais bouleversé : « Mais si pendant des jours j'ai pris mes repas en ayant Beate assise devant moi à la table à côté de la mienne, si je lui ai parlé ! » J'étais prêt à ajouter : « Si elle m'a dit qu'elle m'aimait ! Si elle m'a proposé de nous suicider ensemble comme Kleist et Henriette Vogel ! » mais par pudeur je me suis retenu et j'ai conclu sur un ton ironique : « Vos révélations ne m'ont pas convaincu. Peut-on savoir ce qui se cache derrière tout cela ? »

Paula me regardait fixement comme si elle me voyait pour la première fois : « Vous ne me croyez pas, je le vois. Si vous voulez, je peux demander à Trude de confirmer mes paroles.

« Qui me dit que Trude n'est pas d'accord avec vous ? Je répète, encore une fois : qu'est-ce qui se cache derrière tout cela ?

« Rien d'autre que le désir de faire cesser une plaisanterie qui n'a que trop duré. »

J'ai repris, fielleux : « Quelle plaisanterie ? » Il m'était tout à coup venu à l'idée que Paula appelait « plaisanterie » tout ce qui s'était passé de mystérieux et de troublant entre Beate et moi.

Elle m'a regardé d'un air compatissant : elle devait avoir compris que moi, encore une fois, je n'avais pas compris. Elle a craché une miette de tabac restée accrochée à ses lèvres puis elle a dit : « Trude et moi nous sommes des amies très intimes et nous sommes toutes les deux comédiennes. Peut-être à cause de notre profession, de temps en temps nous nous amusons à faire des blagues, comme, par exemple, prétendre être d'autres personnes, nous déguiser, nous moquer des gens mais sans malice ni méchanceté, seulement pour nous amuser et pour rire. Quand nous avons décidé de passer nos vacances en Italie et particulièrement à Capri qui est un endroit célèbre à cause du grand nombre de jeunes Italiens qui s'y rendent exprès pour faire le siège et la conquête de crédules et pures jeunes Allemandes, Trude et moi nous sommes mises d'accord pour monter une bonne plaisanterie qui ridiculiserait un Don Juan italien. Trude devait me précéder avec son mari pour accrocher le premier garçon venu lui paraissant faire notre affaire. Quelques jours après j'arriverais en me disant la mère de Trude et prendrais la place de son mari. La plaisanterie aurait surtout consisté à inventer le personnage de la jumelle Beate, physiquement identique mais de caractère absolument opposé à celui de Trude. Tandis que Trude aime la vie et n'a jamais songé à se suicider, nous avons imaginé que Beate serait une femme romantique, grande admiratrice de Kleist, depuis longtemps à la recherche d'un homme disposé à se suicider avec elle comme dans l'histoire de Kleist et d'Henriette Vogel. Trude, après s'être assurée que vous étiez très amoureux, devait vous proposer de mourir avec elle. C'est alors que Beate disparaissait puisque Trude faisait semblant de quitter Capri, mais pour y revenir avec moi, qui faisais semblant d'être la mère des jumelles. Trude vous engageait à tromper sa sœur avec elle ; ensuite, à point nommé, elle révélait la plaisanterie en vous faisant honte et en vous démontrant qu'en réalité votre grand amour pour Beate n'existait pas. Notre petit jeu, a conclu Paula, a très bien marché jusqu'au moment où Trude a fait semblant d'être Beate. Mais alors il s'est passé quelque chose que nous n'avions pas prévu ; c'est pourquoi j'ai décidé de venir vous parler dans votre chambre ce soir. »

J'ai demandé : « Qu'est-ce qui n'était pas prévu ? »

Elle m'a répondu avec une sèche et dédaigneuse sincérité : « Il s'est passé que vous n'êtes pas le Casanova italien que nous attendions et que vous êtes vraiment tombé si amoureux de Beate que vous avez décidé d'aller en Allemagne pour lui demander de devenir votre femme. »

Je crois qu'à présent il m'était impossible de douter de la sincérité de Paula. Qu'elle disait la vérité, deux choses me l'ont fait comprendre : la première était la stupidité et la vulgarité de ce qu'elle nommait une « plaisanterie » ; les deux comédiennes allemandes qui faisaient partie d'une petite troupe ambulante, passent leurs vacances en Italie et décident de s'amuser aux dépens des garçons en se basant sur le lieu commun qui veut qu'en Italie tous les mâles soient des Casanova. Autre lieu commun, mais littéraire celui-là, le double suicide à la Kleist ; comment ne pas reconnaître dans les éléments de ladite plaisanterie la marque de la sous-culture qui imprégnait la bourgeoisie allemande ?

Mais il y avait autre chose qui m'a fait comprendre que Paula disait la vérité : Trude n'avait pas inventé une « autre elle-même » comme le disait Paula ; elle s'était contentée, d'accord avec son amie, d'inventer son contraire. Elle était, ou plutôt elle croyait être, gaie, amoureuse de la vie, sensuelle, pleine de bon sens, bien insérée dans la société de son propre pays ; alors de Beate, logiquement, on avait fait une intellectuelle, frigide, mélancolique, en marge de la société. Enfin, Trude était nazie, antisémite, anti-intellectuelle. Par conséquent, Beate ne pouvait être que le contraire. Et ainsi de suite. Au début, cette symétrie m'avait intéressé : aujourd'hui je m'en voulais de n'avoir pas deviné tout de suite son évidente banalité.

Ces réflexions, comme toutes les réflexions formulées dans les moments dramatiques, ne m'ont pris que quelques secondes. Tout de suite après j'ai levé les yeux sur Paula et, comme stimulé par la présence de l'amie de Trude, j'ai compris que je n'avais encore rien compris. En réalité, la révélation de cette « plaisanterie » avait remplacé une situation donnée par une situation différente mais tout aussi mystérieuse et, de toute façon, très peu comique. La vraie, la profonde signification de ladite « plaisanterie », bien que j'en sentisse l'importance, me dépassait complètement. Paula et Trude avaient voulu faire une plaisanterie d'un certain genre, mais pourquoi cette sorte de plaisanterie puisqu'elles ne voulaient que s'amuser aux dépens d'un Casanova italien ? Pourquoi avaient-elles imaginé le personnage de Beate aussi peu matériel, aussi macabre, avec cette idée fixe du double suicide copié sur celui de Kleist ?

Pour gagner du temps, j'ai insisté : « D'accord. Trude est une comédienne, vous, vous êtes une comédienne. Vous avez toutes les deux voulu vous amuser à mes dépens. Mais Müller, lui, n'est pas un comédien ; il est seulement un mari, et par-dessus le marché un mari jaloux. Comment expliquez-vous la complicité de Müller dans votre petit jeu ? »

Paula a répondu sans hésitation : « Nous aimons tous les deux notre chère Trude, peut-être trop. Aloïs s'est prêté à la farce, comme moi, par amour. Il semble qu'il s'y soit mal prêté, n'est-ce pas ? C'était inévitable parce qu'il est extrêmement jaloux. »

Un instant elle a cessé de parler puis elle a repris ; mais cette fois, sa sincérité devenait agressive : « Il ne voulait pas jouer le rôle du mari qui autorise sa femme à faire de l'œil à son voisin de table. Nous l'avons convaincu, Trude et moi, en lui disant que tous les Italiens se croient irrésistibles et qu'il était temps de leur donner une bonne leçon. »

Je me suis immédiatement souvenu des « leçons » dont ce Müller m'avait abreuvé, et j'ai dit : « Merci pour les Italiens !

« Vous devriez ne pas vous vexer. Comme je vous l'ai dit, si je suis ici c'est que notre petit jeu n'a pas marché aussi bien que nous le pensions : vous êtes un Italien différent des autres. »

J'ai protesté : « Pas du tout différent des autres ! Je tiens à être en tout pareil à mes compatriotes : identique, je vous prie de me croire. »

Maintenant elle me regardait presque avec sympathie, sympathie sans doute provoquée par le fait que moi aussi, comme elle, comme Müller, je semblais aimer la « chère » Trude. Elle a avancé la main en esquissant une caresse sur ma tête baissée : « Allons, allons, il faut que nous devenions bons amis. Peut-être que vous viendrez en Allemagne, non pas pour rencontrer un fantasme mais Trude en chair et en os et que nous rirons ensemble de cette aventure. »

Je ne l'écoutais pas, je suivais le fil de mes pensées. Brusquement j'ai demandé : « Est-ce que Trude sait que vous êtes venue chez moi pour me révéler la vérité sur sa prétendue jumelle ?

« Elle ne le sait pas encore, je lui ai dit que j'allais prendre un peu l'air dans le jardin. Mais je vais le lui dire. »

C'est avec une sorte de fougue que je me suis écrié : « Non, non, je vous en prie, ne lui dites rien. Je voudrais le faire moi-même.

« Mais pourquoi ? »

J'ai un peu hésité puis j'ai décidé de lui dire moi aussi la vérité : « Parce que je veux comprendre ce qui s'est vraiment passé. La seule manière de savoir est de ne pas prévenir Trude et de la laisser continuer à jouer la comédie. Si vous la prévenez, je ne saurai jamais ce qui se cachait derrière ce que vous appelez une " plaisanterie ".

« Mais il ne s'y cachait rien, ce ne fut qu'un jeu stupide : un point c'est tout.

« Alors, tant mieux, il ne s'agira pour moi que de constater que ce ne fut qu'un jeu stupide.

« Mais nous l'avons déjà constaté. Vous ne me croyez pas ?

« Je n'ai confiance qu'en moi-même. »

Elle me regardait, perplexe, sans comprendre, mais aussi sans hostilité. Finalement elle a dit sur un ton amical : « Mais de quelle manière le lui direz-vous ? Vous, les Italiens, vous pouvez être tellement brutaux, tellement violents, surtout sur des questions de ce genre.

« Ne craignez rien, je le lui dirai comme un intellectuel, et comme un intellectuel italien. Les intellectuels ne sont pas des violents.

« Vous voulez que Trude ne sache rien et continue à jouer le rôle de Beate parce que vous voulez vous venger en vous amusant d'elle, comme le chat avec la souris. Je ne peux pas permettre cela ».

Je ne sais pas pourquoi, d'un seul coup j'ai éprouvé le même genre de sympathie que Paula tout à l'heure avait éprouvé pour moi : après tout, elle semblait aimer la femme que j'aimais. Je me suis levé, je suis allé m'asseoir sur le bras de son fauteuil, j'ai pris sa main brune et sèche, j'ai dit : « Mais vous, vous qui affirmez aimer Trude, il est impossible que vous ne compreniez pas mon désir de mieux connaître la femme que j'aime, dont je suis amoureux. »

D'un mouvement brusque elle s'est rejetée en arrière, elle m'a regardé de bas en haut, épouvantée. Finalement elle a dit : « Vous n'êtes pas amoureux de Trude, vous êtes amoureux de Beate, c'est-à-dire d'une personne qui n'existe pas.

« Oui, c'est vrai, mais c'est Trude qui a inventé Beate et moi je veux savoir pourquoi elle l'a inventée et, de plus, je me demande pourquoi elle a inventé justement Beate plutôt qu'un autre personnage. »

Paula était restée là, la tête rejetée en arrière ; son cou, tous muscles tendus, soulevait sa poitrine. Sa blouse s'était ouverte et laissait voir des seins presque inexistants, à peine dessinés par deux rides qui les entouraient. Alors, en voyant ce buste d'homme, je n'ai pu m'empêcher de le rapprocher de la chaînette de sa cheville, de sa coupe de cheveux, de la manière dont elle avait placé sa cigarette au coin de sa bouche comme le font certains hommes contents d'eux-mêmes. Et puis je me suis dit que ces détails avaient en commun, peut-être pas tout à fait inconsciemment, pour but de produire une certaine impression, de suggérer une certaine idée d'elle-même ; l'impression, l'idée de masculinité. Brusquement j'ai eu la certitude qu'entre elle et Trude existaient des rapports homosexuels, du reste indiqués déjà par le ton émouvant et tendre dont elle parlait de son amie. Paula a dû deviner ce que je pensais. C'est d'un ton peu aimable qu'elle m'a dit : « Je vous prie de retourner vous asseoir sur votre lit, je n'aime pas la manière dont vous regardez ma poitrine. »

Elle était en train de transférer mon désir érotique pour Trude sur elle-même, en m'accusant d'éprouver pour elle le désir qu'en réalité j'éprouvais pour Trude. J'ai pensé que si ces deux femmes étaient effectivement amante et maîtresse, comme j'en étais désormais persuadé, il me serait facile d'apprendre la vérété sur Trude de la bouche même de Paula. Du reste, la comédie arrangée entre Trude et moi pouvait avoir lieu, soit que Trude sache que la plaisanterie avait été découverte, soit qu'elle ne le sache pas ; entre elle et moi il y avait quelque chose qui allait au-delà de la plaisanterie, dont on n'avait plus à s'occuper, qui ne comptait plus.

J'ai dit sans changer de place, toujours assis sur mon bras de fauteuil : « C'est entendu, je ne me comporterai pas avec Trude comme le chat avec la souris. Dites-lui que je sais que toute cette histoire n'était qu'une " plaisanterie ". Mais dans ce cas je vous demande de me convaincre que ce fut vraiment une plaisanterie et rien de plus.

« Comment ferai-je pour vous convaincre puisque à tout prix vous voulez voir on ne sait quel motif mystérieux là où il n'y a rien, vraiment rien.

« Il suffira que vous répondiez à quelques questions.

« Mais quelles questions ?

« Rien d'intime, rien d'indiscret. Des questions auxquelles vous pourrez parfaitement répondre. »

Elle me regardait : on voyait que l'idée de parler de Trude ne lui déplaisait pas. Elle a dit, mais en hésitant un peu : « Je me réserve de ne répondre qu'aux questions que je considérerai comme licites.

« Naturellement. »

J'ai quitté le bras du fauteuil pour aller m'asseoir sur mon lit. Elle a repris : « Moi je comprends très bien que vous vouliez en savoir davantage sur Trude, mais je vous dis qu'il s'agit là de la première phase de l'amour. Après on renonce à savoir et on se contente d'aimer. »

Elle paraissait émue et elle a conclu : « Je répondrai à vos questions uniquement parce que je sens que vous aimez véritablement notre Trude. »

Peut-être pour me donner des allures de policier ou de commissaire de police, j'ai allumé ma cigarette et j'ai commencé : « Donc, première question : je veux savoir depuis combien de temps Trude est inscrite au Parti ! »

Elle a pris un air grave mais sans rien de théâtral ; comme si elle se trouvait devant une question inattendue mais pas ridicule. « Voyons... Trude s'est inscrite au Parti il y a exactement un an et demi.

« Avant que Hitler ait pris le pouvoir ?

« Oui oui, avant.

« Avant de s'inscrire au Parti, Trude s'occupait-elle de politique ?

« Autant que je sache, non. Elle était comédienne, c'est tout.

« Elle ne s'occupait pas directement de politique mais fréquentait-

212

elle des gens qui s'en occupaient, et s'ils s'en occupaient, étaient-ils contre le national-socialisme ?

« Je ne sais pas. Trude fréquentait surtout des gens de théâtre.

« En parlant de Beate, Trude dit que c'était une ratée " chronique ", ratée comme danseuse, ratée comme poète, ratée comme peintre. Parlait-elle d'elle-même ou quoi ?

« Pure invention. Trude n'a jamais été danseuse, ni poète, ni peintre, seulement comédienne.

« Trude attribuait à sa jumelle trois tentatives manquées de suicide à deux. À votre avis, ces trois histoires de suicides avaient-elles quelque rapport avec la vie de Trude ?

« Absolument aucun. Ensemble, Trude et moi nous avons inventé les trois tentatives de suicide en prenant comme modèle celui de Kleist. Ce fut le moment le plus amusant du jeu. Nous n'en finissions plus de perfectionner le personnage de Beate ; j'y ajoutais un détail et Trude un autre. Nous riions comme des folles. Une fois le personnage construit, nous avons fait des répétitions comme au théâtre. Moi j'avais pris le rôle du Casanova italien. Trude était Beate : malheureuse, mélancolique, mystérieuse, exactement comme elle l'a été avec vous au moment de votre première rencontre sur le *vaporetto*. Ce que nous avons pu rire ! Pourtant, si j'avais été sur le bateau, j'aurais peut-être déconseillé à Trude de vous choisir.

« Pourquoi ?

« Parce qu'il nous fallait un Italien plus banal. On voit tout de suite que vous, vous n'êtes pas un type banal.

« Mais un type banal n'aurait jamais accepté l'idée de suicide. Il reste toutefois que pour s'amuser en se moquant des Casanova italiens, ordinaires ou pas ordinaires, vous n'aviez pas besoin de déranger un Kleist. Pourquoi Kleist ?

« C'est un de nos auteurs préférés à Trude et à moi. Et puis Beate devait être romantique. Où trouver plus romantique que Kleist ?

« D'accord, mais répondez franchement à cette question précise : d'après vous, dans la vie de Trude, il n'y a jamais eu de tendance suicidaire ?

« Si vous voulez dire que Trude aurait tenté de se suicider avec quelqu'un, jamais.

« Pas avec quelqu'un, seule. »

Elle a d'abord regardé devant elle un peu hésitante, puis elle a fini par admettre : « Il y a deux ans, il s'est passé quelque chose qui m'a fait penser au suicide.

« Quelle chose ?

« Voilà : Trude et moi, à cette époque, vivions ensemble. Un jour, en rentrant à la maison, je sens une forte odeur de gaz. Je vais dans la salle de bains, je trouve la porte fermée de l'intérieur. La porte était vitrée, je brise le verre, je passe la main à travers le trou, je tourne la clé, j'entre. Trude était étendue par terre toute nue, et déjà si raide que pour la sortir de la salle de bains j'ai dû la tirer par les cheveux. Je l'ai portée sur le lit, je l'ai allongée, j'ai appelé un médecin. Après, Trude m'a dit que c'était un accident stupide. Elle s'était endormie dans la baignoire, la flamme du chauffe-bain s'était éteinte, le gaz avait continué à sortir. Mais moi je me souvenais très bien que pendant que je téléphonais au médecin, elle a ouvert les yeux, elle m'a vue debout près de son lit en train de téléphoner ; elle a murmuré : " Je veux mourir, laisse-moi mourir ! " C'était une de ces phrases qu'on dit à certains moments, d'accord. Mais peut-être que ce n'était pas seulement une phrase, peut-être que c'était quelque chose de plus.

« Quoi donc ? »

Elle m'a regardé d'un air méfiant : « Il y a des choses que vous ne pouvez pas comprendre. Un étranger ne peut pas comprendre ce qui s'est passé en Allemagne après la guerre. Essayez tout de même de me suivre. Premier point : Trude traverse une grande crise, elle ne croit plus à rien, elle crache sur tous les idéaux, elle vit dans la décadence. »

J'ai eu tout d'un coup l'impression de voir double. L'amante de Trude se dédoublait et devenait une bourgeoise débitant les lieux communs de la propagande national-socialiste. Je lui ai demandé : « Qu'est-ce que vous appelez vivre dans la décadence ? »

Elle a haussé les épaules : « Allons, allons, vous savez très bien ce que veut dire la décadence.

« Vous m'avez dit tout à l'heure qu'en Allemagne il y a des choses qu'un étranger ne peut pas comprendre.

« Je vous prie de ne pas m'interrompre. Deuxièmement : cette vie décadente, logiquement, entraîne Trude à l'autodestruction d'où sa tentative de suicide. Troisièmement : elle découvre que les idéaux existent ; il suffit de regarder autour de soi pour les découvrir, elle comprend qu'il ne faut pas vivre pour soi-même, dans un individualisme stérile, mais que vivre pour les autres veut dire, dans le moment historique qui est le nôtre, contribuer à la renaissance de l'Allemagne. »

Je continuais à voir double : comment Paula faisait-elle pour concilier sa ferveur patriotique avec l'homosexualité, c'est-à-dire avec ce qui est si étranger et si distant de la chose publique qu'il ne peut jamais être associé à l'autre sexe.

Bizarrement son fanatisme « public » mettait en évidence la passion « privée » qui la dévorait. Je l'écoutais mais en même temps je ne pouvais m'empêcher de l'imaginer en train d'incliner son visage dur, maigre, rapace, vers le pubis flamboyant de Trude étendue nue sous elle. Alors j'ai dit : « En somme, le résultat de tout ceci a été que Trude s'est inscrite au Parti, une véritable conversion. Quelque chose dans le genre du chemin de Damas de saint Paul. »

Elle est restée un peu interloquée ; puis elle a approuvé à mi-voix : « C'est exact : une conversion. » Elle s'est tue un instant puis elle a ajouté : « Vous ne devriez pas ironiser sur la conversion de Trude. J'y ai assisté moi-même et je dois avouer que je suis restée stupéfaite de la spontanéité de ses sentiments.

« Pourquoi ? Trude s'est-elle convertie au national-socialisme d'une autre façon que vous ? »

Elle a répondu tout de suite avec une certaine hauteur : « Moi je ne me suis pas convertie. Je veux dire que je n'ai pas adhéré au Parti pour résoudre une de mes crises morales. J'appartiens à une ancienne famille de militaires ; chez nous le patriotisme était traditionnel ; dès le commencement, j'ai compris que Hitler était l'homme dont l'Allemagne avait besoin. Du reste, l'endroit où Trude s'est convertie est significatif.

« Vous ne savez pas où ?

« Au cours d'un rassemblement. »

J'ai frémi jusqu'au fond de moi-même. Le mystère de la double personnalité de Paula, lesbienne et patriote, s'expliquait. Le nazisme était nécessaire, non pas pour elle qui n'en avait pas besoin étant née dans une famille de soldats, mais pour l'Allemagne, c'est-à-dire pour tous ceux qui comme Trude ne sortaient pas d'une caste s'appuyant sur des traditions et qui, de ce fait, se trouvaient vivre une crise morale. C'était le point de vue, que je connaissais bien, des cercles les plus conservateurs de l'Allemagne ; Paula était une aristocrate : le moralisme petit-bourgeois lui était étranger ; c'est pourquoi elle pouvait concilier l'anomalie sexuelle avec la politique normale. J'ai dit : « Vous étiez donc aussi à ce rassemblement puisque vous dites avoir assisté à ce que vous appelez une conversion ?

« J'étais venue pour accompagner Trude. »

J'ai continué à poser mes questions : « Et votre famille ? D'où est-elle originaire ?

« De Poméranie.

« Votre père était sans doute un officier supérieur ?

« Il était général. Il est mort il y a quelques années.

« Vous êtes mariée ?

« C'est un véritable interrogatoire il me semble. Eh bien voilà, je suis divorcée ; mon mari lui aussi était officier, il était officier supérieur dans l'armée. Je n'ai pas d'enfant. Voulez-vous savoir autre chose ?

« Excusez-moi, mais je crois vous avoir dit que je veux tout savoir au sujet de Trude. Comme vous êtes un personnage très important dans la vie de Trude, il est logique que je veuille tout savoir de vous.

« Pourquoi pensez-vous que j'aie de l'importance dans la vie de Trude ?

« Il me semble que vous venez de dire que récemment encore vous viviez ensemble. Vivre ensemble, c'est important, non ? À propos, pour quelle raison viviez-vous ensemble ?

« Nous faisions partie de la même compagnie théâtrale, Trude ne voulait plus vivre dans sa famille, je lui ai proposé de vivre avec moi ; j'avais un très grand appartement et elle a accepté.

« Trude est-elle venue habiter avec vous avant ou après votre divorce ?

« Avant.

216

« Et votre mari a accepté que Trude vienne habiter chez vous ? »

Il m'a alors semblé qu'une légère rougeur, pudeur ou colère, s'étendait sur son visage mat et dur. Elle m'a cependant répondu, avec une précision forcée : « Vous voulez savoir si mon mari regardait favorablement cette amitié entre Trude et moi ? Eh bien, je vous réponds tout de suite : mon mari n'avait aucune sympathie pour Trude. C'est l'un des motifs qui ont provoqué notre divorce.

« Peut-être votre mari n'appréciait-il pas la conversion de Trude ?

« Mon mari a des idées traditionnelles, intransigeantes et sévères, et il ne fait pas de politique.

« À propos, vous avez parlé de la conversion de Trude comme de quelque chose de particulier, et vous y avez assisté. Pouvez-vous me dire comment cela s'est passé ? »

Elle m'a regardé comme si elle devait réfléchir avant de me répondre : puis elle a dit : « Cette conversion a été précédée d'un rêve, un rêve étrange qui a illuminé l'âme de Trude à la veille de ce qu'elle-même appelle sa conversion. Trude et moi dormions ensemble…

Je l'ai interrompue : « Vous dormiez ensemble ?

« Oui, bien sûr.

« Dans le même lit.

« Oui, un grand lit à deux places. Quelle importance cela a-t-il ?

« Aucune. Poursuivez.

« La nuit qui a précédé le grand rassemblement durant lequel s'est passée cette conversion, Trude tout d'un coup a crié. Elle s'est assise sur notre lit, elle a allumé la lampe et s'est mise à examiner avec une grande attention l'index de sa main droite. À mon tour réveillée je lui ai demandé ce qu'il se passait et pourquoi elle regardait son doigt. Elle m'a raconté qu'elle venait d'avoir un rêve extraordinaire : elle a l'impression d'être à l'église ; elle est en robe de mariée et marche lentement au bras du Führer qui, lui, est en costume bavarois avec des bas blancs, des culottes de cuir, une veste de drap vert. Le Führer et Trude s'avancent lentement vers l'autel couvert de fleurs, sur lequel, au lieu du crucifix, il y a un drapeau avec la croix gammée. Il est facile de comprendre que Trude et le Führer vont être mariés, mais selon un rite païen dont elle ne sait rien. Pendant que l'orgue entonne une marche nuptiale, un homme en uniforme des SS offre au Führer une aiguille posée sur une assiette. Le Führer prend l'aiguille et Trude ressent immédiatement à son doigt une piqûre. Le Führer porte à ses lèvres le doigt de Trude et en suce le sang. À ce moment précis, Trude s'est réveillée.

« Et alors, qu'est-ce que vous avez dit à Trude ?

« J'ai essayé de la calmer, de la consoler, elle pleurnichait sans cesse d'examiner son doigt. Alors je lui ai donné un petit baiser sur le bout de ce doigt, elle s'est pelotonnée contre moi et s'est rendormie. »

Durant un moment je n'ai plus rien dit. Les deux détails caractéristiques concernant Hitler : les culottes de cuir et la blessure dont il suçait le sang rappelaient étrangement, mais peut-être intentionnellement, ceux du viol que Trude avait imaginé faire subir à l'imaginaire Beate. Finalement j'ai dit en faisant un grand effort sur moi-même : « Alors, la conversion ?

« J'y viens. Dès le début, à peine arrivée sur la place de l'Assemblée, j'ai regardé du côté de la tribune des dignitaires et j'ai noté une coïncidence mystérieuse avec le rêve de Trude : comme dans le rêve, le Führer portait le costume bavarois. Il est vrai qu'il s'agissait d'un rassemblement des SS de Bavière. J'ai fait remarquer à Trude : " Regarde : le Führer porte le même costume que celui de ton rêve. "

« Alors, elle ?

« Elle m'a serré le bras si fort qu'elle me faisait mal. Mais elle n'a rien dit. Elle était fascinée par Hitler, elle n'avait d'yeux et d'oreilles que pour lui. Alors moi je n'ai plus rien dit, je me suis contentée d'observer sur elle les effets du discours du Führer. Comme il arrive toujours durant les discours de ce chef, la foule l'interrompait souvent pour l'applaudir : mais Trude n'applaudissait pas, elle n'approuvait pas de la tête, elle ne bougeait pas ; muette, les yeux fixés sur la tribune, son être tout entier tendu vers lui, peut-être n'écoutait-elle même pas, elle regardait. Finalement le discours s'est terminé et il est arrivé ce qu'elle appelle sa conversion. Pendant que, de toute la place, fusaient les applaudissements,

Trude a lancé un cri. Elle a levé les bras et s'est mise à battre des mains.

« Et après ?

« Elle se tenait sur la pointe des pieds, et elle paraissait si désireuse de le voir mieux qu'un gros homme qui était à côté d'elle lui a offert de la soulever dans ses bras au-dessus de la foule. Trude a accepté et la voilà dans les bras du gros homme pour voir plus commodément le Führer. »

J'ai dit : « Une véritable conversion !

« Oui, il est évident que quelque chose s'était passé en elle, mais le mot de conversion ne me plaît pas beaucoup.

« Comment faudrait-il dire ?

« Je pense que pour adhérer à un parti, réfléchir suffit. Après tout, c'est un problème politique. Mais chez Trude existait cette crise morale dont je vous ai parlé.

« Donc, tout de suite après ce rassemblement, Trude a couru s'inscrire au Parti ?

« Pas du tout. Elle a continué à vivre à peu près comme avant ; puis il y a eu l'épisode du bain qui a été un peu comme le dernier méchant caprice de l'ancienne Trude moribonde. La nouvelle Trude est née avec son inscription au Parti.

« Vous en êtes tout à fait sûre ?

« Je ne suis sûre de rien, mais le fait est qu'avant son inscription Trude détestait la vie et qu'après elle l'a aimée.

« Oui, mais quelle vie ? La vie en général ou la vie avec vous ? »

Ce fut presque malgré moi que j'ai prononcé ces quelques mots. En réalité ils m'étaient suggérés par une jalousie soudaine qui me faisait brusquement imaginer Trude à genoux, le visage caché entre les cuisses musclées de Paula et la main de celle-ci, exigeante, crispée, accrochée à la nuque blanche pour la maintenir à la même place. Cette fois Paula n'a pas voulu feindre de ne pas comprendre. Elle s'est redressée en disant : « Mais que voulez-vous dire par là ?

« Je veux dire : depuis combien de temps Trude et vous faites-vous l'amour ensemble ? »

En parlant de cette façon je crois que j'avais l'illusion de pouvoir franchir toutes les barrières qui me séparaient de Paula. J'ai ajouté, très vite : « Comprenez-moi, j'aime Trude et j'aime tous ceux qui l'aiment. Dans ma question il y avait seulement vous et moi, aimant la même personne. C'est tout. »

J'ai tout de suite compris qu'elle n'accepterait pas mon explication. Elle en avait une autre, peut-être plus adaptée au genre de rapports existant entre elle et Trude même si absolument irréalisable. Elle s'est levée pour me dire d'une voix vibrante d'indignation : « Je comprends, vous voudriez l'amour à trois : les deux Allemandes ingénues et l'Italien raffiné en quête de perversité. Non, monsieur, non, non, monsieur l'Italien. Paula et Trude ont une autre idée de l'amour. »

Elle s'est dirigée vers la porte, l'a ouverte, et s'est arrêtée sur le seuil pour me lancer une ultime invective : « Vous autres les intellectuels, il vous faut toujours salir tout ce que vous touchez. »

Elle est sortie ; la porte s'est refermée.

XII

Me revoici étendu sur mon lit dans ma position préférée lorsque je désire me laisser aller aux fantaisies de mon imagination. J'aurais probablement mieux fait, je crois, de réfléchir rationnellement sur mes rapports avec Trude, pour en tirer, comme on dit, la somme. Mais l'ensemble de ce qu'on avait appelé une « plaisanterie » tenait plutôt de la fantaisie que de la raison. Et moi, en m'étendant sur mon lit pour penser aux derniers événements, je soupçonnais obscurément qu'il n'y avait pas de somme à tirer puisque mes relations authentiques et sincères avec Trude ne faisaient que commencer et qu'il convenait donc plutôt d'imaginer ce qui pouvait se passer dans l'avenir que d'enquêter rationnellement sur ce qui était advenu dans le passé.

La première chose qui m'est apparue quand j'ai pensé à cette fameuse « plaisanterie » a été que je n'éprouvais pas ce sentiment de frustration et d'humeur qu'inspire généralement une mauvaise blague dont on est la victime. Je me suis dit que n'importe qui à ma place se serait mis en colère, puis aurait balayé l'incident d'un haussement d'épaules et d'une phrase du genre : « Bien fait pour toi », ou quelque chose d'approchant. Moi au contraire, j'ai tout de suite compris que je n'éprouvais nul ressentiment et que, par conséquent, je n'avais nulle envie de liquider l'incident. Me le disait ma conscience obscure et émerveillée de nourrir encore, tout à fait inaltéré et même en quelque sorte plus profond et plus solide, ce sentiment amoureux qui avait permis à Trude de m'entraîner si facilement dans la trahison. À présent ce sentiment se transformait en curiosité : je voulais en savoir davantage. Et en savoir davantage voulait dire agir, et aussi avoir la volonté d'aller plus avant dans mon étrange aventure et en affronter jusqu'au bout les conséquences imprévisibles.

Si je ne voulais pas considérer cette plaisanterie comme une blague stupide montée par deux petites actrices de province en vacances, mais comme quelque chose qui avait une signification qui concernait Trude et uniquement Trude, alors je m'apercevais, comme je l'ai déjà dit, que rien n'était fini mais qu'au contraire tout ne faisait que commencer. Et justement tout commençait par cette question que je m'étais déjà posée durant ma conversation avec Paula : Pourquoi Trude avait-elle inventé ce genre de plaisanterie ? Pour ridiculiser le donjuanisme des Italiens, ne suffisait-il pas de feindre un grand amour et même de l'assaisonner, si l'on voulait, d'une pincée d'adultère, au lieu de recourir au désespoir, à Kleist, au suicide à deux ? D'accord, on pouvait tout expliquer par le cabotinage professionnel de Trude mais pourquoi celui-ci s'était-il exprimé dans cette singulière fiction et non dans une autre ?

C'est ici qu'intervenait l'amour. Trude n'était pas un rébus à déchiffrer en se servant de la raison ; elle était une créature humaine qu'après la révélation de Paula, il me semblait aimer de plus en plus parce que sa plaisanterie, avec ses mystérieuses implications, l'avait rendue à mes yeux plus profonde et plus complexe. Aujourd'hui la fascination qui autrefois émanait du personnage imaginaire de Beate se trouvait augmentée par le fait que Trude et Beate étaient la même personne et que cette personne, pour mettre en scène la bonne blague, avait su se dédoubler parfaitement, faisant d'elle-même deux personnes différentes, on pourrait même dire opposées. Cette opération, sans doute en partie inconsciente, témoignait d'un sentiment qui ressemblait beaucoup, de la part de Trude, à de l'amour pour moi. C'était pour moi que Trude s'était voulue supérieure à elle-même pour m'aimer et pour se faire aimer. Je veux dire qu'elle s'était placée au-dessus d'elle-même. L'invention du personnage de Beate transformait Trude au moment même de sa réalisation.

Et moi je m'apercevais que je n'étais amoureux ni de la Beate inventée ni de la Trude qui avait inventé Beate. Mais d'une femme qui était à la fois Beate et Trude, en même temps l'inventée et l'inventeur.

Cette femme avait tout ce que je pouvais désirer, mais le fait que Beate et Trude s'éliminaient réciproquement m'avait empêché jusqu'à présent de l'obtenir. Elle était désespérée comme Beate mais elle était prête à faire l'amour comme Trude ; elle était pur esprit comme Beate mais elle était bestiale comme Trude ; elle était au bord du suicide comme Beate mais elle ne voulait pas réellement mourir comme Trude. Le cercle se refermait en ma faveur : Trude et Beate, confondues en une seule personne, me permettaient de réaliser mon projet de stabilisation du désespoir en tant que condition normale de l'existence humaine. Ce projet, sans la présence d'une femme aimée, je n'arriverais jamais à le conduire au port parce que, à la longue, la solitude me précipiterait soit dans l'hypocrisie de l'impuissance, soit dans ce suicide qui avait servi d'appât au piège de la « plaisanterie ».

Concrètement, que me restait-il à faire ? Simplement — j'en étais arrivé à cette conclusion — demander à Trude de quitter son mari, l'emmener hors de son pays et vivre avec elle en Italie. Dans une perspective lumineuse et un peu irréelle, je nous voyais tous les deux, Trude et moi, comme le premier couple capable de vivre sans fausses espérances, dans la lumière froide et pure d'un désespoir définitif.

En attendant, l'idée que cette nuit Trude viendrait dans ma chambre en feignant pour la dernière fois d'être Beate, me troublait profondément. Je ne pouvais pas m'attarder sur l'image de Trude, entrant dans ma chambre, enfermée dans sa fiction comme une somnambule dans son rêve, ne sachant pas que je l'aimais et que par amour j'aurais pu faire n'importe quoi : même lui cacher la visite de Paula ; même arriver jusqu'au seuil du suicide.

Il y avait, évidemment, la possibilité que Paula ait déjà parlé à Trude de sa visite chez moi. Mais ce dont j'étais sûr, c'était que, si Paula avait parlé, Trude savait que je savais, et si Paula n'avait pas parlé, Trude ne savait pas que je savais. De toute façon Trude n'aurait pas renoncé à sa comédie. Pour elle aussi, probablement, les vraies, authentiques relations avec moi ne faisaient que commencer.

J'en étais là de mes réflexions lorsque le gong appelant au dîner a résonné à travers les trois étages de l'hôtel, je me suis alors précipité dans le couloir. Je voulais être assis à ma table de la salle à manger au moment de l'arrivée de Paula et de Trude. D'après leur contenance je saurais si Paula avait informé ou non Trude de sa visite chez moi. Les deux amies m'avaient précédé. Les voilà dans leur coin, assises, l'une le dos au mur, l'autre lui faisant face. Elles sont comme ces comédiennes qui dès qu'elles apparaissent vous rappellent leurs plus récents rôles. Moi, bien que sachant à présent que Paula n'était pas la mère et que Trude n'était pas Beate, je me suis aussi rappelé les deux rôles qu'elles venaient de jouer dans la comédie inventée à mes dépens. Je me suis assis à mon tour et à ma grande stupéfaction, je me suis aperçu que le jeu se poursuivait. Paula continuait à prendre les attitudes dignes et indulgentes d'une mère de bonne famille ; de son côté Trude continuait non seulement à feindre d'être sa fille, mais aussi, fiction subordonnée à la première, à se comporter comme la Beate imaginaire. Fidèle au scénario, sachant ou ne sachant pas que Paula m'avait révélé la vérité, elle me regardait avec une expression triste et malheureuse, sans toucher à la nourriture, son menton appuyé sur ses mains réunies. Alors j'ai pensé : « En réalité Trude ne fait pas semblant, n'a jamais fait semblant d'être Beate. Beate est le nom qu'elle donne au côté immatériel d'elle-même. »

Ainsi la plaisanterie allait encore plus loin. Je l'ai tout de suite compris à la cordialité inattendue avec laquelle Paula, que j'avais toujours cru être mon ennemie, a répondu à mon salut. Et puis quand j'ai vu Trude se pencher vers son amie pour lui murmurer quelques mots à l'oreille, outre la confirmation de leur homosexualité, j'ai eu celle de leur persistante complicité vis-à-vis de moi. Eh oui, la comédie n'était pas finie ; elle aurait des prolongements et continuerait en tout cas la nuit prochaine lorsque Trude se donnerait à moi sans aucune contrepartie suicidaire, seulement parce qu'elle voulait que le scénario établi entre elle et moi soit réussi. Ces suppositions me furent confirmées à la fin du dîner au moment où je quittais la salle à manger. Les deux amies, presque aux aguets, m'attendaient dans le hall en faisant semblant de demander des informations au signor Galamini. Dès qu'elle m'a vu, Paula s'est écartée de Trude pour venir vers moi : « Bonsoir, monsieur, voulez-vous prendre le café avec nous au salon ? »

Pendant un instant nous nous sommes regardés droit dans les yeux ; j'avais déjà sur les lèvres : « Alors, avez-vous dit à Trude que vous m'aviez parlé ? » Paula dut en avoir l'intuition car elle a murmuré très vite : « Attention ! Trude ne sait pas que nous nous sommes vus. »

Du bout des lèvres j'ai dit : « Merci, madame.

« Ne me remerciez pas : j'ai des raisons de croire que Trude désire s'expliquer avec vous en tête à tête. »

Ainsi, Trude ne savait pas que je savais. Ou alors les deux femmes s'étaient-elles mises d'accord pour me faire croire que Trude ne savait pas ? Mais dans ce cas, pourquoi cet accord, confirmé du reste par la cordialité tout à fait inexplicable de Paula envers moi ? Les deux femmes avaient probablement décidé, comme moi, que nos vraies relations ne faisaient que commencer. Ne voulant rien laisser paraître de mes impressions, j'ai répondu en souriant : « Volontiers, mais à condition que nous allions prendre le café au village au lieu de rester dans cet horrible salon poussiéreux. C'est la pleine lune. Nous pourrions faire une promenade jusqu'à *Cesare Augusto* pour voir le clair de lune sur la mer. D'accord ? »

Trude nous avait rejoints. Son visage triangulaire, plus félin que jamais sous ses cheveux roux en désordre, ses maigres épaules d'adolescente nues dans une robe de satin vert mal repassée ; son petit sac de perles serré dans sa main osseuse couverte de taches de rousseur, elle me regardait du fond de ses grands yeux battus, malheureux et tristes ; elle ressemblait une fois de plus à Beate ; nouvelle confirmation que la comédie, après un entracte, reprenait son cours tortueux et mystérieux.

Très vite, elle a dit : « Oh oui ! allons au café du village. Faisons la promenade au clair de lune. Maman, maman, ne dis pas non. Moi aussi je déteste ce salon, il pue le renfermé. »

Mais Paula devait continuer à jouer son rôle de mère de famille sévère et, pourquoi pas, patriote. Elle a répondu, glacée : « Tu sais très bien, Trude, qu'il est inutile de parler d'une promenade au clair de lune. Qu'est-ce que diraient tous ces Allemands de la pension ? »

Je suis intervenu en riant : « Qu'est-ce qu'ils diraient ? Ils diraient que nous sommes trois personnes qui préfèrent la lune de 1934 au salon de 1880. »

Paula m'a regardé sans sourire puis elle a dit sèchement : « Il ne s'agit pas de cela. On annonce pour ce soir à onze heures et demie un discours extraordinaire, ou plutôt une communication exceptionnelle du Führer. Nous devons absolument rester à l'hôtel pour écouter la radio. »

Je me suis écrié : « C'est parfait, allons écouter la radio au café du village.

« Non, non, nous devons l'écouter ici. »

Trude a demandé d'une voix neutre : « Tu dis ça parce que tu as peur que les Allemands de l'hôtel pensent que nous n'avons pas voulu écouter le discours ? »

J'ai insisté : « Vous dites onze heures et demie. Nous avons le temps de faire la promenade.

« Non, il faut que nous restions ici. Du reste, la promenade pourrait être mal interprétée. »

Paula s'est dirigée vers la porte pour sortir par le jardin ; Trude et moi l'avons suivie. Les fauteuils d'osier étaient groupés çà et là à l'abri du mur. Paula s'est assise en disant prudemment à voix basse : « Restons ici un moment, après nous irons au salon. »

Nous nous sommes assis, Paula s'est tournée vers moi : « Vous ne devez pas croire, signor Lucio, que je suis une mère sévère. La vérité est que j'aime trop ma chère Trude. » Tout en parlant, elle a tendu le bras vers l'accoudoir du fauteuil de Trude et lui a pris la main : « Je me crée continuellement des soucis qui, du reste, étant donné l'époque, ne sont pas totalement injustifiés. »

Il y eut un moment de silence. Trude regardait obstinément devant elle. Paula a posé la main de Trude sur sa poitrine, à la hauteur du cœur puis elle a dit sur un ton pathétique : « Trude, tu entends mon cœur ? Si tu es malheureuse, il bat rapide et inquiet ; si tu souffres, il est oppressé ; si tu es gaie et joyeuse, il redevient léger. Actuellement, j'ai peur, j'ai continuellement peur pour toi, je ne sais pas pourquoi, peut-être parce que les temps sont durs et

226

les gens méchants. C'est pour cela que si je dis qu'il faut rester ici ce soir, tu ne dois pas penser que je le fais par zèle, par discipline, par sens du devoir. Je le fais uniquement à cause l'amour que j'ai pour toi et parce que si quelque chose t'arrivait je n'y survivrais pas. »

Contre sa poitrine elle tenait toujours serrée la main de Trude. Ses yeux habituellement trop grands ouverts, au regard anormalement fixe, étaient en ce moment voilés et adoucis par les larmes. Trude a d'abord laissé faire son amie, ensuite, peu à peu, elle lui a retiré sa main en disant d'une voix neutre : « Bon, ça va. Mais il n'est pas utile de raconter toutes ces choses au signor Lucio. C'est entendu, nous restons à la pension ce soir. »

Presque au vol, Paula a rattrapé la main de Trude, l'a portée à ses lèvres pour la baiser. Tournée de mon côté elle a dit : « Vous devez être très étonné de me voir si préoccupée. Mais vous ne pouvez pas savoir ce que représente ma fille pour moi. »

Je n'ai rien répondu. D'un côté, je me sentais mystifié par cette façon désinvolte de travestir l'amour homosexuel en amour maternel, d'un autre je ne pouvais m'empêcher d'être frappé par l'intensité des sentiments de Paula en train de déposer un dernier baiser sur la main de Trude avant de se lever brusquement pour dire : « Maintenant nous pouvons aller prendre le café. »

Nous sommes rentrés, nous nous sommes dirigés du côté du salon. Ma répugnance à l'idée de passer la soirée dans ce salon n'était pas tant due à ma préférence pour le clair de lune sur la mer que nous aurions pu admirer du belvédère du *Cesare Augusto* qu'à mon horreur du salon lui-même. En d'autres termes, pour moi, homme du XXe siècle, hésitant et plein de doutes, entrer dans ce salon était comme entrer dans une sorte de temple où étaient conservés les préjugés, les croyances d'une époque défunte. En suivant les deux femmes, j'ai jeté un coup d'œil angoissé sur cette pièce meublée une cinquantaine d'années auparavant et destinée à accueillir les soirs d'hiver les bons bourgeois des pays nordiques. Quatre fenêtres garnies de lourds rideaux de damas sombre ; de gros fauteuils posés symétriquement aux quatre coins de la pièce ; au milieu, une table ronde recouverte d'un tapis au triste dessin géométrique retombant en plis raides ; sur le tapis, un vase en bronze, des revues, des journaux allemands, anglais, scandinaves, suisses, empilés les uns sur les autres en ordre parfait.

Entre les fenêtres, des daguerréotypes grandeur nature représentant les célèbres barbus du XIXᵉ siècle : Ibsen, Victor Hugo, Tolstoï, Darwin, ainsi que quelques obscurs monarques allemands en uniforme. Pourquoi ? Parce que le signor Galamini, dernier descendant des premiers propriétaires de la maison, n'avait pas pensé à détruire ce musée de célébrités d'autrefois. Cet esprit conservateur pouvait seulement s'expliquer par l'atmosphère somnolente et apathique qui régnait sur cet ancien lieu de villégiature qu'on appelle Anacapri.

J'ai été très déçu en voyant Paula et Trude se diriger vers le coin du salon où, autour d'un poste de radio, pratiquement tous les hôtes allemands de la pension s'étaient groupés. Après avoir rapidement été présenté (« Le signor Lucio, traducteur d'allemand, il parle très bien notre langue »), je me suis laissé tomber dans un fauteuil à côté de celui de Trude.

Je savais depuis longtemps que ces Allemands et leurs femmes, dont Paula redoutait tant l'opinion, étaient pour la plupart des professeurs de lycées ou de facultés. Un seul n'était pas accompagné d'une femme. C'était un homme que j'avais déjà remarqué (il avait une prestance certaine), auquel, suivant l'habitude que j'avais prise en vivant solitaire, j'avais collé le surnom de « Lansquenet ». Ce Lansquenet-là rappelait beaucoup le personnage d'un dessin de Dürer intitulé *Portrait d'un Jeune homme* : tête typique de la période germano-latine de l'artiste. Front haut et large, cheveux bruns et bouclés, grands yeux noirs, regard rêveur et tranquille, nez fin, pointu, aux narines bien dessinées, bouche à la fois dédaigneuse et sensuelle. Mon « Lansquenet » ressemblait au portrait de Dürer comme certains Toscans d'aujourd'hui ressemblent aux personnages des tableaux de notre Rinascimento d'une manière anachronique et inconsciente, comme par une sorte de réfraction d'une lointaine origine culturelle. J'avais donné à cet homme le surnom de « Lansquenet » parce qu'on l'imaginait facilement avec un couvre-chef à plumes et la cotte de mailles des aventuriers. Mais là s'arrêtait la ressemblance. En réalité « Lansquenet » était professeur d'histoire dans je ne sais quelle université de province.

En ce moment, « Lansquenet » était lancé dans une discussion très vive et n'avait répondu que par signe de tête au salut que je lui avais fait en entrant. Son contradicteur était aussi un professeur que, toujours au cours de mes solitaires remarques, j'avais baptisé du surnom de « Pomme cramoisie », une variété de pommes rouges qui avec le temps deviennent blettes sans pour autant perdre leurs belles couleurs. Effectivement, le professeur auquel je donnais ce surnom ressemblait beaucoup à une vieille pomme qui aurait passé l'hiver sur l'étagère d'une crédence. Grand et maigre, petit ventre sphérique, cheveux blond-gris hérissés comme du chiendent, il avait un visage écarlate au milieu duquel deux yeux d'un bleu pâle vous regardaient. Le vieux visage de vieille pomme n'était pas seulement fripé mais aussi balafré ; comme le sont toutes les pommes qui, se détachant de leurs branches, vont heurter en tombant un caillou pointu ; une cicatrice signée *Mensur*, le traditionnel duel des étudiants, lui traversait la joue jusqu'au menton. « Lansquenet » gardait lui aussi un souvenir de sa vaillance militaire, mais d'un genre différent : de son épaule gauche pendait une manche vide.

Leur discussion roulait justement sur les us et coutumes de la *Mensur*. J'ai tout de suite compris que « Lansquenet » était contre le duel entre étudiants ; « Pomme cramoisie » était pour ce dernier. Son monocle cerclé d'écaille, encastré dans l'orbite, il défendait chaleureusement ce que signifiait pour lui la *Mensur* : bravoure, intrépidité, courtoisie, loyauté. « Lansquenet », ses grands yeux noirs cachés derrière une paire de lunettes très professorales, se contentait de secouer la tête d'un air de désapprobation obstinée. « Pomme cramoisie » ayant achevé sa péroraison en faveur de la coutume, « Lansquenet » répondit brièvement que les raisonnements de son adversaire pouvaient être considérés comme des explications mais pas comme des justifications : il s'agissait d'une survivance anachronique qui devrait être abolie. À court d'arguments « Pomme cramoisie » s'est écrié : « Pourtant vous avez été soldat, vous avez combattu, vous avez perdu un bras à la guerre. Il y a des choses que vous devriez comprendre mieux que personne. » À quoi « Lansquenet », inflexible, a rétorqué : « C'est justement parce que j'ai été soldat que je voudrais que la *Mensur* soit abolie. » « Alors vous reniez les valeurs pour lesquelles vous vous êtes battu ? » « Non, je ne renie rien. Je me suis battu pour mon pays mais parmi les valeurs de mon pays je ne mets jamais la *Mensur*. » « Mais votre pays est fait de choses qui le distinguent des autres. Par exemple, son sens particulier de l'honneur dont la *Mensur* est une expression caractéristique. » « Je me permets de ne pas être de votre avis. » « Vous voulez dire qu'il n'est pas vrai que notre pays se distingue des autres par son sens particulier de l'honneur ? » « Non, mais seulement que je ne crois pas que la *Mensur* soit indispensable au sens de l'honneur allemand. » « Alors voulez-vous me dire ce qui est indispensable au sens de l'honneur allemand ? » « Vous le savez mieux que moi, je ne veux pas vous faire l'injure de croire que vous ne le savez pas. »

« Pomme cramoisie », qui était hors de lui, s'est tourné vers moi : « Vous qui êtes étranger mais qui, à ce qu'on m'a dit, connaissez bien notre pays, vous savez certainement ce que j'entends lorsque j'affirme qu'un sens particulier de l'honneur distingue le peuple allemand des autres peuples. Ces choses-là ne peuvent s'expliquer avec des mots, il faut en faire l'expérience. De toute façon, dans le duel, les adversaires sont en face l'un de l'autre, comme ceci. » Tout en parlant, mon interlocuteur avait quitté son fauteuil et avait pris la position de duelliste, bras tendu brandissant un sabre imaginaire : « Regardez. En réalité, les duellistes savent qu'il ne s'agit pas de sortir vainqueur ou vaincu, mais d'accepter comme un homme d'honneur doit le faire, c'est-à-dire avec courage et loyauté, le défi d'un autre homme. C'est moins une question d'habileté que de savoir ne faire qu'un avec son arme. L'étudiant ne doit faire qu'un avec son sabre, sans effort, avec le maximum de calme et de précision. » « Pomme cramoisie » s'est brusquement fendu et son monocle a sauté hors de son orbite. Puis il est revenu s'asseoir, très excité, pour me dire : « Mais je ne sais pas si un étranger peut comprendre ce genre de chose spécifiquement allemande. »

Je l'ai assuré que j'en comprenais une partie : n'avais-je pas passé mes examens à l'université de Munich ? « Pomme cramoisie », tout en acquiesçant de la tête, s'est mis à essuyer son monocle avec son mouchoir. Tout le monde à présent regardait « Lansquenet » en se demandant ce qu'il allait répondre. Mais « Lansquenet » n'a dit que : « Je vous prie de m'excuser. » Il s'est ensuite levé pour saluer en s'inclinant deux fois de suite. Puis il est sorti.

J'étais convaincu que les professeurs et leurs épouses profiteraient immédiatement de l'occasion pour commenter le comportement de l'adversaire de la *Mensur*. Et je me suis demandé ce que Trude allait dire. Allait-elle reprendre son scénario ? Allait-elle faire semblant d'être Beate comme elle l'avait fait durant le dîner ? Ou bien serait-elle elle-même, la Trude qui s'était convertie au culte du Führer après son suicide avorté ? Je dois dire que j'ai attendu avec anxiété son intervention : il ne s'agissait plus de « plaisanterie » mais d'une chose beaucoup plus grave au sujet de laquelle il était difficile de plaisanter.

Pendant un moment il ne s'est rien passé. Les professeurs et leurs épouses commentaient l'attitude de « Lansquenet ». Trude, immobile, se taisait. Que disaient les professeurs et leurs épouses ? Avec le prévisible mais peu excitant passage de la discussion des idées à la politique, ils ont commencé à se demander qui était, au fond, « Lansquenet » ? D'où venait-il, avec ses yeux noirs et ses cheveux bruns ? Un peu de sang slave ou latin ne courait-il pas dans ses veines ? Ou quelque autre sang ? Après avoir un peu discuté de ses origines, tout en sachant que cette piste ne mènerait à rien puisqu'on était certain que « Lansquenet » était aryen — sinon il ne serait pas enseignant —, toute la compagnie s'est retrouvée au point de départ en commentant, cette fois sans implication raciale, la singularité très particulière du personnage. Pourquoi le professeur d'histoire désapprouvait-il la *Mensur* ? Qu'y avait-il derrière cette désapprobation ? Une tendance politique pas précisément orthodoxe ? Ou bien son ancienne appartenance à un parti de gauche ? Et n'y avait-il pas quelque chose d'étrange dans le fait que, marié et père de quatre enfants, il se trouve tout seul à Capri, en cette période de vacances, quand pères et maris se font un devoir de rester en famille ? D'autre part, pourquoi avait-il quitté le salon, et donc le poste de radio, un soir comme celui-ci, devenu exceptionnel par l'annonce d'une communication extraordinaire du Führer ? Où irait-il écouter la radio ce soir ? Et, après tout, était-on certain qu'il l'écouterait ?

Et voilà qu'à ce moment, tandis que tous discutaient le cas du

« Lansquenet » et que tout le monde se trouvait d'accord pour le condamner, mais pas d'accord sur les motifs qui l'avaient fait se comporter comme il s'était comporté, « Pomme cramoisie » s'est brusquement tourné vers Trude, muette et immobile, pour lui demander d'un ton à la fois poli et acerbe pourquoi elle se taisait, s'il ne lui semblait pas que « Lansquenet » avait tort et s'il n'y avait pas dans son attitude quelque chose de bizarre.

Tous se sont tournés vers Trude. Moi-même j'étais inquiet ; à présent je désirais ardemment qu'elle continuât à faire semblant d'être Beate et qu'elle répondît comme l'eût fait son imaginaire sœur jumelle. Il est alors arrivé quelque chose d'étrange et de contradictoire. Trude a ouvert la bouche et sans modifier l'expression désespérée qui était propre à Beate, elle a prononcé ces mots incroyables : « De quoi vous étonnez-vous ? Vous ne voyez donc pas que c'est un intellectuel ? »

Ma première réaction fut de ressentir comme une profanation. Beate, la mythique Beate, le pur esprit, l'intellectuelle, ne pouvait pas, ne devait pas parler de cette façon. C'était comme si un prêtre s'était mis tout à coup à blasphémer. Ensuite pourtant, passé le premier moment, une idée bouleversante s'est présentée à moi. Oui, c'était une profanation que le personnage de Beate parlât de cette manière. Mais la responsabilité en retombait sur le totalitarisme nazi qui contraignait, par la peur, les citoyens à dire le contraire de ce qu'ils pensaient. Au fond, non seulement la déclaration de Trude ne contredisait pas le personnage de Beate mais elle en confirmait l'authencité, la normalité. Beate, après tout, était une Allemande comme les autres qui, pour survivre dans un pays terrorisé, n'hésitait pas à mentir à elle-même et aux autres.

Presque tout de suite cette supposition en engendra une autre, non moins bouleversante, qui en était la conséquence directe : et si, en réalité, la femme qui venait de parler en nazie fanatique n'était pas Trude jouant le rôle de Beate, mais Beate jouant le rôle de Trude ? Si finalement Trude n'était pas un personnage entièrement inventé par Beate pour se déguiser et se mieux défendre du terrorisme totalitaire ?

Je me suis alors demandé pourquoi je n'y avais pas pensé plus tôt. Il était hors de doute que le désespoir de Beate était la vérité même, tandis que quelque chose d'excessif, de caricatural, donc de fabriqué, recouvrait la voracité, la sensualité, la vulgarité de Trude. Que pouvait-il exister de plus authentique que le désespoir en ces temps de dictature terroriste et quoi de moins authentique dans ces mêmes temps que la saine joie de vivre ? Mais me frappaient surtout, d'un côté la mesure du personnage de Beate et de l'autre la démesure de celui de Trude. N'était-ce pas la démesure, la caractéristique de l'invention par rapport au réel, et la mesure, au contraire, la caractéristique du réel par rapport à l'invention ?

Au fond, qu'était ce régime hitlérien sinon un régime fondé d'une part sur la foi et d'autre part sur la terreur ? Cette foi s'exprimait par des comportements que la terreur pouvait facilement simuler parce qu'ils étaient des comportements simples et extrêmes semblables, justement, à ceux de la terreur. Ceci m'expliquait l'exagération presque caricaturale du personnage politique de Trude qui allait jusqu'à me demander de regarder mon pénis pour voir si j'étais circoncis. Ainsi s'expliquaient également sa vulgarité, sa frénésie, sa gloutonnerie, sa brutalité, toutes choses trop bien jouées pour n'être pas feintes. Restait à présent la question de la complicité du mari et de Paula dans leur « plaisanterie ». Après quelques instants de réflexion, j'ai décidé que Müller et l'amie savaient très bien que le personnage de Trude était une invention dictée par la terreur ; tous deux l'acceptaient à cause du grand amour qu'ils éprouvaient pour Beate. Et puis pourquoi Trude était-elle apparue au moment où Paula s'était substituée au mari au côté de Beate ? Là, la chose s'expliquait par les modalités de la « plaisanterie » qui voulait que pour se faire aimer et pour m'aimer, Beate devait être elle-même ; et qu'au contraire, pour me décevoir et me repousser, elle devait se présenter sous le déguisement de Trude.

La confirmation de la justesse de mes impressions m'a été donnée inopinément par les professeurs et leurs épouses. La réponse de Beate au sujet du comportement anormal de « Lansquenet » — réponse conforme en tout au caractère de la Trude imaginaire — avait suscité une nouvelle discussion, non pas sur « Lansquenet » mais sur ce qu'était réellement un intellectuel. Alors je me suis dit que ces professeurs, tout comme Beate, étaient terrorisés et que c'était pour cela qu'ils faisaient semblant d'éprouver des sentiments ou d'avoir des opinions qu'ils étaient loin d'éprouver ou d'avoir. Ne serait-ce qu'à cause de leur profession, ces professeurs étaient eux aussi des intellectuels. Mais, à présent, après la réponse de Trude, ils semblaient rivaliser pour éloigner de leurs personnes l'accusation infamante. Si je n'avais eu d'autres préoccupations, je me serais peut-être amusé, de façon un peu méchante, à voir tous ces hommes qui avaient passé leur vie à faire des recherches dans les livres, essayer aujourd'hui de se faire oublier en soutenant qu'il existait deux cultures, l'une « saine », « constructive », « allemande » ; l'autre « décadente », « destructrice », en somme « juive ». Bien différentes étaient devenues mes préoccupations depuis que Trude s'était comportée de façon aussi conformiste envers les intellectuels. Je pensai que dans un régime de terreur, il n'est plus possible de distinguer la vérité dans le mensonge, la vérité du mensonge, mais aussi — et pardonnez-moi ce jeu sur les mots – dans la vérité, la vérité.

Par exemple, qui me disait que « Lansquenet » n'était pas, lui aussi, un agent provocateur dont on devait se méfier, en simulant le conformisme le plus orthodoxe ? Ici je dois avouer que je n'étais pas tout à fait certain que tout ce qui se passait aujourd'hui fût vrai. Le fait même que je pusse le penser me paraissait typique de la condition ambiguë et dissociée propre à toute société basée sur la terreur.

Je réfléchissais en observant les professeurs qui discutaient doctement et subtilement la question de *qui* devait être considéré comme un intellectuel, dans le mauvais sens du terme ; et qui, dans son acception positive. Puis mon regard s'est à nouveau porté sur les deux femmes. Elles étaient en train de parler d'abondance entre elles. Beate avait collé sa bouche contre la grande oreille dégagée de Paula qui écoutait avec grande attention, et en même temps avec un plaisir quasi voluptueux, ce que son amie murmurait pour elle. Alors, en voyant les lèvres de Beate se mouvoir presque à l'intérieur de l'oreille de Paula, je n'ai pas pu m'empêcher de soupçonner, avec mon absurde et exagérée jalousie que, au lieu de parler, et sans avoir l'air de rien, Beate, dans cette oreille remarquablement attentive, tournait et retournait la pointe de sa langue pour des caresses de plus en plus chaleureuses et pénétrantes. Alors j'ai brusquement pensé que toute la question de la dualité de Beate n'avait pas la moindre importance. Ce qui m'importait c'était l'amour existant entre les deux amies ; amour pleinement partagé et totalement rendu, exactement celui qui ne me semblait pas possible entre moi et la femme que je m'obstinais à aimer. Alors je ne sais plus très bien comment les choses se sont passées. Brusquement j'ai regardé avec ostentation mon bracelet-montre, je me suis levé et j'ai dit très haut et en allemand : « Je suis désolé, chère madame Müller, mais à présent je suis obligé de vous enlever. Nous aurons à peine le temps de faire notre promenade au clair de lune avant la communication extraordinaire du Führer. »

Dans la frénétique impatience qui me faisait désirer d'éloigner au plus vite et à tout prix Beate de son amie, c'était le seul argument qui m'était venu à l'esprit. Au même moment, il y eut dans les conversations une pause que dans ma jalousie je ne pensai pas due au hasard mais au fait que les professeurs et leurs épouses s'étaient aperçus de la scandaleuse conduite des deux femmes ; et que moi, au lieu de parler à Beate, je me tournais vers eux comme pour réclamer leur solidarité. Ma voix a résonné brutalement dans le silence ; les professeurs m'ont regardé avec étonnement ; Beate s'est écartée de Paula et, très calmement, elle a dit : « Je regrette, mais c'est impossible ; je ne voudrais pas arriver en retard pour le discours du Führer. »

J'ai répondu d'une voix perçante : « J'ai prévu cette éventualité. Nous écouterons le discours du Führer à la radio du café. »

J'ai vu Beate me considérer avec une attention indéfinissable, presque comme si elle soupesait le pour et le contre avant de répondre ; puis elle a dit sans hausser la voix : « Il est vrai que vous êtes un étranger, mais vous devriez, tout de même, sentir ce qu'il y a de choquant à s'en aller faire une promenade au clair de lune lorsque le Führer va nous communiquer quelque chose qui pourrait changer notre vie et le destin de l'humanité. »

C'était un argument irréfutable qui pouvait lui avoir été dicté aussi bien par la confiance que par la terreur, mais moi je n'y ai vu que son refus obstiné de m'accompagner dehors loin de Paula et des professeurs. Quelque chose a craqué ; peut-être la corde trop longtemps tendue de cette ambiguïté désormais insupportable pour moi. J'ai dit : « Je regrette. Je ferai ma promenade tout seul. Je vous prie de m'excuser. » Je me suis rapidement incliné, je suis sorti du cercle des fauteuils et suis passé dans le hall.

XIII

À peine sorti du salon je me suis rendu compte que je n'avais nulle envie de me promener. Ce qui surtout m'attirait dans la promenade, ce n'était pas le clair de lune mais l'urgent désir de séparer Beate de Paula ; et davantage encore celui de la séparer du nazisme, représenté ce soir par les Allemands assis autour de la radio de la pension Damecuta. En emmenant Beate avec moi, je vérifiais, disons, son identité. Et Beate, si elle n'avait pas trop peur, aurait très bien pu passer tout le temps de la communication de Hitler sur un banc public devant le spectacle de la pleine lune. Trude, non. Mais laquelle des deux avait refusé de sortir avec moi ? Beate terrorisée, qui faisait semblant d'être Trude, ou bien Trude, la fanatique, qui faisait semblant d'être Beate ? Comme on le voit, je me trouvais de nouveau dans le plus grand désarroi en ce qui concernait l'identité de la femme que j'aimais.

Dans ce curieux état d'âme, triste, sans volonté, découragé, presque sans penser à rien, au lieu de sortir sur la route, j'ai fait demi-tour et j'ai commencé à monter les marches de l'escalier. Je ne savais pas ce que j'allais faire : je savais seulement que je ne voulais pas m'éloigner.

Arrivé devant ma porte, je l'ai ouverte et j'ai hésité. Fallait-il m'enfermer à clé ou bien fallait-il que je laisse Beate (ou Trude) venir chez moi comme elle l'avait promis ? Trait caractéristique de mon indécision, j'ai d'abord donné un tour de clé puis, repenti, je l'ai donné en sens inverse, laissant la porte entrebâillée. Ensuite, je suis allé m'asseoir à ma table, tournant le dos à la porte. Un livre, que j'ai immédiatement reconnu pour être le recueil des lettres de Kleist était sur la table.

Le livre était ouvert ; j'ai lu : « *Oh ! le monde, quelle curieuse institution ! C'est vrai que nous deux, Henriette et moi, deux personnes tristes et mélancoliques, avons commencé de nous aimer d'amour et la meilleure preuve est que bientôt nous allons mourir ensemble.* »

J'ai lu ces lignes et en même temps j'ai entendu que derrière moi, la porte que j'avais laissée entrebâillée était en train de s'ouvrir entièrement. La main qui l'avait ouverte l'accompagnait jusqu'à ce qu'elle soit refermée. Ensuite il y a eu le bruit de la clé qui tournait dans la serrure. La personne qui entrait ne voulait pas courir le risque d'être surprise dans ma chambre. Mon cœur s'est mis à battre plus vite parce que maintenant le silence se prolongeait. Quelqu'un bougeait derrière moi, mais si lentement, si légèrement, au point de me faire douter de mon ouïe. Que me voulait le mystérieux visiteur ? Je n'ai pas eu le temps de trouver une réponse parce que, brusquement, deux mains se sont posées sur mes yeux et que quelqu'un a dit d'une voix douce et familière, pas du tout moqueuse : « Maintenant, devine qui je suis : Trude ou Beate ? » Ainsi, ai-je pensé, après m'avoir trompé ou fait marcher pendant si longtemps, voici que Trude (ou Beate, je ne savais plus quel nom leur donner) prenait pour acquis que, moi, j'avais tout pardonné. Du même coup, elle reprenait le « jeu » comme si de rien n'était. J'ai eu d'abord la tentation de lui dire en face ce que je pensais et de la ficher à la porte. Ensuite je n'ai su que répondre, sincère et triste à la fois : « Je voudrais que tu fusses Beate. Mais j'ai grand-peur que tu ne sois Trude.

« Pourquoi as-tu peur que je sois Trude ?

« Parce que j'aime Beate et que je n'aime pas Trude.

« De toute manière, cette peur est un compliment pour la comédienne que je suis. Cela veut dire que j'ai été vraiment " bonne " ».

« Bonne ? Pourquoi ?

« Parce que j'ai tenu le rôle de Trude à la perfection. »

J'étais stupéfait. En ce moment, avec une intuition mystérieuse, elle confirmait ce que j'avais supposé : que le personnage de Trude était une invention. La coïncidence entre mes soupçons et son intuition m'avait frappé comme une preuve de l'amour qui nous unissait : nous nous aimions et, à cause de cet amour, chacun de notre côté nous pensions les mêmes choses. Je lui ai pris les mains, je les ai arrachées de mon visage et je l'ai obligée à faire le tour de mon bureau. La voici devant moi, debout, qui me regarde avec les yeux de Beate. Je lui ai dit : « Le rôle de Trude ? Alors, finalement toi, tu serais Beate. Beate existerait vraiment ? C'est difficile à croire mais moi, tout à l'heure, au salon, j'ai pensé la même chose.

« À quel moment l'as-tu pensé ?

« Lorsque tu as dit que le professeur d'histoire était un intellectuel.

« Pourquoi l'as-tu pensé ?

« Parce que toi, tu ne peux pas être une caricature, autrement dit, Trude ; et que forcément tu dois être une personne réelle, autrement dit, Beate.

« En quel sens Trude est-elle une caricature ?

« Dans le sens qu'une femme comme Trude, aussi saine, aussi gaie, aussi nazie, ne peut être qu'un personnage imaginaire. Beate, au contraire, est la chose vraie, authentique, réelle. »

Elle me regardait fixement sans rien dire. J'ai repris : « Sais-tu que Paula est venue aujourd'hui même pour me révéler que jusqu'à présent nos rapports n'ont été qu'une plaisanterie ?

« Bien sûr que je le savais. Paula t'a parlé, d'accord avec moi.

« D'accord ? Pourquoi ?

« Parce que je ne voulais pas que tout ça continue. Je ne voulais pas que tu viennes en Allemagne.

« À présent tu aurais changé d'idée ?

« Oui, j'ai changé d'idée.

« Pourquoi ?

« Tu pourrais deviner tout seul le pourquoi. Tout simplement pour faire l'amour avec toi. »

Je me suis pris la tête entre les mains comme quelqu'un qui craint de perdre la raison : « Reprenons depuis le commencement. Je te rencontre à bord du *vaporetto* ; tu es avec ton mari, tu me regardes d'une certaine façon. Quelques jours passent, tu continues à me regarder de la même façon. J'apprends par hasard que tu t'appelles Beate Müller ; que, en prenant modèle sur Kleist et sa compagne, tu veux faire l'amour avec moi et que nous mourrons ensemble après. Et pourtant, au plus beau moment, tu décides de partir. Avec ton mari, tu retournes en Allemagne, en m'annonçant l'arrivée de ta sœur jumelle, Trude. Trude arrive avec une femme qui se présente comme étant votre mère. Trude, sans faire de façons, me fait comprendre qu'elle ne demande pas mieux que de coucher avec moi, sans histoires, sans désespoir, sans suicide. Moi, j'aime Beate, Trude ne me plaît pas. Alors Trude me fait une proposition curieuse : grâce à leur ressemblance, elle fera semblant d'être sa sœur. J'aurai ainsi l'illusion de faire l'amour avec Beate mais sans payer ce moment du prix d'un suicide. Les choses en sont là lorsque Paula vient me rendre visite dans ma chambre et me révèle qu'il s'agit d'une plaisanterie, que Beate n'a jamais existé. Avant même de m'être habitué à cette révélation, tu viens me dire que Paula a menti, que Beate existe ; que le personnage imaginaire, c'est Trude. Es-tu d'accord avec moi sur l'exactitude du déroulement de cette histoire ?

« Oui.

« Maintenant tu vas me dire pour quelles raisons tu aurais inventé le personnage de Trude. »

Elle a d'abord hésité puis : « Je l'ai inventé parce que je ne voulais pas t'engager trop loin. Je voulais réduire nos relations aux proportions d'une mystérieuse et vague aventure de vacances au bord de la mer.

« Tu y as presque réussi mais qui me dit que c'est vrai ? Qui me dit que tu n'es pas encore en train de mentir ? »

Elle a hoché la tête : « Mais comment peux-tu penser qu'il existe véritablement une femme aussi vulgaire, aussi grossière que Trude ? Une femme qui, au moment où elle va t'embrasser, fait sur tes lèvres un bruit obscène et dégoûtant. Une femme qui t'oblige à lui montrer ton sexe pour prouver que tu n'es pas circoncis. Une femme qui se gave à table, au restaurant, de plusieurs portions d'un même plat. Une femme qui, en barque, se fait masturber deux fois par ton pied.

Comment peux-tu penser qu'il existe véritablement une pareille goulue, aussi stupide, aussi fanatique, aussi nymphomane ? »

J'ai pris mes tempes entre mes deux mains : « Mais tout à l'heure à table, tu me regardais de la même manière que Beate, tu refusais, comme Beate, de manger, comme Beate tu semblais désespérée tandis qu'en réalité, après la visite de Paula, je devais savoir que tu étais Trude jouant à être Beate.

« Eh bien, non, j'étais Beate, vraiment Beate et je ne faisais semblant de rien, comme je n'ai fait semblant de rien le jour où nous nous sommes rencontrés sur le bateau.

« Et à présent, que veux-tu de moi ? »

Elle s'est mise à rire, mais sans gaieté, à la manière de Beate. « Je sais, moi, à quoi tu penses. Tu penses à l'amour. Tu ne serais pas Italien si tu n'y pensais pas. Je te l'ai déjà dit et je te le confirme : nous ferons l'amour cette nuit, c'est promis, cette nuit. Je viendrai ici, disons vers deux heures du matin ; quand je serai sûre que Paula est endormie.

« Mais pourquoi ne pas le faire tout de suite ? »

Je me suis levé très vite, j'ai tendu un bras vers elle. J'ai réussi à effleurer sa joue avec le bout de mes doigts. Elle s'est reculée, elle a dit : « Non, pas maintenant. Je suis venue ici uniquement pour te dire que rien n'est changé entre nous. Je ne voulais surtout pas que tu penses, après ce qui s'est passé au salon, que j'étais une brute insensible comme Trude. Mais il faut que je m'en aille, Paula m'attend, elle sait que je suis avec toi, elle est tout à fait capable de venir me chercher. »

J'étais fou de rage et j'ai dit : « Elle est jalouse. Finalement je crois qu'elle est la seule personne que tu aimes, la seule avec laquelle tu fasses l'amour. » Elle n'a pas répondu à mon affirmation qui, en réalité, était une interrogation. J'ai insisté : « C'est donc vrai : Paula est la seule personne que tu aimes ? »

Cette fois, elle a dit : « En tout cas, c'est la seule personne au monde qui accepterait de mourir avec moi. »

Avec une sincérité absolue, je me suis écrié : « Moi, je suis prêt à le faire.

« Vraiment ? »

À présent elle me regardait, ni triste ni malheureuse, avec une expression que je ne lui avais encore jamais connue ; d'une exigence consciente et impitoyable. J'ai hésité un instant mais cette fois cette expression me disait que c'était bien Beate que j'avais devant moi ; définitivement. Beate, dont le but, je le savais, était de m'entraîner avec elle dans son projet de suicide. Après une seconde interminable, j'ai pensé : « Tout ça c'est de la mauvaise littérature et c'est parce que c'est de la mauvaise littérature que le mauvais écrivain que je suis ne peut revenir en arrière. Adieu, vie, adieu. » J'ai levé les yeux et j'ai répondu avec une grande fermeté : « Oui, vraiment. »

Elle a ouvert son sac pour fouiller dedans et elle en a retiré quelque chose. Elle a dit : « Bon. Cette nuit nous serons amants et puis ce sera la fin. Ici, dans ta chambre, avec ça. » Elle a ouvert la main pour me montrer une petite boîte ronde en argent : « C'est le cyanure que j'ai volé à Aloïs à Naples. Mais je ne veux pas te forcer. Après l'amour tu pourras encore choisir ; mais cette fois sans moi parce que moi, je serai déjà morte. Tu seras libre de faire comme moi ou de t'en aller la queue entre les jambes, tout content de t'en être sorti à si bon compte. »

Je n'ai pas pu m'empêcher de crier : « Voyons, Beate, comment peux-tu me parler ainsi, à moi qui t'aime tant ?

« Si tu m'aimais vraiment, tu comprendrais que je ne veux pas faire l'amour, que je veux mourir, seulement mourir. »

Glacé par le ton vibrant et froid de sa voix, je suis resté muet. Mais elle a ajouté presque tout de suite : « Maintenant je dois te laisser. On m'attend au salon.

« Mais cette nuit tu viendras, n'est-ce pas, comme tu l'as promis ? »

Elle s'est mise à rire : « Tu as peur qu'au dernier moment je flanche ? Bien sûr que je viendrai, comment peux-tu en douter ? » Elle a hésité avant d'ajouter sur le ton d'un personnage de mélodrame : « J'ai rendez-vous avec deux choses importantes : l'amour et la mort. Comment peux-tu croire que je manquerais cela ? »

Que pouvais-je dire, que pouvais-je faire ? Son ironie vis-à-vis d'elle-même et je ne sais quel mépris envers moi m'en empêchaient.

Je me suis levé, je me suis tourné du côté de la porte. Légère, presque en dansant dans sa jupe verte qui frôlait ses chevilles minces et élégantes, elle a traversé ma chambre ; sur le seuil elle m'a envoyé un baiser du bout des doigts, et je ne l'ai plus vue.

XIV

Qu'est que j'allais faire maintenant ? J'ai calculé que le discours de Hitler annoncé pour onze heures et demie du soir durerait certainement longtemps. Ce n'était pas un orateur sobre et concis. Sa communication, dite extraordinaire, pouvait se prolonger au moins pendant deux heures. Après le discours, il y aurait sans aucun doute les commentaires des touristes allemands. En outre, on ne pouvait exclure quelques différents retards dus à la situation particulière où nous nous trouvions Beate et moi. Que faire, donc, de ces trois ou quatre heures d'attente avant la visite de Beate ?

Alors pourquoi ne pas les passer avec quelqu'un ? Rien de mieux qu'une présence étrangère pour vous distraire d'une préoccupation dominante. Mais avec qui les passer ? Je me suis alors souvenu que ce matin même j'avais rencontré Sonia sur la place qui m'avait dit que Shapiro était arrivé de Londres. Pourquoi n'irais-je pas lui rendre visite ? Elle lui avait parlé de moi, et il avait paru très curieux de me connaître. Je n'ai pas hésité longtemps. Je suis sorti de ma chambre, je suis descendu au rez-de-chaussée et je suis allé à la cabine téléphonique installée dans un coin du hall. Presque tout de suite j'ai entendu dans le récepteur l'accent russo-caprese de Sonia.

J'ai dit : « C'est moi, Lucio. Si cela ne te dérange pas, j'accepterais volontiers ton invitation de ce matin.

« Quelle invitation ?

« De faire une visite à Shapiro.

« Mais il est déjà couché et moi je suis en train de l'endormir avec un roman de Trollope. Tu connais Trollope ? C'est un de ses auteurs favoris, sans doute parce qu'il est très ennuyeux...

« Alors excuse-moi, je te téléphonerai demain. »

En prononçant le mot « demain » j'ai ajouté, à part moi mais presque sérieusement : « Si je suis encore en vie... »

Mais voilà la voix de Sonia qui reprend comme ayant reçu une inspiration : « Attends, je vais lui demander s'il peut te recevoir comme il est, c'est-à-dire au lit, il le fait quelquefois ; attends. »

Elle m'a laissé en plan, comme ça, à attendre. J'ai attendu l'œil fixé sur la porte fermée du salon derrière laquelle, formant un cercle autour du meuble de la radio, les professeurs, Beate et Paula attendaient l'heure de la communication extraordinaire de Hitler. Sonia ne m'a pas fait longtemps attendre : « Il a dit que tu pouvais venir. Il est de très bonne humeur ; il t'attend. »

Je suis sorti de la cabine et quelques minutes après je sonnais à la grille de la villa de Shapiro. Voilà le petit bourdonnement de la porte en train de s'ouvrir : et voilà le petit escalier encaissé entre les murets de pierres sèches. La porte du musée était ouverte et éclairée sur le fond obscur de la terrasse. Dans la lueur jaunâtre, la silhouette noire de Sonia se dessinait. Elle a tout de suite crié : « Sais-tu que tu en as de la chance ! Ici c'est une procession continuelle d'Anglais qui demandent à le voir, mais lui, le plus souvent, refuse de les recevoir. Tandis que toi, dès que j'ai dit que tu étais un intellectuel italien, il a tout de suite décidé de t'accueillir avec tous les honneurs dus à ton rang. Tu ne sais pas ce qu'il a dit ? « Un intellectuel italien ? Je croyais que c'était une race disparue. Voyons un peu à quoi ressemble ce fossile. »

Tout en bavardant, elle m'a précédé le long du couloir flanqué de petites portes sculptées *a bugnati* *. Nous avons pris un couloir adjacent au bout duquel Sonia a frappé, a écouté, puis a ouvert une porte. Sans entrer, du seuil, elle m'a annoncé en anglais : « Shapiro, c'est le signor Lucio dont je vous ai parlé. » Une voix hésitante, faible mais précise, a répondu, en anglais aussi, que je pouvais entrer. Je me suis avancé, Sonia s'est immédiatement retirée en refermant la porte derrière elle.

* *a bugnati* : ornements de bois ou de pierre travaillés en pointe de diamant.

246

Comme Sonia m'en avait prévenu, Shapiro était au lit, assis, le dos soutenu par deux ou trois coussins. De la lampe surmontée d'un abat-jour de soie jaune tombait une lumière étonnante qui éclairait un visage rappelant ceux des statues de cire peintes qu'on voit encore dans les églises de villages. Les cheveux blancs coiffés en arrière brillaient, bien soignés et argentés. Son front, légèrement bombé, ses tempes creusées, ses joues amaigries faisaient penser à un vieil ivoire. Ses petits yeux d'un bleu intense semblaient faits de quelque pierre fine ou d'un émail précieux. Sous les narines assez largement ouvertes de son nez de faune, ses moustaches et sa barbe blanches, soignées comme ses cheveux, encadraient mais sans les cacher ses lèvres charnues, rouges et sensuelles qui gardaient une expression grave et méditative, presque indéchiffrable.

Shapiro portait une sorte de blouse blanche, boutonnée à la russe sur le côté ; il tenait ses bras allongés sur la couverture ; j'ai noté la blancheur diaphane de ses petites mains ; sur le lit aussi, une paire de lunettes cerclées d'or. Shapiro m'a d'abord examiné en me regardant fixement, puis il m'a indiqué le fauteuil au pied de son lit en disant en un mauvais italien dont l'imperfection semblait être soulignée exprès par lui et comme par plaisir : « Vous êtes le signor Lucio ? Asseyez-vous, *si accomodi li*. Vous dites comme cela en Italie : mettez-vous à votre aise. Il serait plus exact de dire chez moi : *si scomodi* : ne vous mettez pas à votre aise, étant donné que ce fauteuil est de guingois : c'est Sonia qui me le répète en s'y enfonçant tous les soirs pour me lire à haute voix quelques bons romans victoriens. Ce soir elle a choisi Trollope. Vous n'avez probablement rien lu de Trollope ? Je vous assure que cela en vaut la peine. J'ai longtemps hésité avant de vous recevoir : dans le fond, j'aurais préféré Trollope mais Sonia m'a dit des merveilles de vous ; c'est à cause d'elle que j'ai sacrifié Trollope. Espérons que vous allez vous montrer digne de ce sacrifice, hi hi hi ! »

Lorsqu'il était sérieux, son visage barbu et précieux de vieil ivoire prenait l'expression de méditation et de sagesse ; maintenant qu'il riait cette sagesse avait volé aux quatre vents pour se transformer en un ricanement sarcastique, qui, me sembla-t-il, m'était destiné peut-être pour établir tout de suite, entre nous, une sorte de communication ironique et allusive. J'ai répondu sans lui montrer que j'avais subodoré son appel à la complicité : « Sonia m'avait dit que vous ne pourriez me recevoir que le soir... sinon que...

« C'est vrai, les autres heures du jour, je les dédie à mon travail. Si je ne travaille pas, je me promène.

« Vous travaillez dans votre musée ?

« Oh non, le musée, c'est terminé pour moi. Pour le musée Sonia est là. Non, moi j'écris, ou plutôt j'invente ce genre de mensonges qu'on appelle autobiographie ou mémoires.

« Vous devez avoir beaucoup à dire. Vous avez vécu entre deux mondes, entre deux siècles, l'un étant en train de mourir tandis que l'autre naissait. »

J'ai égrené ces banalités pour l'encourager à parler lui-même. Je me rappelais que Sonia m'avait dit lorsque je lui avais demandé « Qui est Shapiro ? » Demande-le-lui toi-même. » Mais Shapiro s'est contenté d'observer : « Il y a toujours deux mondes, un moribond et l'autre nouveau-né. À votre âge, j'aurais pu dire strictement la même chose ; mais je crois que je ne l'aurais pas dit parce qu'elle m'aurait paru être un lieu commun. De toute façon, Sonia m'assure que ce soir je ne perds rien. Elle m'a dit que vous seriez plus intéressant que Trollope. Alors, cher signor Lucio, quel est le, disons, message que vous me destinez ? »

J'ai tout d'abord cru être pris à l'improviste. Je me suis vite aperçu qu'il n'en était rien. Avant d'avoir eu le temps de réfléchir sur l'opportunité d'une pareille confidence, je me suis entendu dire avec une impudente facilité : « Plutôt qu'un message à vous livrer, j'ai un problème dont la solution est très, mais très, difficile. Si cela vous intéresse, je peux vous l'exposer.

« Comme c'est étrange ! Un Italien avec un problème qui n'est pas celui de sa propre survivance ! Bon, alors, je vous écoute. Quel est ce problème ? »

J'ai répondu avec une émotion que je ne contrôlais plus : « C'est le problème du désespoir. »

Sur le visage de Shapiro qui avait gardé son expression ironique et amusée, est passé comme un nuage d'inquiétude. Il ne s'attendait évidemment pas à quelque chose d'aussi personnel ; ni surtout au ton ému de la voix qui venait de le prononcer. Il m'a cependant répondu mais avec une bonne volonté imposée : « Et quel est pour vous le problème du désespoir ?

« Je me demande s'il est possible de vivre dans le désespoir sans désirer la mort. »

Très vite, comme quelqu'un qui veut se débarrasser d'un problème ennuyeux par un mot d'esprit et pour passer ensuite à autre chose, il a dit : « Tant qu'il y a du désespoir il y a de la vie, n'est-ce pas ? Les embêtements commencent avec l'espérance. Vous ne connaissez pas le proverbe de votre pays ? " Qui vit en espérant meurt désespéré. " »

J'ai expliqué : « Je me suis sans doute mal exprimé. Mon problème est le suivant : est-il possible de stabiliser le désespoir ? Je veux dire : peut-on considérer le désespoir comme condition normale de la vie sans aller jusqu'à sa conséquence, jusqu'au suicide ? »

J'ai eu l'impression d'être ingénu jusqu'à l'inconvenance en face de ce vieux visage sardonique. Mais cela ne me déplaisait pas, au contraire. Qui sait pourquoi, à ce moment-même — peut-être parce que je pensais que le problème du désespoir était désormais résolu dans le sens voulu par Beate —, j'éprouvais le besoin d'en parler. Et peu m'importait que Shapiro fût la personne la moins faite pour de semblables confidences. Effectivement, après m'avoir écouté avec un air de plus en plus bourru et ennuyé, Shapiro a dit avec une fausse et onctueuse sympathie : « Mon pauvre garçon, lorsqu'on a la chance d'avoir vingt ans...

« Pardon, mais j'ai vingt-sept ans.

« Vingt-sept ans ! À vingt-sept ans, mon humble avis est qu'on ne peut pas être désespéré.

« Et pourquoi ? »

Après avoir réfléchi un instant, il a pris subitement un air sérieux et a dit : « Parce que la jeunesse ne voit pas les choses qui l'entourent dans l'immédiat, elle préfère voir ce qui l'attend dans un avenir lointain. Dans le futur, il n'y a rien, il ne peut rien y avoir, tout ce qui nous concerne est dans le présent. Les années passant, on pense toujours moins au futur et toujours plus au présent. Ou parfois, comme moi, au passé. J'appartiens, comme vous l'avez justement remarqué, au monde qui est en train de disparaître. Il n'est donc pas surprenant que je préfère de beaucoup le passé à n'importe quel futur, hi, hi, hi !

« Et cependant le désespoir existe.

« Il existe en tant qu'argument littéraire. Sonia m'a dit que vous êtes germaniste. Vous connaissez sans doute le Werther de Goethe. »

Je voyais bien que Shapiro, effrayé par le ton trop confidentiel de mon soi-disant message, avait envie de revenir à quelque chose de plus drôle. J'ai dit avec assez de brutalité : « Il n'est pas indispensable d'être germaniste pour connaître Werther. En tout cas la réponse de Werther est qu'il n'est pas possible de vivre dans le désespoir sans désirer la mort. »

Il m'a regardé un moment de ses beaux yeux durs comme de vieilles turquoises orientales ; puis son visage s'est de nouveau contracté dans son rictus habituel : « Moi, au contraire, je ne suis pas germaniste. Moi je suis, comment dire, vitaliste, c'est-à-dire un homme qui s'entend, mais seulement un peu, aux choses de la vie. Je crois que le vrai désespoir n'est pas bla-bla-bla, mais silence. Si vous étiez vraiment désespéré vous ne viendriez pas me le " racon- ter " ».

C'était une réponse indirecte, presque une invitation à ne pas insister, mais une brusque émotion m'a pris à la gorge. C'est à voix basse que j'ai dit : « Et cependant, je le suis. »

Il m'a jeté un regard alarmé et pénétrant comme, en bateau, on regarde quelqu'un qui manifestement se sent mal à l'aise et dont on redoute de recevoir les vomissures sur son costume. Aussi, dans l'évidente tentative de changer de conversation, il a dit : « Mais vous, ce soir, n'auriez-vous pas dû être à la pension en train d'écouter le discours de l'ami de votre Duce ? Alors comment se fait-il que vous soyez ici en train d'écouter les sottises d'un vieux pêcheur comme moi au lieu d'écouter respectueusement le verbe du messie de la nouvelle Allemagne ? »

J'ai répondu sèchement : « L'écouter ne m'intéresse pas.

« Le discours du nouveau Wotan ne vous intéresse pas ?

« Je préfère rester ici.

« Alors vous n'êtes pas fasciste comme, en général, vos compatriotes ?

250

« Non, je ne suis pas fasciste.

« Est-ce que par hasard vous seriez anti-fasciste ? »

Après avoir un peu hésité, j'ai expliqué : « S'il est vrai, comme je le crois, que le fascisme est un régime de masse, alors je suis anti-fasciste.

« Voyons, voyons, que reprochez-vous aux masses ?

« Rien. Absolument rien. C'est moi qui ai tort. Les masses représentent la normalité, moi je suis anormal. Je suis fait de telle sorte qu'il m'est difficile de vivre avec les masses. »

À présent, Shapiro semblait intéressé et soulagé, peut-être parce que j'étais passé d'un fait personnel à une idée générale. J'ai ajouté : « Lorsqu'il est impossible de vivre avec les autres il vaut mieux s'en séparer.

« Vous parlez enfin avec bon sens ; pourquoi désespérer si l'on peut divorcer ? »

J'aurais voulu hurler que je n'étais pas désespéré à cause des masses ; que je serais, de toute façon, désespéré, avec ou sans les masses. Mais je me suis retenu ; Shapiro n'était certainement pas l'homme auquel on pouvait confier certaines choses. L'émotion intempestive qui tout à l'heure m'avait pris à la gorge m'a assailli une deuxième fois. J'ai dit d'une pauvre voix étranglée : « Dans mon cas, le divorce veut dire suicide » et, au même moment, mes yeux se sont remplis de larmes. Shapiro a vu mes larmes et il a eu un geste d'authentique terreur : « Allons allons, vous me semblez être un jeune homme très, mais très sentimental. Voulez-vous que j'appelle Sonia ? C'est une spécialiste dans l'art de consoler les affligés. »

J'ai dit d'un ton plus ferme : « Je vous demande pardon. Mais je suis énervé à cause de problèmes personnels. »

Il a répondu d'un ton ferme et dur : « Je vous excuse. Ceci n'empêche pas que les gens comme vous ne savent pas contrôler leurs nerfs et mettent inévitablement les autres dans l'embarras. »

J'ai encore répété en haussant légèrement la voix : « Veuillez m'excuser, monsieur, cela n'arrivera plus jamais. »

Il m'a regardé un moment, sans doute frappé par le ton de ma voix. Peut-être se demandait-il si, par hasard, nous n'allions pas en venir aux mains. Puis, gravement, il a dit : « Je le souhaite aussi ; de toute façon vous avez obtenu ce que vous désiriez, c'est-à-dire vous faire donner par moi un conseil sur la meilleure manière de vivre avec les masses ou, comme vous le dites vous-même, de stabiliser le désespoir au lieu de se jeter par la fenêtre ou d'absorber du poison, ou de se pendre au premier arbre venu. »

Aussi ravi qu'un enfant auquel sa mère a promis de lui raconter un beau conte de fées, j'ai quémandé : « Et ce conseil, qu'est-ce que ce serait ? »

Il a fait semblant de réfléchir puis il a dit, sèchement : « Devenir riche. »

Je m'attendais à une phrase du genre : « S'intéresser à ce qui est beau. » Ce que je savais de Shapiro, collectionneur de tableaux, créateur d'un musée, personnage archiconnu dans le monde international de l'art, justifiait mes prévisions. J'ai été surpris par sa sincérité, qui, dès l'instant qu'elle était courageuse, cessait d'être cynique. J'ai répété, stupéfait : « Riche ? »

Shapiro a acquiescé d'un signe de tête, l'air grave et sérieux : « Riche. Oui. Lorsque j'étais jeune, j'étais pauvre, très pauvre, et naturellement, comme tous les pauvres, j'avais pour idéal principal la beauté. Mais j'étais russe puisque je suis né dans un village de Lituanie ; dans ce village, de la beauté il n'y en avait nulle part. À dix-huit ans, avec cette idée de beauté enfoncée dans le crâne, je suis parti en Angleterre. À Londres je suis allé vivre chez un parent qui habitait un faubourg industriel, non loin d'une grande usine de textile, je crois. Je restais peu à la maison ; à cause de mon idéal, je passais le meilleur de mon temps dans les musées. Mais je me suis vite aperçu qu'il y avait quelque chose qui n'allait pas dans ma vie d'amoureux de la beauté. Et ce qui n'allait pas c'était le manque complet de, comme on le dit très bien, le manque complet de moyens, ce qui équivaut à dire de temps libre, indispensable pour jouir de cette beauté que j'avais choisie comme but de mon existence. C'est un matin que je l'ai compris en me réveillant plus tôt que d'habitude, en entendant surgir du brouillard et de tous les coins de l'horizon les hurlements des sirènes des usines. L'une commençait, l'autre attaquait aussitôt après, une autre encore finissait. À ce son lugubre et cependant en quelque sorte rassurant (après tout il vaut mieux travailler qu'être sans travail), j'ai cru voir les ouvriers qui couraient à leurs usines à travers les rues des faubourgs encore plongées dans le noir. Avec leurs casquettes calées sur les yeux, leurs visages gris de barbe, leurs blousons, leurs pantalons de grosse laine rêche, leurs gamelles ou la boîte que la femme avait préparée pour leur déjeuner garni de de l'éternel *fish and ships*, autre nourriture populaire. Alors, par association d'idées j'ai compris que mes affaires étant ce qu'elles étaient, moi aussi, un jour ou l'autre, il me faudrait me lever de bon matin, à heure fixe, non à l'appel de la sirène d'une usine mais à celui encore plus déprimant du réveil de l'employé de bureau. J'étais pauvre, et aux pauvres la beauté est interdite ne serait-ce que par manque de temps. C'est alors que j'ai eu une sorte de conversion, pardonnez mon audace, qui faisait penser à celle de saint Paul sur le chemin de Damas. Jusqu'alors, j'avais méprisé la richesse : à présent je me convertissais à l'idée qu'il me fallait, avant tout, devenir riche. Sans argent, pas de beauté. Le jour-même j'ai proposé à mon oncle qui commerçait dans la fourrure de travailler pour lui. Je ne veux pas vous infliger ou vous ennuyer avec ma biographie. Qu'il vous suffise de savoir qu'après une quinzaine d'années j'étais riche, très riche. Pour en revenir à votre problème personnel, j'ai découvert que grâce à l'argent on peut très bien co-habiter avec les masses sans pour cela penser au suicide. »

J'ai dit : « Alors vous me conseillez de m'enrichir au lieu de me suicider ?

« Je répondrai oui. »

Je ne sais pas très bien pourquoi mais brusquement j'ai décidé de mentir. Sur le ton de la polémique j'ai dit : « Vous me parlez avec l'idée que je suis pauvre. Je vous informe qu'il n'en est rien. Mon père est un industriel assez connu et assez important. Nous sommes riches pour ne pas dire très riches. Je ne peux donc pas aspirer à devenir riche, pour la bonne raison que je le suis déjà. »

Shapiro ne s'est pas laissé démonter. Comme un champion de tennis, il m'a tout de suite renvoyé la balle : « Alors je ne sais quel conseil vous donner. Les pauvres ne peuvent pas comprendre les riches. Au fond de moi je suis resté pauvre, parce que je suis né pauvre. Je ne peux donc pas comprendre celui qui, comme vous, est né riche. »

D'un seul coup il y a eu le silence, et dans ce silence, à travers la fenêtre ouverte, est venu vers nous quelque chose comme le fracas d'une mer déchaînée ; un énorme bruit d'applaudissements. J'ai compris tout de suite que c'étaient les applaudissements qui saluaient la fin du discours de Hitler. Dans une pièce voisine, quelqu'un, peut-être Sonia, l'avait écouté fenêtres fermées ; et à présent elle ouvrait les volets pour délivrer l'espace nocturne de l'écho impur de cette éloquence forcenée. La rumeur ample et mouvante semblait se déplacer dans un vaste lieu clos. Chaque fois qu'elle s'affaiblissait, elle renaissait ; par moments, un cri isolé, aigu comme une invocation, s'élevait au-dessus de la foule. Puis la porte s'est ouverte brusquement et Sonia est entrée dans la chambre de Shapiro. Elle a dit, haletante, dans un état d'excitation tempéré par l'habituelle ironie des habitants de Capri : « Dis donc, Lucio, il doit être arrivé quelque chose d'important en Allemagne. Pas la guerre, mais à l'intérieur du pays ; une conjuration contre l'homme à la moustache, qui vient tout juste d'être découverte, d'après ce qu'on dit. Une masse de gens fusillés. »

Je me suis levé dans un mouvement instinctif ; je me suis excusé envers Shapiro du mieux que j'ai pu. Puis j'ai suivi Sonia qui sortait de la chambre. Peu après je rentrais à l'hôtel.

XV

Ce dernier chapitre de souvenirs d'un temps lointain a été écrit à rebours, en commençant par la fin, c'est-à-dire par la découverte, à la *Migliara*, des corps de Paula et de Beate. C'est un paysan qui le premier les a aperçues, assises sur un banc dominant la mer, dans une attitude très naturellement tendre, étroitement enlacées et joue contre joue. J'ai entendu dire que le matin du jour qui a suivi le discours de Hitler, elles avaient téléphoné en Allemagne et qu'elles avaient appris que parmi les fusillés de ce qu'on a appelé « Nuit des Longs Couteaux » se trouvait Aloïs, le mari de Beate. Alors elles étaient sorties, emportant avec elles un petit panier contenant leur déjeuner qu'elles désiraient manger au bord de la mer. En réalité, elles avaient erré longtemps à travers la campagne et n'avaient rien mangé du tout (le panier avait été retrouvé intact sur le banc). Puis elles étaient allées à la *Migliara* et là, face à l'aimable Méditerranée, elles avaient avalé des comprimés contenant le poison mortel.

Quelqu'un désire peut-être savoir comment j'ai passé la nuit à la pension Damecuta après ma visite au musée Shapiro. Cela doit sembler difficile à croire, ma mémoire étant généralement précise et attachée aux moindres détails, mais en ce qui concerne cette nuit il n'y a rien d'autre que du vide, ou plus exactement une sorte de perplexité.

Ce dont je me souviens très bien, c'est d'être monté directement dans ma chambre parce que je n'avais pas envie d'entendre les commentaires des Allemands sur le message extraordinaire de

Hitler. J'ai probablement lu, fumé, extravagué, en somme attendu l'arrivée de Beate. Puis sans savoir ni pourquoi ni comment j'ai éteint ma lampe et je me suis endormi presque tout de suite.

J'ai dormi une heure, peut-être deux, je ne me souviens plus. En me réveillant, j'ai eu la sensation, précise, que quelqu'un marchait dans ma chambre. J'ai, bien sûr, pensé tout de suite à Beate. Mais, bizarrement, je n'éprouvais pas l'exaltation que procure d'ordinaire la conclusion heureuse d'une aventure amoureuse. Je me disais seulement que le but de cette visite ne pouvait plus être, à présent, l'amour.

Je me suis redressé, je me suis assis dans mon lit en scrutant les ténèbres à travers lesquels allait et venait la mystérieuse présence. Puis j'ai senti le contact d'une main légère sur mon front. C'était une caresse singulière : presque celle d'un aveugle qui aurait cherché dans sa nuit à reconnaître les traits de mon visage.

Finalement j'ai senti la chaleur d'un souffle sur ma bouche et j'ai entendu la voix de Beate qui, tout doucement, avec une précision presque pédantesque, détachait mot après mot les vers de Nietzsche sur le plaisir qui veut l'éternité. Alors j'ai pensé : « Encore de la littérature ! » mais sans ironie, presque comme si, résigné, je constatais un fait. J'ai tendu les bras du côté où, dans le noir, je supposais être Beate. Je voulais la prendre, l'attirer vers moi. Mes bras n'ont serré que le vide. Et avec un amer sentiment de frustration, je me suis réveillé.

Tout cela n'avait été qu'un rêve. Il était trois heures du matin, et il est probable qu'à cette heure-là, Paula et Beate, encore éveillées dans leur chambre, parlaient du discours de Hitler. J'ai allumé ma lampe, j'ai regardé autour de moi, il n'y avait personne. Par scrupule je suis allé jusqu'à la porte et j'ai constaté qu'elle était toujours entrebâillée. Je l'ai laissée telle quelle. Beate pouvait encore venir. Puis je me suis recouché. À un moment je me suis endormi pour ne me réveiller qu'au jour.

Et maintenant il me reste encore à dire que Beate avait prévu de m'annoncer à l'avance la nouvelle de sa mort ; et c'est seulement le hasard qui a voulu que je la reçoive en retard.

Un mois après le double suicide de Paula et de Beate, à la campagne, où je m'étais réfugié auprès de ma famille, je me suis mis à feuilleter le recueil des lettres de Kleist et j'ai fait alors une étonnante découverte : inséré dans mon livre je trouvai un papier sur lequel était recopiée la fameuse lettre par laquelle Henriette Vogel annonçait sa propre mort et celle de Kleist ; mais un peu modifiée pourtant :

« *Mon très cher Lucio,*

À l'amitié que tu m'as toujours si fidèlement montrée, il est réservé de me donner une grande preuve. Paula et moi nous nous trouvons ici, à Anacapri, au lieu-dit de la Migliara et dans une situation très embarrassante puisque toutes deux sommes mortes tuées par le cyanure. Alors maintenant, nous faisons appel à la bonté d'un ami dévoué en lui demandant de confier nos fragiles dépouilles à la sûre tutelle de cette terre italienne qui..., etc. »

Je ne saurais dire le moment où Beate est entrée dans ma chambre pour glisser dans le livre de Kleist son pastiche d'Henriette Vogel. Peut-être la nuit même, pendant mon sommeil, peut-être le matin pendant que je déjeunais dans la salle à manger.

Ambiguë jusqu'à la fin, elle n'a pas voulu survivre à l'homme qui lui faisait horreur, parce qu'il avait du sang sur les mains. Et Paula n'a pas voulu survivre à Beate.